GIROL SPANISH BOOKS
120 Somerset St. W.
Ottawa, ON K2P 0H8
Tel/Fax (613) 233-9044

W9-DBE-377

1441 Clark Avenue W.
Thornhill, ON L4J 7R4
905-660-0374

VAUGHAN PUBLIC LIBRARIES

33288076560079

Spanish   Delahunt,
FIC   Meaghan.
Delha   La casa azul
              de Coyoacan

La Casa Azul de Coyoacán

La Casa Azul de Coyoacán

MEAGHAN DELAHUNT

Traducción de
Jorge F. Hernández

PLAZA & JANÉS EDITORES, S.A.

Título original: *In the Blue House*

Primera edición: junio, 2002

© 2001, Meaghan Delahunt
© de la traducción: Jorge F. Hernández
© 2002, Plaza & Janés Editores, S. A.
  Travessera de Gràcia, 47-49. 08021 Barcelona

Queda rigurosamente prohibida, sin la autorización escrita de los ti-
tulares del «Copyright», bajo las sanciones establecidas en las leyes, la
reproducción parcial o total de esta obra por cualquier medio o procedimiento, comprendidos la reprografía y el tratamiento informático, y la
distribución de ejemplares de ella mediante alquiler o préstamo públicos.

Printed in Spain – Impreso en España

ISBN: 84-01-32942-6
Depósito legal: B. 23.970 - 2002

Fotocomposición: Víctor Igual, S. L.

Impreso en Limpergraf
Mogoda, 29. Barberà del Vallès (Barcelona)

L 329426

A Francis

Soy hombre: duro poco
y es enorme la noche.

OCTAVIO PAZ, *Hermandad*

1

JUDAS EN LA CASA AZUL

SEÑORA ROSITA MORENO
Coyoacán, julio de 1954

Esa casa: cuna y sepultura. Su color: *azul añil*, un azul mate para mantener alejado al mal. Decimos que es una bendición poder nacer y morir en la misma casa. Ahora que ella se ha ido, imagino su nacimiento y recuerdo su muerte. En ambas ocasiones llovió mucho. La lluvia sobre un féretro revela que la persona fue feliz. La lluvia sobre un recién nacido presagia una vida difícil. La *señorita* amaba la lluvia, esas lágrimas del cielo. Entre su nacimiento y su muerte, el cielo lloró muchas veces.

Ahora, sin lágrimas, viaja hacia el Tlalocan, el Paraíso del Sur; allí Tláloc, el dios de la lluvia, velará por ella. En esa tierra de primavera correrá a través de los colores, moviéndose fácilmente y juntándolos con su falda para formar una paleta de pinturas. Viéndola las demás almas sonreirán. Cantarán a su llegada y aquella rama seca que pendía cerca de su urna reverdecerá.

Ella deseaba este viaje, hablaba de él a menudo.

Tantísima gente en su funeral. Y luego, el *señor*, mi *patrón*, con los ojos hinchados, presentándomelos, *Señora Rosita Clemente Moreno*, dijo, *la fabricante de Judas, la artista.* Y entonces tuve que alejarme, pues miré las llamas mientras su cuerpo se deslizaba hacia la hoguera. En el último momento el fuego hizo que el cuerpo se enderezara, los cabellos flameaban delante de su cara, los ojos en medio del pelo en llamas. Como la cara de una flor. Como algo salido de su propia mano. Como si se hubiera pintado a sí misma, por última vez, una naturaleza muerta que se resistía a morir, que se erguía para mirar, atravesando el fuego con sus ojos.

Poco antes de su muerte, la *señorita* me mostró un cuadro en el que su cara aparecía en el centro de un girasol. Después de mirárselo un buen rato, postrada en la cama con el rojo corsé de acero soportando la espalda y el muñón de su pierna escondido bajo las mantas apiladas, siguió raspando lentamente la pintura de la tela. «Me estoy ahogando dentro de esa maldita flor» dijo mientras seguía raspando el cuadro, destruyéndolo.

Ahogarse dentro de la flor.

La flor de su propia vida. Brillante y corta. La energía de la flor. Energía, aun en medio de la muerte.

¿Qué queda cuando muere una amiga? Un nombre, repetirlo para que no caiga en el olvido. *La señorita Frida.* El nombre de mi amiga. Tenía talento para la amistad. «Tengo un corazón muy grande», me dijo alguna vez. Y era verdad. Todo el mundo cabía en él. Sentir el calor de ese corazón era algo especial. Personajes importantes, famosos, pero también gente humilde, los *campesinos*, tenían un lugar en su corazón. Todos ellos, todos nosotros, fluimos a través de ella. *El Viejo*, por ejemplo. Fluyendo, como la historia de los oceános y de los ríos, pues ¿para qué es una vida, sino para dejar constancia de otras vidas?

La primera vez que vi a la *señorita* me hallaba en mi puesto de verduras con el último bebé prendido a mi pecho, aunque en ese momento aún no sabía que ese bebé sería el último. Veía cómo se movía la muchedumbre, las personas que se acercaban a mi puesto: las manos extendidas hacia la fruta, el ángulo que formaba un dedo alrededor de una pera, la línea de la nariz de alguien que se inclinaba para poder oler. Memorizaba a diario estas líneas y ángulos de las caras y los cuerpos y, de noche, los trabajaba en mis figuras.

Ese día levanté la vista. Hubo un ligero movimiento del aire, como si los pájaros hubieran alzado el vuelo desde sus ramas, y allí estaba ella, viniendo hacia mí con un *rebozo* rosa sobre sus hombros, el pelo trenzado con un lazo rojo, colores por todas partes, una mujer vestida de tehuana que avanzaba hacia mí. El *señor* estaba con ella; estuvieron un buen rato en el puesto, mirando mis figuras de papel maché, comprando fruta y yo, demasiado cansada para hablar, seguía observándolos. Calculaba para mis adentros la circunferencia del *señor*, cuánta harina y cuánta agua se necesitarían, cuánto alambre para hacer la mandíbula, era el hombre más grande y ancho que había visto ese día en el mercado. Pensaba en todo esto cuando ella me habló y me pidió que hiciera un molde de su esposo, que si sería posible hacer un enorme Judas con su figura para quemarlo. *Fue como si supiera en qué estaba pensando.* Moví la cabeza, sí, sí sería posible, pero daría mucho trabajo y ¿cuánto me pagaría por eso? Le indiqué la estatura y anchura del *señor*, quien, desde ese momento se convirtió en mi *patrón*. Se rieron y me ofrecieron doscientos cincuenta pesos, más dinero del que jamás había visto en mi vida. Ese día me compraron unas manzanas y unos higos chumbos. Mientras ella contaba el dinero, me fijé en las líneas de su mano. «No tiene línea de cabeza», le dije cuando la extendió. Debe tener cuidado, sin línea de cabeza solo queda la línea del corazón. Y así empezó todo. El inicio de nuestra amistad. Miré su vestido y la manera como la gente la señalaba y se la quedaba mirando como si fuera un pájaro escapado de su jaula. Le pregunté *¿Qué se celebra?*, pues nadie que no fuera tehuana se vestía así en ese entonces. Repetí la pregunta. *Así que ¿qué celebra?*

Me miró atentamente a mí, al bebé que tenía en mis brazos y a los que nos rodeaban en el Mercado Abelardo Rodríguez. Las pirámides de manzanas y de naranjas, los agudos gritos de los vendedores, el olor de buganvillas de los puestos de flores, mis Judas listos para la *Semana Santa*. «*Esto* se celebra», dijo mientras abría los brazos como queriendo abarcar todo el mercado. Se rió, tenía algunos dientes ennegrecidos, cubriéndose la boca con una mano; abrió los brazos, abrazándolo todo. Con el paso de los años, aprendí que para ella todos los días eran una celebración. Cada vez que la vi, el pelo, los anillos, las uñas; nunca igual. Hacía que todos la siguieran y vieran como una fiesta andante: *ella* era la fiesta.

Y entre amigas, ¿qué cosas no se dicen? «Bebes demasiado. Fumas demasiado», solía decirle, y más durante los últimos años, cuando pasaba cojeando por mi puesto y le revisaba las bolsas para ver si no llevaba su botellita de *mezcal* o de ron. Intentaba reír con la boca cerrada, pero eso le provocaba demasiados dolores. Al contrario que en sus cuadros, el dolor rara vez aparecía en su cara. Muchas veces, en su estudio, después de haberle llevado mis últimas figuras, me sentaba y la veía moverse, arreglando cosas y pinceles, poniendo en orden unas banderitas en una cesta de frutas, colgando mis *calaveras* en blanco y negro a unos ganchos del techo. Nunca la vi pintar. Solo permitía que la viera Diego. Yo solo veía cómo por todo el estudio se secaban sus retratos. Una vez le dije «La cara es la misma, siempre la misma, pero estas pinturas representan todo lo que hay detrás de la cara».

Al final, un retrato sin terminar de un hombre con un grueso bigote.

—¿Para qué pintar esa cara? —le pregunté—. No es tan bello como usted.

—¡Pero su bigote es hermoso! —me dijo, mientras acariciaba el vello sobre su labio—. Sabes que me gusta un buen bigote.

Se reía. Se reía mucho la *señorita*. Incluso, en la silla de ruedas. Miré el retrato y recordé a otro hombre; con el pelo blanco y su pequeña barba blanca.

—*El Viejo* no se estaría riendo.

—*El Viejo* cometió muchos errores, ahora me doy cuenta —dijo Frida mientras se daba vuelta para mirarme.

—Errores —moví mi cabeza—. Todos cometemos errores —y apunté hacia el atril—. Pero estoy harta de este hombre y de su bigote. Este Stalin.

La Señorita era *una comunista*. La gente escupía esa palabra en las calles. Cuando pasaban por delante de su casa las monjas echaban agua bendita en su puerta. Fuera de la Casa Azul, las mujeres burguesas se cubrían el rostro con pañuelos impregnados con olor a rosas.

—Stalin... Mi marido no piensa más que en Stalin y en el *pulque*. Pasa más tiempo bebiendo a la salud de Stalin que ocupándose de sus propios hijos —le dije.

—Pero así es la lucha —dijo ella.

—No, no —protesté—. Para mí la lucha es levantarme todas las mañanas para mezclar la pasta, preparar los colores, vender fruta, mantener vivos a mis hijos un día más. *Esa* es la lucha.

—Y para mí —hizo una pausa, echó atrás la silla con los ojos fijos en el retrato de Stalin—, que no puedo levantarme todas las mañanas, la lucha es seguir creyendo.

Se alejó en su silla de ruedas, la pierna amputada escondida bajo la masa colorida de sus faldas. Se agachó para recoger un pincel, giró el caballete y empezó a rellenar el grueso perfil de la cara del hombre. Era una señal para que me fuera. Estaba llorando. Ese cuadro era una barrera entre nosotras. Ahora me avergüenzo de cómo me alejé ese día.

Semanas después de su muerte, sentada en mi puesto de verduras, sigo esperando ver un coche con el *señor* apretujado tras el volante y la *señorita* a su lado, con sus trenzas de colores enroscadas sobre la cabeza. En mi bolsa hay dos dientes de oro, un regalo de hace años de Frida. Los dientes que perdí cuando mi marido llegó de las minas, flaco y cansado, lleno de *pulque* y sueños de revolución. Y ahora me quedo boquiabierta como si mi boca fuese el túnel al desastre: mis encías doloridas. Me siento aquí, con las manos aferradas al oro ensangrentado y lloro. Ojalá mi generosa amiga pudiera verme. La *señorita* sabía lo que significaba aguantar un marido. Ella misma me lo dijo.

Han pasado cinco meses desde su muerte. A veces me paro en la acera de enfrente de su casa, la Casa Azul, en la avenida Londres. Veo al señor Rivera cruzar la puerta, rozar mi obra al pasar, los inmensos Judas que se arquean por encima de él, figuras rojas y azules, enmarcando su corpulencia. He venido para ver si quiere encargar algo para Navidad; adornos de mesa, juguetes, quizá *piñatas*. También he venido para revisar y restaurar los colores de mis figuras de Judas, los guardias de la Casa Azul. Y, también, debo admitir, para admirar mi obra. Lo llamo desde el otro lado de la calle, pero no me oye, no me ve. Parece como si de la noche a la mañana Diego se hubiera convertido en un hombre viejo, desaliñado, que habla solo.

Le llamo y no me oye, porque estos días están cercanos todavía, su boca aún tiene el sabor de la ceniza; su pena es como una caldera donde se depuran los sentimientos por efecto de llamas iguales a las de la cremación.

JORDI MARR
Ciudad de México, julio de 1954

Mi esposa se ha levantado antes que yo. El periódico está abierto sobre la mesa, arrugado y doblado, tal como lo ha dejado, con una mancha de café en una esquina. En la primera página hay una fotografía de Diego, caminando tras un ataúd cubierto con una bandera comunista. Esta bandera ha provocado un escándalo. Incluso muerta consigue hacerme sonreír.

Abro el periódico y ver esa bandera, tocar el papel manoseado, me remite a otro tiempo. Ese tiempo con Frida y Diego. El tiempo con *El Viejo*, como lo llamaba ella.

Los periódicos. Cuando llegaba por correo el *Pravda* o cualquier otro diario lo dejaba sobre su escritorio sin abrir. Nunca leía un periódico que ya hubiese abierto alguien. Era muy estricto en algunas cosas. Aprendí a anticiparme y a respetar sus deseos, su cuidado por los detalles. De todos los secretarios y guardaespaldas, yo fui quien más duró con él; equilibraba sus pequeños ataques de furia y los prudentes silencios de Natalia. Ese fue mi papel durante tres años.

Los siguientes meses después de que *ella* rompiera con él, Trotski pasaba las tardes en el jardín de cactus con la mirada perdida, escuchando los ruiseñores en sus jaulas. Natalia revoloteaba. Ahora por las mañanas, el sol sobre el patio de la Casa Azul, —los cactus, los naranjos, las buganvillas rojas, las estatuas precolombinas— proyectaba sombras alargadas.

Tal fue el efecto que tuvo sobre el Viejo; recuerdo que intenté no pensar en tales cosas el día que la esperaba fuera del mercado, inhalando el carbón que salía de los quemadores de adobe mezclado con el olor de los eucaliptos, recordando su tersura de la noche anterior.

La falda de Frida me cubría la cara y mi lengua la penetraba. Su olor a jazmín y sexo me cubría. Y luego, con la lengua dulce y amarga, cada parte de mí viviendo ese sabor, el pensamiento de que el Viejo estaba en el piso de arriba, la posibilidad de que me descubriera. Esa única idea. Todo apresurado e intenso.

Noches en que recorreríamos las cantinas de Coyoacán, la algarabía de los mariachis en ambos extremos de los grandes salones. Brazos y piernas girando al ritmo cada vez más intenso de las bandas. Y los ojos de Frida mirándome mientras bebía *mezcal* del frasco que colgaba de su cintura, su pierna mala sobre uno de los bancos. Me veía bailar en todos los locales del pueblo; y yo bailaba como un poseso, sabía que en esas noches, esa libertad era escasa. Alargaba los bailes, y las carcajadas y el trasnoche como si solo ellas contuvieran toda mi existencia.

Y luego llegar a casa al amanecer. Ser de nuevo el responsable, el organizado, el que mantenía unido el hogar y me sentía dividido; por un lado el diabólico bailarín y por el otro el camarada responsable; con el tiempo la escisión se agrandaba.

Después de esas noches, una sensación de desasosiego flotaba sobre el hogar. El Viejo ya estaba levantado, dando de comer a los conejos con sus guantes de jardinero de color de arena, machacando la comida con un mortero, pasando frente a nosotros sin decir palabra pues no hacían falta palabras. El Viejo envidiaba mis noches de libertad. Yo conocía de sobra los motivos. Durante días, sería brusco y exigente. Me encargaría traducir farragosos tratados, encontraría errores en la traducción y me exigiría volver a comenzar desde el principio. Hacía todo lo que me pedía para que no me preguntara cuánto tiempo pasaba con Frida. Yo no quería que él supiera lo que significaba para mí Frida.

Hace catorce años que murió el Viejo. Hace tres de la muerte de Frida. En el funeral vi a Diego coger un puñado de sus cenizas. La vi a ella cuando se irguió en el horno crematorio. Después de su muerte quedamos menos de los de aquellos tiempos. Me asombra ver cómo el paso de los años nos va transformando de protagonistas a meros testigos.

Yo mismo, solo un testigo.

Puedo asegurar que Frida era un torbellino, que absorbía a todos los que estaban cerca de ella. Todos, mojados y ahogándose. A ella le gustaba así. Ese era su atractivo. Años después, caí en la cuenta de que esta atracción también era una manipulación. Sin importar quién estuviera cerca de ella, al final del día, esperaba la voz de Diego. Él era el importante. Diego en la puerta, tarareando la Internacional para anunciar su llegada, oliendo a sexo, a pintura y al perfume de otra mujer. Diego, *al que le gustaba mirar*.

Cuando conocí a Frida yo tenía veintiún años. Ella era casi diez años mayor que yo. Nos hicimos amigos después del tiempo que pasó con el Viejo. Nunca había visto a nadie como ella, pero no me refiero solo a su aspecto sino también a cómo vivía. Desde luego, estaba también su talento: esas pinceladas precisas con las que captaba los matices de los cabellos, la mirada; del color; la impresión de ella misma. Aunque en ese momento eran los muralistas, con Diego al frente, quienes eran los más famosos.

Pero ella también tenía un don con la gente. A Frida le fascinaban las personas y eso formaba parte de su atractivo. ¿Quién puede negarse a alguien que vive tan intensamente los momentos que pasa contigo? ¿Quién puede negarse a una persona que escucha de manera que te hace sentir que toda la vida te ha conducido hasta esa conversación, aquí y ahora?

Desde luego, como todo mundo, yo estaba enamorado de ella. Durante un tiempo, fuimos amantes; justo después de haber estado con el Viejo y antes del siguiente.

Trotski había sucumbido a Frida y durante esos primeros seis meses en la Casa Azul nació algo entre ellos. Y él siguió así, enamorado, infantil, poniendo en peligro toda la operación; pensando solo en sí mismo. Su esposa Natalia se volvió callada. Según me dijeron, toda su comitiva tuvo problemas para soportar aquella situación. Incluso seis meses después, cuando llegué a Ciudad de México, él seguía subyugado por Frida. Castigándose a sí mismo por su debilidad. Castigando a quienes estaban a su alrededor, hasta tal punto que el jefe de su escolta renunció y entré a su servicio. Me volví un participante.

El Viejo se ponía en marcha con solo escuchar su voz. A veces me lo encontraba traspuesto ante el autorretrato que ella le había regalado con motivo de su cumpleaños, el veinte aniversario de la Revolución rusa. De pie, desamparado, ante ese retrato, el comportamiento del Viejo, me revelaron que *el Viejo también se equivoca*. Recuerdo cómo la mera idea me dejó helado, me hacía dudar del tiempo que había pasado con él; los lazos entre nosotros comenzaron a debilitarse. Este lazo de circunstancias históricas. Ambos, unidos como decía Trotski, ambos instrumentos de la Historia.

Mi cuerpo, el receptáculo.

Como si la Historia fuese algo caliente, viscoso, derramado en el molde de un ser humano y puesto a enfriar. La Historia impulsando a la personalidad a través de épocas, guerras y revoluciones y, finalmente, hacia la paz del sepulcro.

Mi cuerpo, el instrumento de la Historia.

Durante el tiempo que estuve con Frida, reconocí las carencias de mi propia vida. El vacío en mi interior: la ausencia de amor. Me di cuenta que para luchar por un futuro mejor me era más fácil profesar amor por la humanidad, esa gran masa sin rostro, que hacerlo hacia una sola persona capaz de tumbarme con una sola mirada.

En esas raras ocasiones en que salía a beber y a bailar con Frida en Coyoacán, la Historia quedaba suspendida por una noche. Sentí que había otra parte de mí viva y deseando liberarse. La alegría de bailar, reír y de ser, la gratitud que sentía. Se ha quedado conmigo. Ahora que ella se ha ido, mi último lazo con aquellos tiempos, con el Viejo, vuelven esos recuerdos.

Era rara la confusión que sentía en aquel entonces. Recuerdo cómo me quedaba sentado al lado de Frida y me olvidaba de la Revolución entre serpentinas de papel enroscadas en mis tobillos y un vaso en la mano. Me quedaba sentado dando gracias por esa felicidad, deseando parar en una capilla, sentarme, encencer una vela y rezar.

Luego, en el momento de volver, cambiaba y esos remanentes de mi infancia católica retrocedían entre vapores de tequila y los rasgos del Viejo; su convencido ateísmo se alzaría por encima de mí y me avergonzaría si se llegara a saber que yo, el camarada Marr, todo disciplina y racionalidad, podía haber sido consumido por lo irracional.

Pero Frida tenía ese efecto sobre mí.

El regalo de Frida fue haberme abierto a otras experiencias: el baile, la música, hacer el amor. Caer bajo los poderes de la pintura. Jamás me había sentido tan completo. Ni cuando estuve en España luchando con el POUM, ni, tenía que reconocerlo, durante los años con Trotski.

México tenía ese efecto sobre mí. Y me he quedado aquí estos catorce años porque es aquí donde he aprendido a vivir. Cómo asumir tales contradicciones. Aquí aprendí que la religión, la fe, el espíritu se anuncian de varias formas. Puede ser encubierto o epifánico. Puede ser crudo y abierto. Puede cortarle a uno con sus bordes rugosos. Es política y mucho más que política. Aún me sorprende. En México, dondequiera que mirara, cobraban vida los catecismos de mi infancia.

¡Y cómo miré! Colores, sonidos, formas. Todos mis sentidos despiertos. Cosas que uno no olvida. Entrar por Veracruz —el impacto de esas primeras vistas— un muro de calor y llovizna; los intensos aromas del café y de la vainilla. Pasé del mar a la tierra por el mismo lugar por donde había llegado Cortés siglos antes que yo, con la misma sensación de pasar de lo líquido a lo sólido. La terrenabilidad del color y el calor y los olores. La aparente solidez de los sentidos. Seducido, como lo habían sido los españoles. Desde aquí emprendieron estos su aventura y aquí es donde fueron derrotados.

Debí haber visto las señales desde ese día en Veracruz. México: lugar de ilusiones; lugar de las últimas defensas.

El impacto de aquellas primeras vistas en el autobús hacia Ciudad de México: una iglesia blanca recortada sobre las montañas; una fila de calaveras y huesos de vaca en la entrada de una casa; imágenes de la Virgen enmarcadas en hojalata o en madera, inacabadas y con los bordes astillados. En las calles, amarrados a las bases de los faroles o de los árboles había girasoles de plástico que crecían enraizados en naranjas o limas. Recuerdo una banda tocando a todo volumen por los límites de la ciudad: hombres con sombreros de fieltro con el árbol de la vida entretejido, camisas arremangadas hasta los codos, gruesas y pesadas cadenas de oro sobre sus cuellos. Un hombre pequeño con una enorme tuba que saluda hacia el autobús, al parecer absorto por el instrumento y el sonido que producía.

Aún me maravillo ante tales cosas. Estas epifanías cotidianas. Sonido. Color. Forma. En aquel entonces, México me hizo ver que mientras más me alejaba de la fe en la que había crecido, más tenazmente me aferraba a ella. Vi cómo un catecismo se sobreponía a otro en este lugar de crucifixiones diarias. Yo sabía de disciplina, autosacrificio y penitencia. La disciplina amarrada a la fe en la Idea. Mi padre irlandés y mi madre española habían sembrado eso en mí. La Revolución lo había pulido.

Recuerdo haber visto por primera vez el paisaje pedregoso de México y un hombre que cargaba una enorme mesa de madera sobre su espalda, tropezándose sobre las piedras grises. Dos niños lo seguían con mesas de madera más pequeñas a sus espaldas. Recuerdo la primera vez que pasé por encima de un *campesino* tumbado delante de una puerta con los brazos abiertos en cruz, tuve la sensación de que me encontraría figuras de Cristo por todo México. Todos con los brazos extendidos y abandonados.

En México, este lugar de crucifixiones diarias, empecé a cambiar.

Jamás lo hablé con el Viejo, él no lo habría entendido.

Imágenes de muerte. A menudo pienso en la bella resignación y liberación de una muerte mexicana. Cómo en México no es algo separado de la vida, sino unido a ella por hilos invisibles. Cómo la tarea de vivir consiste en tirar de esos hilos, adornarlos con papeles de colores y oropel; hacerlos visibles.

Frida lo sabía todo sobre estos hilos y sus adornos. Quizá el Viejo, al final, también llegó a comprenderlo.

En México, los primeros días se me aparecía a menudo otra imagen de la muerte. Una instantánea de la infancia: mi padre colgando de las vigas del techo; y yo, un niño, brincando para alcanzar los tobillos de mi padre, intentando liberarlo de la soga que colgaba de la viga. Las hendiduras en el techo de madera, arañando la vida, preguntándome al final por qué exactamente se columpiaba y cómo podría parar. Estuve vigilando el cuerpo hasta que volvió mi madre. Durante dos horas, agotándome en brincar y brincar, un niño intentando arrastrar por los tobillos al hombre adulto de vuelta a la vida.

Persiste el misterio, pues mi padre tenía sus metas, sus ideales. Tenía a mi madre, me tenía a mí. Pero había desasosiego en él. Siempre estaba buscando.

Se había manifestado por las calles de Nueva York en 1921, en protesta por la sentencia contra Sacco y Vanzetti. Podría decir que tal sentencia, el inicio de mi educación política, significó el final de mi padre. Pero, desde luego, solo sería parte de ello.

Sacco y Vanzetti. Se alzaban sobre mi infancia. La historia del pobre zapatero y del pescadero: anarquistas, inmigrantes, juzgados por un asesinato que no cometieron. Juzgados por sus ideas políticas. Nicola Sacco y Bartolomeo Vanzetti, enjaulados durante los tres meses de su juicio. Su piel morena y su inglés quebrado empujando a través de los barrotes de hierro. Cómo dolía mirarlos. De la mano de mi padre en la sala. Y luego, mi padre afuera, empujado por la policía mientras distribuía panfletos: *Sacco y Vanzetti han sido condenados por un crimen de opinión*.

Mi madre encendiendo velas por la divina intercesión sobre

las vidas de esos hombres que, como nosotros, aterrizaron en la Historia en el lugar y el momento equivocados: América, 1921. Pobres, inmigrantes, *de piel morena*, cabezas llenas de ideas radicales. Un pobre pescadero y un pobre zapatero. *Anarquistas. No Americanos.*

Y la respuesta de mi madre y de mi padre a estos acontecimientos; muy distintas, pero de algún modo complementarias. Las velas y las imágenes, los panfletos y los mártires, los hombres que debían sacrificarse por un bien superior. Los catecismos sangrientos de mi infancia. Con mi padre, era el político. Largas marchas sobre sus hombros por las calles de Massachusetts; debajo de mí los nervudos brazos y enormes puños, las grandes ideas que pasaban entre la multitud en octavillas. Con mi madre era el alma. Eran los domingos, de rosario y penitencia, de hincarse en silencio y esperar la bendición; darle la mano al sacerdote y salir de la oscuridad de la iglesia a la calle iluminada; purificado.

Mis recuerdos más tempranos son de la vida en Estados Unidos. En Massachusetts. De mi padre volviendo del trabajo, el pelo relamido hacia atrás, oliendo a jabón industrial bajo sus uñas y a grasa en su mono. Algunas veces me llevaba a los talleres donde trabajaba. Y esto fue algo que luego compartí con el Viejo, que tenía sus propios recuerdos de los talleres de su infancia. Cómo ambos amábamos el ensamblaje de ruedas y piezas de repuesto. Nuestra creencia en el poder de la máquina, en la fuerza liberadora de la tecnología.

Recuerdo que mi padre volvía de su jornada de trabajo y de su actividad de agitador en las cercanías de los tribunales, intentando salvar a Sacco y Vanzetti. Esto lo consumió durante los primeros años después de su sentencia. Y se hundiría frente a la radio, con los ojos cerrados, apesadumbrado por la decepción. *El capitalismo pone en coma a los hombres*, solía decir. Pues los hombres con los que trabajaba no querían más que sus hogares, sus familias, vacaciones una vez al año: seguridad. Trabajaban duramente y mucho tiempo para conseguir esta seguridad; hasta mucho más allá de sus fuerzas. No tenían interés por un *par de rojos* acusados en un sonado caso de asesinato. No tenían ya energía para enfrentarse a aquella situación. Mi padre no comprendía su orgulloso individualismo. Era impaciente. Quería tener el futuro, ahora. Siempre estaba buscando el modo perfecto de vida. Un solitario en busca de la solidaridad. Y dejamos los Estados Unidos, bajo presión, como muchos otros inmigrantes de

24

tendencia radical. Por aquel entonces había enfermando *en la panza del monstruo*, decía él, sus politiquerías lo habían expulsado de más trabajos de los que pudiera recordar y entonces volvimos a la cuna de mi madre, España, donde él sentía que la vida sería más simple. Al final, abandonó su búsqueda. En 1925, dos años antes de la ejecución de Sacco y Vanzetti por un crimen que no habían cometido, mi padre se mató. Al final, para mi padre no había nada entre él y el caos. Ese día, desde las vigas del techo, mi padre dejó ondular una gran decepción, la decepción en la humanidad y en sí mismo.

Determiné no cometer el mismo error.

El recuerdo de esas grietas en el techo. Cómo mi madre encalaba ese techo y cada vez, pasado un mes, quizá dos, las dos hendiduras volvían a aparecer, como estigmas, y mi madre lo declaraba milagro y quería que el cura bendijera la casa, lo menos que podía hacer, pero el cura se negaba pues mi padre era un pecador, un ateo y un anarquista que se había quitado la vida.

Lo cierto es que era más difícil que un pobre pecador consiguiese un entierro digno. Mi padre fue enterrado en un cerro, sin lápida. Mi madre plantó rosas en memoria de él. Posteriormente, dejamos esa casa y nos fuimos a un pequeño pueblo a las afueras de Madrid. Los dedos de mi madre recorrían las cuentas del rosario cuando nos fuimos, esos dedos gastados por el esfuerzo, su espíritu gastado de pintar y repintar el techo tantas veces, encalando la memoria.

Durante muchos años intenté borrar ese recuerdo de mi padre. Y durante muchos años la Revolución me ayudó a olvidar.

Al tiempo que crecía, rechacé su anarquismo romántico. Me sentí atraído por la disciplina y el compromiso del paraíso de un Estado proletario fuerte. Algo que fuese posible. Miré hacia la política para alejarme del caos. Pero una política diferente de la de mi padre.

Nací en 1917. ¿Quién puede decir el significado de las fechas? Nací al comenzar el siglo XX, el año que lo individualizó, el año de la Revolución rusa. El año en que el joven Trotski dirigía el soviet de Petrogrado. Un hecho y una persona que moldearían mi vida por encima de continentes y del tiempo.

Hasta la guerra en España era un joven que se había movido entre las corrientes revolucionarias de Massachusetts, un sindicalista, un aprendiz de mecánico como mi padre. En agosto de 1936 leí sobre los primeros juicios que se llevaban a cabo en Moscú: el juicio de los dieciséis, la primera ronda contra los viejos bolcheviques, Zinoviev y Kamenev, hombres que habían participado en la Revolución de Rusia, a los que ahora se juzgaba por traición. Para los anarquistas, esta era una conclusión lógica del bolchevismo: el Estado fuerte que devora a los suyos. Leí todo, incluyendo una copia del *Boletín de la Oposición*, publicado en París y escrito por León Trotski desde el exilio. Trotski tenía otra interpretación: estalinismo, burocracia, el aislamiento de Rusia.

Trotski, el Viejo.

Había leído sobre él. Todos lo habíamos hecho. De cómo en el año en que nací, él había dirigido una revolución. ¿Cómo yo, el hijo de un anarquista, llegué a pasar a su servicio? Uno de esos accidentes de la historia, con los que nuestros destinos se topan tantas veces.

España. Allí es donde en realidad empezó todo.

En aquel entonces, el mundo estaba resuelto. La política era lo más importante. Todo a mi alrededor, mis amigos —hijos de los camaradas anarquistas de mi padre— se unían al Partido Comunista como gesto de rebelión contra sus padres. La Izquierda Americana crecía.

Y la guerra de España me impulsaba en esa dirección, me daba una salida; mi madre puso el grito en el cielo ante mi partida, pero no podía hacer nada frente al idealismo; había aprendido la amarga lección, así que me despidió en un mercante de Nueva York a París, deseándome la bendición de Dios y un regreso seguro.

De París, un tren hacia la frontera con España y de allí, la larga marcha a través de los Pirineos junto con un grupo de voluntarios.

Yo tenía diecinueve años. Al iniciar 1937, estaba en España.

Me encontré luchando contra Franco en una brigada del POUM, la izquierda antiestalinista. Estaba acusado de simpatías trotskistas. Lo irónico de esto, posteriormente en México, eran las discusiones que mantenía con el Viejo.

—*En el POUM no había trotskistas* —decía lúgubremente el Viejo. Era muy crítico con la izquierda española, decía que nadie seguía una línea correcta. Nadie había aprendido de la experiencia rusa—. Nos las arreglamos sin ayuda extranjera, formamos los soviets, armamos a los obreros, peleamos para ganar.

—*Teníamos demasiadas cosas en contra* —le respondía—. *Pero había mucha gente buena.*

—Pero no buenos organizadores —decía él—. Ningún partido revolucionario.

Yo era joven, dispuesto a aprender. Sufría nuestras diferencias en silencio.

El Viejo. Siempre tan seguro de sí mismo. Arribando aquel día de 1937 al puerto de Tampico, como después me lo describiría Frida, caminando por la pasarela de desembarco, orgulloso, tan seguro de su capacidad para organizar, educar y agitar como lo estuvo en cualquiera de los mejores momentos de su carrera política. Al escuchar esta historia, sentía cortedad ante este Viejo tan seguro de sí, tan confiado después de haber perdido tanto, aún convencido de su propia capacidad de ser grande, de saber que la Historia pasaba a través de él.

Mi cuerpo, el receptáculo.

Han pasado diecisiete años desde que Trotski y su pequeño cortejo descendió por la pasarela de madera hacia la calurosa brillantez de Tampico y hacia el abrazo caluroso y maravilloso de Frida y Diego, cuyas vidas no volverían a ser las mismas.

SEÑORA ROSITA MORENO
Coyoacán, junio de 1937

Los veo acercarse hacia mí. Estoy escondida entre las sombras del umbral. Cuando se acercan una ligera brisa arroja al suelo el sombrero de paja de Alberto, que cuelga de una rama. Su sombra, como una larga bandera, se desliza por la tierra. Un animal huesudo, un perro, se arquea al pasar. Algunas gallinas escarban superficialmente. Absorbo estos detalles de mi vida a través de los ojos de este hombre, del famoso amigo de la *señorita*. De pronto, me siento indigna de recibirlos.

Entonces, llega ella a mi puerta con este hombre a quien solo he visto en fotografías. Salgo a la luz del sol para recibirlos. Para invitarlos a pasar. Él tiene que agacharse para entrar, doblarse para pasar a través del hueco que queda bajo el techo de chapa. Él no es mexicano. Él es un hombre alto con pecho amplio y frente alta. Tiene ojos brillantes tras las gafas, ojos del color de la Casa Azul. Parpadea rápidamente, ajustando la vista a la ausencia de luz que hay en la habitación, haciendo una pausa en el umbral. Se tropieza con unas cubetas de pasta y alambres finamente trenzado. Me avergüenza su visita. No estaba preparada. La *señorita* normalmente viene sola a visitarme. Delante de ella no soy pobre. Pero los ojos de un extraño son un espejo. En ese espejo veo el polvo. Veo las botas de trabajo de Alberto en un rincón. Veo periódicos, latas y bolsas de cemento vacías, las pequeñas hamacas de mis hijos que cuelgan del techo. El enjambre de nuestra vida juntos. Los ojos del hombre se iluminan ante la bandera de la hoz y el martillo que está sobre la mesa y se apagan con el pequeño retrato de Stalin que está sobre un cubo puesto al revés.

«Señora Rosita, es una artista.»

Frida se emociona al presentarnos, su mano sobre el brazo

del hombre. Me dice que él es su amigo, el señor Trotski, que ha viajado desde muy lejos para estar a salvo en México. Que él y su esposa, la señora Natalia, son invitados de Diego; son sus huéspedes en la Casa Azul por el tiempo que ellos quieran. Me toma la mano y se inclina. La *señorita* señala hacia algunas *calaveras* blancas que hay en una esquina y hace exclamaciones sobre ellas.

Incómoda por tanta atención, encojo los hombros. Soy fabricante de figuras de Judas, a veces hago *retablos* y *piñatas* para los niños. Pero no soy una artista, *señor*, no.

La *señorita* insiste. «Rosita es demasiado modesta. Es la mejor fabricante de Judas de la Ciudad de México. Todas sus figuras son diferentes, las expresiones, los movimientos...» Me ofrece un cigarro que no le acepto.

—De modo que —sonríe el hombre—, una auténtica artista popular.

Mira alrededor las extremidades de papel maché que descansan en los rincones. Recoge una pequeña calavera, de rayas blancas y azules, una calaca, figura de la muerte, que reposa sobre el mantel de la bandera roja, acolchonada por la hoz y el martillo. Camina hacia un Judas, con su inmensa cabeza aún sin terminar. «Dígame —me dice— cómo los hace.» Habla un español claro con un fuerte acento. Al principio titubeo, luego Frida me hace una señal y así le hablo de mi amigo José, el carpintero, que trabaja para mí haciendo la forma de cada figura en madera de colorín, un árbol de sombra, como si pelara una rama. Señalo hacia el pesado papel de las bolsas de cemento que uso para recubrir la estructura. ¡El trabajo que me cuestan estas bolsas! Le cuento al *señor* cómo mis hijos y yo escalamos los basureros de las afueras, cómo buscamos entre las construcciones para encontrar esas bolsas de cemento. Luego, la capa de harina y agua para que el papel se pegue a la estructura, cómo ahueco la figura y la apuntalo. Cómo la dejo secar un día o dos y cómo, si hace buen tiempo, alineo las figuras fuera de nuestra choza. Como una procesión de carnaval. Después, cómo pinto cada figura con una capa de blanco mate, mate grueso, y luego, mientras se secan, dejo que mi mente decida qué colores le vienen mejor a la forma de los Judas. Pues cada uno es diferente. Cada uno es especial. Le digo cómo tomo los colores de mi jornada en el mercado. Las floridas mejillas de un sacerdote. El color de las granadas de mi puesto. Los pálidos ojos de un turista *gringo*. Todo el día estudiando formas y colores. De noche dejo que los colores se asienten y tomen forma tras mis ojos.

Me encuentro hablando rápidamente, con entusiasmo, sobre mi trabajo. Cómo hago mariposas con la cera de parafina, el cartón y los pabilos de las velas. Cómo ningún material se desperdicia y cómo utilizo todo lo que tengo a mi alrededor. Mis muñecos de papel maché con sombreros de ala ancha y banderitas en sus manos, que colocan encima de los pasteles por toda la ciudad, cada aniversario de la Revolución mexicana. Le digo que hago Judas con cabezas gigantescas, que hago Judas con pies que bailan. En Navidad, hago piñatas para los niños con la figura de un toro, de vaqueros y de sandías. Sigo hablando de mi trabajo, el cual va tomando forma dentro de mí, y un miedo empieza a crecerme, como si al hablar de él se hubiera vuelto más importante de lo que jamás pensara. Como si al dejar de hacer mi trabajo, mi vida también terminara. Esta idea es nueva para mí. Pues he vivido con Alberto y los niños, pero ahora, al estar hablando, veo que quizá desde siempre he existido para estas figuras que moldeo y coloreo, que me son fieles, que no se marchitan y mueren o me abandonan. Mi trabajo, que está más allá de mi marido y de mis hijos. Mi trabajo sin el cual no soy. Por primera vez noto esto. Siento la verdad de ello como un puñetazo en mi estómago y estoy absorta. Me callo. Sintiendo que he dicho demasiado, que he dejado salir demasiado.

Frida sonríe, es una amiga orgullosa, alentándome. Se vuelve hacia el señor Trotski, juguetonamente.

—¿Qué dices, *Viejo*? No hay nada que Rosita no pueda hacer.

Él ríe cuando ella le llama *Viejo*. Tiene el pelo blanco, pero veo que en realidad no es viejo. Veo que es un juego entre ellos.

Trotski se mantiene callado. Sus ojos absorben todo. Veo cómo me observa; cómo soy yo para él: una mujer pequeña con las mejillas anchas y la cara cortada por la mandíbula. La tela verde que llevo como turbante sobre mi cabeza y sobre un hombro. Las gruesas venas de mis brazos. A través de sus ojos me veo a mí misma, las condiciones de mi vida. Cuando termino de hablar, me toma la mano y dice:

—*Señora*, en el futuro, todos serán artistas, como usted, crearemos las condiciones para ello. No habrá algo parecido a artistas individuales. Los hogares estarán decorados, habrá murales en cada pared de la calle, figuras conmemorativas...

Eso ya lo he escuchado antes. Le digo:

—Pero en este futuro donde todos y ninguno es un artista, aún habrá un niño que querrá tallar algo especial en una rama, o una niña que levantará por sí sola un pincel para ella misma, algo privado, porque está dentro de la persona, y no todos tienen este sentimiento de hacer algo de la nada...

—Pero todos tenemos el potencial —me insiste.

Nos miramos el uno al otro, el hombre con sus ojos azules tras los lentes y yo limpiando el polvo de una *piñata* en forma de tambor. Y me siento pequeña ante este futuro en el que ya no soy especial, siento que resisto ante ello, resisto ante él.

—Pero todos somos diferentes —le digo—, como las expresiones de un *Judas*. Todos tienen un destino diferente...

Cuántas veces he tenido antes esta discusión con Alberto, mi marido.

Siento la impaciencia del *señor*. Intenta barrer mi vida hacia sus sentencias. Demasiadas palabras. Un hombre acostumbrado a las palabras, a ser escuchado. Veo su boca, delineada completamente por el marco de su bigote y una pequeña barba de chivo. Ya estoy pensando en cómo utilizar esta boca y esta barba en la siguiente figura que haga, pues nada se pierde, nada se desperdicia. La *señorita* entorna la mirada hacia él y suavemente lo dirige hacia otro tema.

—La señora Rosita sabe mucho del destino, *Viejo*. Lee las manos. Tiene un espejo de obsidiana. Te puede decir cosas...

El *señor* hace *hmmmm*. Y luego dice, con voz divertida y de confianza:

—Hacemos nuestro propio destino. No hay nada más.

Lo miro. ¡Mucha confianza y diversión ante el destino! Levanto mi viejo espejo de obsidiana de arco iris. Cómo cambia con la luz. Los acerco hacia la puerta para mostrarles los colores bajo el sol. Digo: *Tezcatlipoca, el dios del espejo humeante, no estaría de acuerdo con este* señor. *Miro dentro de este espejo y veo muchas cosas.* El *señor* mira la cara del espejo, se ve a sí mismo en franjas de arco iris. Desvía la mirada. Miro dentro del espejo y veo un cono de fuego rojo que se extiende hacia el cielo. Veo el paso fugaz de un cometa con tres cabezas. Las mismas señales que vio Moctezuma antes de que llegara Cortés. Un presagio. Le pongo mala cara al espejo.

—*¿Qué es lo que ves?* —me pregunta Frida.

—*Nada* —le digo—. *Hoy no puedo ver bien nada.* Nos movemos hacia atrás y el espejo vuelve a verse negro, impenetrable.

Y le rezo a la Virgen y a Tezcatlipoca, para que liberen al *señor* del destino fugaz de la obsidiana.

Luego Frida me muestra las palmas del hombre y me exige que lea sus líneas. Siento el peso de sus manos y miro su palma izquierda, las líneas que se borran lentamente y miro su palma derecha con muchas líneas cruzadas, como cables de teléfono. Él me mira con las cejas levantadas y le digo, seria, tomando su mano izquierda bajo la muñeca: «Esta mano es todo lo que ha sido antes de los treinta y cinco años. Habla de su promesa». Y, tomando su palma derecha con las dos manos: «Esto es lo que ha hecho con ello».

—¿Y qué he hecho con ello? —dice el *señor* con la voz más apagada, menos entusiasmada.

Y veo el nudo de líneas de su mano derecha, cómo la fina línea de la vida se dobla bruscamente y luego se disipa, veo su edad y me doy cuenta de lo que estoy viendo, repentinamente amedrentada.

—¿Qué? —me pregunta, mirándome de cerca—. ¿Qué es?

Titubeo.

—Mucha vida. Eso es lo que veo. Una gran vida.

Mueve la cabeza y se ríe, está complacido con esto. Flexiona sus palmas, mira a ambas líneas por primera vez. «Sí, mucha vida.» Lo dice orgullosamente y toma el brazo de la *señorita*; ella me besa tres veces y el hombre me da la mano y ella me encarga doce *piñatas* para la Navidad, y me promete que llegarán más encargos y lo veo irse, angulándose con la luz del sol, con sus terribles palmas en sus bolsillos.

SEÑORA ROSITA MORENO
Coyoacán, julio de 1954

Aprendí historia en las paredes. Caminé alrededor del edificio de la Secretaría de Educación algunos años después de que el señor Rivera hubiera terminado su trabajo y aprendí más de la historia de mi gente ese día de lo que jamás había sabido. Ciclos de destrucción. Eso me pareció la historia. La *señorita* me llevó al edificio de la Secretaría para ver los murales. Los tres pisos, los arcos, los dos patios, los paneles en la escalera. Los vi todos. Justo al lado del Patio de los Obreros, me paré frente a la pintura de los Moribundos, inundada por el púrpura y el azul. ¡Qué colores! Me fui hacia el muro sur. El muro del trabajo. Había un ritmo en la obra y estos pequeños hombres que había conocido en mi vida estaban aquí pintados tan grandes como leyendas.

Y este era el regalo del señor Rivera. Que nos tomó, a las personas minúsculas, la gente morena, los indios de México y nos hizo tan grandes como muros.

En el Patio de las Fiestas, Frida me mostró *La quema de los Judas*. El político, el clérigo y el militar, explotando. Las figuras estaban basadas en mi propia obra, me dijo. Miré hacia arriba, me di cuenta de que era cierto y entonces lloré. Los detalles me hicieron llorar. El Judas militar con colores chillones en las mejillas, el círculo de color en ellas, sus ojos como de payaso. Recuerdo haber hecho una figura así para la *Semana Santa* de 1922, mucho antes de conocer a la *señorita* o al *patrón*. Que el señor Rivera se haya fijado en mi trabajo desde hacía tantos años me parecía suficiente.

En los murales del *patrón* todas nuestras vidas se pasean ante nosotros. En el Patio de las Fiestas, nos balanceamos encima de las puertas, surgimos a través de las escalinatas, hay tantos de nosotros que parece que hemos tomado posesión del edificio. Estamos de todas las formas, tamaños y sombras. Y estamos bellos. Recuerdo haber visto eso por primera vez. Mucha belleza.

Los paisajes de México, el mar, las montañas, el altiplano. La sequedad y la fertilidad. Las maneras en que hemos sido despojados de nuestra tierra. La promesa del futuro de que la tierra volverá a ser nuestra. La promesa del futuro. Las lecciones de nuestra historia, nuestro destino, plasmadas en esos muros.

En la palma de una mano, así como en los muros, vemos la Historia. Las mismas promesas y destrucciones. Los giros falsos. Las necedades. Y mientras me siento aquí en mi puesto, vuelvo hacia los colores y el movimiento de aquellos muros. Cómo han permanecido conmigo. Y recuerdo al hombre famoso que llegó aquel día a mi casa, el señor Trotski, el hombre con la *señorita*. Las cosas que vi en la palma de su mano. ¿Qué podría haberle dicho de su vida que no supiera ya él mismo? ¿Qué era un hombre predestinado? ¿Que su palma izquierda perdía rápidamente sus líneas porque se acercaba su final? ¿Que su futuro y su pasado enteros se disolvían, con sus trazos pasando a través de su sangre desde la palma izquierda hacia la derecha, algo que no puede explicar la ciencia? ¿Debería haberle dicho entonces que sus opciones estaban casi agotadas? ¿Que su palma ya estaba llena?

JORDI MARR
España republicana, 3 de mayo de 1937

Durante semanas algo se estaba fraguando, como cuando la atmósfera se enrarece antes de una tormenta eléctrica, elevándose la humedad, la dificultad para respirar. La irritabilidad de todo ello. Todos lo sintieron ese año en Barcelona al pasar de la primavera al verano. Los trabajadores de los trenes, el metro y los servicios de autobús. Todos sintieron esa inquietud.

En los meses previos se aceleró todo como en un noticiero cinematográfico. Los vagones repletos de camaradas, gritando victoriosos. Banderas rojinegras izadas en ángulo. Los agujeros de bala en las paredes, sacos de arena en las calles, los toques de queda. La euforia. Pues los anarquistas ya controlaban Barcelona. Jordi deseaba que su padre hubiera vivido para verlo.

El glorioso experimento.

La mayoría de las industrias de Cataluña ya estaban colectivizadas, a pesar de los problemas: la escacez de mercados y materias primas, la reducción de la producción industrial. Los obreros catalanes sentían que su experimento era noble, algo para estar orgulloso. Otra manera de ser.

Pero la izquierda estaba fracturada, amargamente dividida. Stalin estaba complacido. Y en la distancia, los aviones de Franco sobrevolaban en círculos. El ambiente tenso, algo bajo la superficie a punto de estallar.

Jordi Marr recuerda estar parado, tomando café en la barra de un bar en Barcelona. Recuerda haber buscado su pistola a los primeros disparos. Detrás de él, las voces americanas e inglesas. El golpeteo de las mesas volteadas; el olor de café derramado mientras todos empujaban hacia las puertas giratorias, hacia la calle. Y empujado con ellos, preguntándose por esos camaradas. Quiénes eran, de dónde venían. Cómo llegaron hasta aquí.

Y en medio de toda esa confusión, ¿quién era camarada y quién no, en este breve lapso de presente histórico, quién lo controlaba todo ahora?

De hecho, ¿quién?

Y, ¿quién era él, intentando probarse a sí mismo, intentando descubrir la verdad?

Los disparos venían desde la Central de Teléfonos.

Los cristales estallaban en pedazos en las calles.

Todos escuchaban con atención. Jordi Marr oyó esos disparos e inmediatamente fue por su rifle. Por toda la ciudad, todos hicieron lo mismo. El instinto, un acto reflejo; pues los disparos significaban el comienzo y el final de algo tan bello y efímero como unos fuegos artificiales.

Años después, acabado el conflicto la gente se asombraría de las confrontaciones internas, las batallas ideológicas. ¿Acaso no había solo un enemigo? El general Franco, ¿no era él el enemigo?

Jordi Marr viviría para tener tales conversaciones. Las palabras nunca bastaron. Sentía que si uno había vivido esos tiempos, de haber estado allí, no se podría dejar de comprender. Pues entonces el futuro parecía al alcance de la mano, era una oportunidad para construirlo. Peleaban en muchos frentes. *Se trataba de Franco y se trataba de algo más que Franco...* escuchaba cómo su voz se volvía más intensa con el paso de los años... *Se trataba de Stalin, Mussolini, Hitler... Era un ensayo general para lo que vendría después: el ascenso del fascismo, del estalinismo y la Segunda Guerra Mundial...*

En esa batalla callejera de Barcelona, Jordi peleó con el POUM, la izquierda antiestalinista. Todos corrían en dirección hacia la Telefónica. Los jóvenes colocaban sacos terreros, pues todos tenían una posición y durante tres días se libró una batalla entre la izquierda, tras los sacos terreros y los fuegos cruzados. Y Franco se reía, complacido por lo que habían logrado sus agentes, cacareando que la izquierda era un animal desesperado y confundido que corría ciegamente hacia una trampa.

Y Stalin se reía solo en sus apartamentos del Kremlin, complacido por lo que habían logrado sus agentes. La aniquilación de cualquier oposición de izquierda. Pues la izquierda, decía él, es como un animal desesperado y confundido que ha corrido ciegamente hacia una trampa.

Jordi había corrido hacia las afueras de la ciudad. Había visto a los estalinistas llevar a sus heridos al hotel Plaza. Se había agazapado con su rifle bajo un umbral mientras salían dos coroneles del PCE por las puertas giratorias. Apuntó, pero no disparó. Uno de los coroneles inclinó la cabeza y vio la sombra de Jordi encogida en el umbral. El hombre llevaba barba y estaba sucio. Sus ojos flamearon al ver a Jordi, el enemigo.

Después de las jornadas de mayo en Barcelona, Jordi tuvo que huir. Los anarquistas, el puñado de simpatizantes de Trotski y todos los miembros del POUM huían, todos los de la izquierda no estalinista, ilegalizados y huyendo. Huían del GPU de Stalin. Huían de Franco.

Los anarquistas ya no controlaban Barcelona.

Jordi escapó a pie. Tomó de vuelta la ruta por la cual él y tantos otros voluntarios habían entrado en España, caminando días y noches a través de los Pirineos hasta entrar a Francia, con las botas al cuello, las *alpargatas* con suela de esparto en los pies, agarrándose a cada piedra y ranura del camino.

De Francia, con los pies vendados y sangrantes, un lento barco hacia México.

JORDI MARR
Ciudad de México, julio de 1954

Llegué a México al inicio de 1938. México, el único país que dio la bienvenida a los refugiados políticos de la guerra de España. Trotski y Natalia vivían en la Casa Azul. Los fui a visitar como muchos activistas de entonces. Y rápidamente me volví parte de su corte, cubrí la vacante que se produjo al irse un guardaespaldas. En ese entonces, yo podía ser de utilidad. Había pulido mis habilidades en España. Era discreto, buen organizador y podía manejar un arma.

En ese entonces, Frida todavía venía a visitarlo y caí en la cuenta de que algo había habido entre ellos, entre Trotski y Frida. Aún había algo en el aire.

Al principio, la estancia en la Casa Azul era como una tregua para Trotski y su esposa Natalia. También para mí, después del año en España, algo que necesitaba mucho. Pero no estaba preparado para lo que encontré. Los muros que los rodeaban, el peso de la pérdida: la muerte de la hija menor; la muerte de la hija mayor cuando estuvieron en Prinkipo; la muerte del hijo menor cuando estaban en Noruega; la muerte del hijo mayor cuando estuvieron en Coyoacán; la muerte de amigos y camaradas, y de camaradas que habían sido amigos, la forma en que se volteaba la vida, el horror de todo esto.

Cómo la memoria se vuelve un calvario.

Cuánto deseé, después de esa sucesión de pérdidas, ahora lo admito, llenar ese hueco. Estaba preparado para ello, joven y aún deseoso de hacerlo, para ver reconocida la mutua necesidad; pero nunca llegó ese cálido abrazo del Viejo, la mano en el hombro y las palabras llenando mi alma: «Eres como un hijo para mí».

Mis sentimientos hacia el Viejo se enredaron con el paso de

38

los años, Frida los complicó. Podría decirse que sacó a la luz mis contradicciones. Los aspectos que completaban mi personalidad. Aquello que yo andaba buscando.

Solo ahora, aquí en México, catorce años después de la muerte del Viejo y algunos días después de la muerte de Frida, parecen tener algún sentido mis andanzas, formando un modelo para mí mismo.

Cómo busca la mente una pauta dentro del laberinto de la vida.

En ese entonces, no me daba cuenta de que mi búsqueda me alejaría del Viejo. *Estar fuera de la Revolución significa estar emigrado*, Trotski había dicho eso más de una vez. Cuestionar lo que significa *Revolución* o *emigración* parecía imposible en aquel tiempo. El valor de aquellas palabras llegaría luego, cuando él ya no estaba allí para contestar.

Me quedo mirando fijamente el periódico frente a mí. El Viejo murió hace años.

Y yo estoy evolucionando, de participante a testigo.

RAMÓN MERCADER
Ciudad de México, enero de 1940

Ramón Mercader se para frente a una tienda que vende equipos de montañismo y pistolas en la avenida Juárez. En su bolsillo trasero lleva una pistola *Star* automática calibre 45, con ocho balas en el cargador y una en la recámara, le gusta sentir su peso. Está entrenándose y faltan dos horas para que abran la galería de tiro, así que se halla en esta parte de la ciudad buscando armas y crampones. La semana que viene empezará a entrenar en el Popocatépetl; primero en las laderas bajas, pues está ligeramente desentrenado, no ha escalado mucho desde el final de la Guerra Civil, aún siente amargura. ¿Cómo puede llamarse Guerra Civil, cuando no lo fue en lo más mínimo, con Mussolini y Hitler abasteciendo de armas a Franco, mientras el resto del mundo permanecía al margen? ¿Cómo podía considerarse un asunto interno? El único que había auxiliado a sus compatriotas había sido Stalin, y le estaba agradecido por ello. Más que agradecido. El único que había tenido el valor de mantener sus convicciones había sido Stalin.

Había escuchado las historias del POUM y de los trotskistas. Había oído que Moscú había exigido el pago por el apoyo prestado a los republicanos, que barcazas repletas de oro español permanecían sin descargar en el puerto de Leningrado. ¡Como si el camarada Stalin antepusiera el dinero a las consideraciones ideológicas! Era impensable. Otra prueba, como si no hubiera suficientes, de la quiebra innegable de los trotskistas. Desde luego había que hacer algo. Calumnias como esas solo podrían debilitar la Unión Soviética. Hitler iba de avanzada, aunque prevalecía el pacto entre Ribbentrop y Molotov. Se necesitaba unidad; Trotski y sus críticos de la oposición debilitaban la Unión Soviética y destruían la unidad.

Ramón Mercader revisó en el bolsillo interior de su traje gris sus nuevos papeles de identificación. Ahora viajaba como belga, huía de la amenaza de la guerra bajo un pasaporte franco-canadiense. El GPU había conseguido esos papeles en España, de un voluntario muerto de las Brigadas Internacionales. Ahora era Frank Jacson, empresario. El francés debía ser su idioma. Su francés estaba casi listo, pensó, solo le quedaban algunos giros catalanes. Pero aquí, en Ciudad de México, con eso tenía suficiente. Hablar francés e inglés con un ligero acento se adaptaba a sus propósitos. Deliberadamente limitaba su español a lo imprescindible.

Golpeteó otro cigarrillo extraído del paquete y le dio una calada mientras miraba a través del escaparate de la tienda. Sostenía el cigarrillo con la mano izquierda. Tenía una cicatriz en el antebrazo derecho, hecha durante un combate en Barcelona. Miró hacia el cielo. Nunca usaba reloj; podía adivinar la hora casi al minuto. Había aprendido esto en las montañas, escalando. Había aprendido a leer el cielo, el recorrido del sol, y había practicado adivinar la hora sin reloj. Se apagaba un cigarro en la piel si erraba. Rara vez erraba. Su intuición era anormalmente afinada, todos los médicos del GPU lo comentaban. Ya en la tienda, se acercó a una mesa donde estaban expuestas unas pistolas. Cerró los ojos y pasó sus manos por encima de ellas, intentando adivinar qué forma y de qué marca eran cada una de ellas; se ponía a prueba. Era importante que pudiera seguir una determinada ruta en la oscuridad, caminar diez metros en línea recta con los ojos cerrados. Para, cuando llegase el momento, poder reconocer objetos complejos en la oscuridad solo con el tacto, desarmarlos y volverlos a armar. En la habitación del hotel en el centro de Ciudad de México, pasaba las horas, con los ojos vendados, desarmando un rifle Máuser y luego armándolo en tres minutos con cuarenta y seis segundos. Era extraordinariamente habilidoso. Los médicos del GPU no habían visto nada igual, Caridad, su madre se lo había dicho.

Tenía el cuerpo delgado y tenso de un atleta. Era extremadamente observador, podía imitar a cualquiera; de niño, asombraba a su madre con su habilidad para convertirse en cualquier personaje. *Estaba muy dotado para el espionaje y el asesinato, habían dicho los médicos del GPU.* Su madre adoraba todo eso en él.

Los únicos rifles en que no confiaba eran los Remington.

¿Cómo confiar en una empresa de máquinas de escribir para hacer rifles? Tanta diversificación le molestaba, las máquinas de escribir y los rifles no van juntos. Había algo decadente y nauseabundo en un hombre que utilizara un rifle con el nombre de una máquina de escribir. Y Remington le recordaba a Trotski, escribiendo desde el exilio. Aún vivo.

Son casi las seis. Lo puede olfatear. Al aproximarse a la Galería de Arte Mejicano, la primera galería privada de México, desea que haya mucho público entre el cual pueda perderse. Es la inauguración de la Exposición Internacional de Surrealismo. Frida Kahlo expone. Quiere ver su obra.

Un rumor de excitación emana de la sala, hay suficientes personas para que él pueda escabullirse cómodamente. Cuando entra caminando, las caras le parecen familiares. Las revisa. Breton, apuesto de una manera oscura y disoluta. Rivera orondo, gigantesco, a su lado. Frida en un rincón, ligeramente cansada. Se había separado de Rivera a finales del año anterior, el divorcio acaba de tramitarse. Frida seguía mirando a Rivera cuando no estaba rodeada de gente. Frida, en realidad, no era su tipo. Él prefería mujeres pequeñas, redondas y de pelo claro. Pero Frida era cautivadora. Tan llena de plumaje. Le resultaba difícil no fijarse en ella con los dedos de la mano derecha llenos de anillos. Cada dedo cortando el aire con plata, cada vez que hablaba. Disfrutaba con el drama que ella representaba. Se había acercado a ella en alguna ocasión anterior, en la Exposition du Méxique de París. Había admirado sus anillos. Había intentado desviarla hacia el tema de Trotski. Pero Frida era astuta. Lo evadió. No creía que lo pudiera reconocer ahora. Se veía tan distinto. Un respetable hombre de negocios con traje. Bien afeitado.

Se mueve fácilmente entre el público de la Exposición Surrealista, maravillándose y asombrándose, mientras va pensando. ¿Era el surrealismo una forma de la decadencia burguesa? ¿El último hálito de la insensibilidad del mundo burgués? ¿Era surrealista Kahlo? ¿Debería entonces sentirse culpable por gustarle su obra? Surrealismo. *Un león en un armario, cuando uno esperaría encontrarse camisas*, lo había leído en alguna parte; le pareció ridículo.

Se para ante un collage de Breton. A pesar de que no comulga con los escritos de Breton, ni con su apoyo político a Trotski, encuentra sin embargo que esta pequeña obra es intrigante. Un recorte en blanco y negro de un caballo de tiovivo, con una mariposa dorada sobre su lomo, una olla roja con jacintos morados que salen de los genitales. Le divierte. El caballo de paseo está reculando. A lo largo de la parte inferior del collage, en letra de imprenta, está el título: *Le déclin de la société bourgeoise*. Le hace sonreír.

La obra de Frida es diferente a la todas las otras de la exposición. Pueden llamarla surrealista, piensa, pero ella nunca se desata completamente de sus amarras. Lo que sucede es que su realidad mejicana parece surrealista para la óptica europea. Después de haber llegado a México, lo entiende. Ese surrealismo mejicano de todos los días: los grotescos crucifijos que adornan las iglesias; las paredes color de rosa sobre el *barrio* gris; niños disfrazados de esqueletos correteando a la salida de la escuela el día de los Muertos, corriendo para merendar en los panteones. Muy lejos de un león en un armario, piensa, pero igual de surrealista.

Frida. Ama el detalle anatómico de su obra. Comparte su fascinación por el ensamblaje de sangre, huesos y músculos del cuerpo humano.

En un rincón de la galería ve a su madre conversando con el muralista David Siqueiros. Reconoce a Siqueiros de su época en España. Ambos habían estado al mando de batallones del PCE. Habían cortado el cuello a anarquistas y trotskistas en las calles de Barcelona. Se da vuelta. Se da cuenta que ellos también lo han visto.

Su madre también había mandado un batallón del PCE en Barcelona. Era conocida en los círculos del GPU por su puntería.

Más tarde, su madre le diría: «Se te ve tan delgado, después de dos años, que casi no te he reconocido. Pareces otro hombre con ese traje».

Se siente más delgado, él mismo lo ha notado. Se siente como si estuviera dentro de un paracaídas. Dentro de la ropa de otro. Pero ha estado usando la ropa de otros durante tanto tiempo que ahora le parece fácil. Disfruta con los disfraces, el subterfugio, huir de sí mismo. Se mira en el reflejo del cristal de un cuadro. Recompone la cara y ajusta su corbata. Él es Frank Jacson. Empresario. No debe olvidarlo. Presiente que será Frank Jacson durante mucho tiempo.

Aunque está interesado en el arte, la exposición le aburre. Ha venido solamente para ver a su madre y a Siqueiros. Y a Frida Kahlo.

43

Deambula. Mirando. La yuxtaposición de imágenes y eventos. Realidad e imaginación. Lo consciente y lo inconsciente. Observa todo esto desde la distancia. Desde un punto de vista marxista. Ha leído a Breton, conoce sus ideas sobre el automatismo, lo erótico, las mujeres... de pronto se para. Una gran tela lo detiene, le impide seguir pensando o moviéndose. Su camino interrumpido por una tela que muestra a dos mujeres, en realidad, una mujer. Jamás ha visto un autorretrato tan grande de un artista: *Las dos Fridas*. Se para ante el cuadro. Jamás ha visto algo igual.

De pronto se siente como puesto al descubierto por el cuadro, parado allí con su traje demasiado grande.

Las dos Fridas. Lo siguen como un *trompe-l'oeil* o trampantojo. Los ojos parecen brillar de una forma extraña, desde ángulos extraños. Y se aproxima a la pintura desde diferentes ángulos. Se acerca y se aleja repetidas veces. Se enfrenta a la pintura. La mira de cerca, estudiando las pinceladas. Lo deja en un estado de conmoción.

El doble. El *doble fantasmal*. La sombra. La imagen siempre asimétrica que refleja un espejo. Ella capta esto, esta asimetría del cuerpo humano. Un ojo ligeramente alargado; el plano izquierdo de la nariz, ligeramente diferente del plano derecho. Admira todo esto.

En el transcurso de aquella semana vuelve todos los días a la exposición. Para pararse ante esta pintura. El de la galería se fija en este empresario de traje grande. Se fija en su nariz picuda, los grandes ojos tras los lentes con montura metálica. Se acerca al empresario en su cuarta visita.

—Señor, ¿por qué le gusta tanto esta pintura? —le pregunta.

—Porque tiene sentido —contesta.

El dependiente de la galería sacude la cabeza. Para él, nada de lo que hay en esta exposición tiene sentido.

En la pintura, las dos Fridas se sientan una al lado de la otra sobre un banco con las manos entrelazadas. Llevan puestos diferentes vestidos. La Frida de la derecha usa un traje de Tehuana. La Frida de la izquierda usa un vestido victoriano de cuello de encaje. Ambas están sentadas con las piernas separadas. Corazones humanos dibujados con precisión cuelgan de sus vestidos como condecoraciones. Los corazones están unidos por una arteria. La Frida victoriana sostiene una pinza de médico sobre una vena que lentamente gotea sangre.

Sangre. Ramón Mercader está en trance. Esa es otra cosa que le gusta de Kahlo. No se acobarda ante la sangre.

Está interesado en el cuerpo humano. La manera en que Kahlo utiliza su propio cuerpo para ser examinado. Le interesan los ligamentos, las peculiaridades de un cuerpo. El efecto de un golpe sobre los ligamentos. Recuerda, de pronto, la cara del trotskista que mató en Barcelona. Como se había hecho amigo de él, lo había invitado a comer; lo condujo hasta el puerto y le cortó el cuello detrás de un contenedor. Había inspeccionado el tajo que dejaba ver el esófago. Presenció el último bombeo, el último hálito. Había visto cómo empezó a coagularse la sangre, cómo se ponía rígido el cuerpo.

Cuando salía a escalar, solo prestaba atención a su respiración, a los músculos moviéndose, al entretejido azuloso bajo la piel. Primero una mano, una pierna y luego la otra. Todo delgado, en tensión y preparado. El cuerpo humano era un milagro.

Le interesaban los diferentes efectos sobre el cuerpo humano. La altura de Ciudad de México, por ejemplo, los calambres en la parte trasera de sus rodillas durante la primera semana de su llegada, la pesadez en la parte superior del pecho, el trabajo añadido de su corazón y sus pulmones.

En una pintura de Frida Kahlo siempre encontraba la precisión anatómica y la impresión de un esfuerzo adicional del corazón y los pulmones. Esfuerzo emocional o físico. Ella lo mostraba tal como lo sentía. Los dolorosos esfuerzos del corazón, pulmones y órganos internos mientras la vida seguía empujando.

Deseaba que Frida pintara un cráneo. A él le habían interesado los cráneos desde temprana edad. Había observado los cráneos de animales secos y pálidos en los campos cercanos a Barcelona. Le interesaban también las contusiones y las lesiones. Cuán fácilmente puede romperse un cránco. Como un bloque de hielo bajo un *piolet*. Era habilidoso con el *piolet*. Podía partir un bloque de hielo a gran altura con un solo golpe.

Durante la segunda visita a la exposición, ve que el corazón de la Frida con el vestido victoriano está dibujado en sección. Observa que la Frida tehuana sostiene un camafeo con un retrato de Diego cuando era niño. El camafeo está ligado a una vena que se enrosca por su brazo, pasa debajo de la ropa, cruza el hueso de su cuello y llega a un corazón completamente rojo que late. La vena se enreda a través del cuadro hasta rodear el cuello y entrar en el corazón de la Frida con vestido victoriano. Hay una cualidad sanguínea en la Frida pálida y victoriana. El corazón mancha sus ropas, la aorta pálida por el esfuerzo. Muestra parte de un seno, ligeramente más oscuro que la cara.

Cada vez que se para frente a la pintura descubre algo diferente. La dualidad representada en el cuadro.

Después de su primera visita, el día de la inauguración, camina alejándose de la galería. Camina frente al Palacio de Bellas Artes y por la calle de San Juan de Letrán. Gira hacia el domo del Palacio, azul y oro bajo los rayos del sol. Gira a la izquierda sobre Quince de mayo. Pasa frente a los *puestos* amarillos *de tacos* y de un organillero acompañado por un mono encadenado que sostiene una taza de lata en su mano. Llega a un edificio de azulejos azules. Dos pisos de azulejos blancos y azules. El edificio brilla. Se para enfrente, golpetea un cigarrillo y se inclina para encenderlo, mirando a izquierda y derecha al hacerlo. Se toma un tiempo. Atraviesa la calle, caminando suelto, relajado. Se para al llegar delante de las puertas de bronce, en las pequeñas ventanas hay cortinas de encaje. Ve que los azulejos están pintados a mano, desiguales, el modelo es similar pero no exactamente el mismo. Flores de lis azules y blancas, círculos blancos y azules. Es uno de sus cafés favoritos. Empuja las pesadas puertas. Los clientes se sientan en sillas de terciopelo rojo. Camareras con uniforme rosa pálido y rosas coronando sus cabelleras se mueven entre las sillas. El sol se filtra por las cortinas de encaje.

Camina hacia una silla en la que una mujer alta, bella y escultural con largos cabellos color castaño mantiene una conversación con un hombre pequeño. Mercader se sienta en una silla al lado de ellos. Después de pedir un *café solo* y un vaso de agua, se da vuelta hacia la pareja y pide una cerilla. Mira directamente a los ojos de su madre mientras ella enciende el fósforo. La llama en sus ojos verdes. El hombre que está con ella entabla una conversación con Mercader. Hablan de la exposición surrealista. Mercader está entusiasmado con la obra de Kahlo. Su madre, Caridad, piensa que Kahlo es una individualista burguesa que pinta una realidad miope.

El hombre oscuro, Siqueiros, alaba la técnica de Kahlo, pero deplora su temática e incluso su aún más deplorable elección de marido, ahora ex marido. «Ya se quitó de encima al tal Rivera —dice él—, su pintura mejorará sin ese hijo de la *chingada*.» Siqueiros escupe. Mercader sonríe para sus adentros. Detecta una cierta envidia en la voz de Siqueiros. Piensa para sí: ese es el problema con los artistas, incluso con los comunistas. Siempre carecen de cierta objetividad. Finalmente, se une a su mesa como si los conociera.

Operación Utka, dice Siqueiros. Ha llegado el momento.

Una tarde, cinco meses después, Mercader se encuentra caminando por la avenida Viena en Coyoacán vestido con uniforme de policía, flanqueado por dieciocho hombres, la mayoría de ellos mineros de Jalisco y miembros del Partido Comunista. La noche de mayo del ataque es inexplicablemente nubosa. No hay luna. El uniforme es nuevo y está tieso. Siqueiros avanza ligeramente delante de él. Hay un policía de guardia apostado fuera de la casa. Los otros policías están a dos calles de distancia en una fiesta ofrecida por unas mujeres, agentes del GPU quienes han seducido fácilmente a los hombres para que abandonen sus puestos. Mercader corta el cable de la alarma que corre a lo largo del exterior de la casa. Siqueiros le ordena al adormilado guardia que abra la puerta, mostrándole su placa de policía. Todos entran, librándose fácilmente del guardia. Los hombres toman posiciones. Mercader corre a través del jardín, donde duermen los guardaespaldas y atranca la puerta. Grita *Almazán presidente* varias veces. Se para allí y vacía el cargador de su metralleta por el patio. Siqueiros grita órdenes. La metralla salta y alumbra. Adentro, Trotski y Natalia en una habitación y su nieto en otra, caen al suelo, escondiéndose detrás de las camas. Un hombre llamado Alberto se para en la puerta y dispara dentro de las habitaciones, hacia los colchones. Está tan oscuro; nadie puede ver nada. Luego, todo termina rápidamente. Se hace el silencio. Algunos mineros saltan por encima de la alambrada, rasgando los uniformes de policía. Dejan retazos de tela azul. Otros corren hacia el portón de la entrada. Allí donde hubo ráfagas, humo, confusión y los gritos de consignas electorales, solo queda silencio y los leves quejidos del nieto llamando a sus abuelos.

Más tarde, Trotski y Natalia se asombrarán de su buena fortuna. Es sorprendente que los tres hayan sobrevivido el ataque.

Grandes agujeros bostezan desde las paredes encima de sus camas. Los colchones están perforados por las balas. El nieto es el único herido: la marca de una bala que le ha rozado el tobillo. Pero están vivos.

Ese ataque llena de energía a Trotski. Sale al jardín con su pistola, disparando a las sombras. La adrenalina por haber sobrevivido lo transporta. Treinta minutos después, suena el teléfono. Trotski contesta. Al escuchar la voz de Trotski, al otro lado de la línea, Siqueiros sacude la cabeza incrédulo. ¿Cómo ha podido sobrevivir al ataque el Viejo? Mira a su alrededor impotente, hacia Mercader y su madre. No pronuncia ni una sola palabra. Escucha a Trotski exultante y provocador. Cuelga el teléfono dejando a Trotski con la palabra en la boca. Se da vuelta hacia Mercader y hacia su madre y dice:

—El hijo de la *chingada* sigue vivo. —Mira a Caridad Mercader—. Sabes lo que esto significa —le dice, señalando con la cabeza hacia su hijo—. Díselo tú. —Se coge la cabeza con las manos. Está furioso, contra sí mismo, contra ellos, por su fracaso. Se pregunta qué decidirán en Moscú.

—Hablaremos mañana —le dice Caridad a su hijo—. Regresa y descansa.

Al día siguiente, Caridad Mercader estira sus largas piernas fuera de la cama y sorprendentemente se siente contenta, considerando el fracaso de la noche anterior. No teme a *Khozyain*, el jefe, ni la reacción de Moscú. No espera reproches. Siqueiros tendrá que arreglárselas solo. Ella está contenta porque la próxima vez no podrán fallar, porque la próxima vez, ella estará al mando; es una estratega y una mujer de acción: dirigirá una operación simple, que ejecutará su hijo. No será un plan grandioso como uno de los lienzos de Siqueiros ni tan torpemente ejecutado. Cuidará los detalles, será un cuadro más pequeño con pinceladas más finas. No podrá fallar. Peina su larga cabellera castaña hasta que brilla en el espejo ligeramente ladeado de su recámara de hotel. Abre las cortinas anaranjadas. Es un hermoso día. La próxima vez, no fallarán.

Al caminar por la avenida Madero y doblar hacia Isabel la Católica para encontrarse con su hijo, reflexiona sobre cómo su vida entera ha cristalizado en torno a este momento. Todo por lo que ha luchado, todo para lo que lo ha entrenado. Su hijo será un héroe. Será la madre de un héroe. Ya puede ver las medallas de la Orden de Lenin colgadas de su cuello. Será la culminación de una ambición y de un anhelo. Stalin verá lo que fue capaz de hacer por sí misma. Verá qué magnífico hijo tuvo. Qué bien habían servido a la Patria. Esa sería su recompensa.

Los hombres silban al paso de Caridad por la calle; la forma en que se mueve es atlética y felina. Aún es relativamente joven, bien entrados los cuarenta años, aún es delgada y guapa; aparenta diez años menos. Espera a su hijo en el vestíbulo del hotel La Reina, sentada en un sillón de cuero rojo, mirando un retrato de la reina Isabel y un escudo de armas de cuero marrón. Junto al retrato sobresale de la pared la cabeza de un alce con tal fuerza que parece estar vivo. Se gira hacia los bloques de vidrio del primer piso. Puede ver las sombras de las personas moviéndose.

Un grupo de periodistas norteamericanos baja ruidosamente por la escalera, con cámaras y pases de prensa colgados de sus cuellos. Han llegado para las elecciones mejicanas que se acercan. Alcanza a escuchar que hablan del ataque de la noche anterior sobre la casa de Trotski.

Su hijo baja la escalera detrás de ellos, tiene mal aspecto. Ella se da cuenta de que ha dormido mal. Se dan la mano, le dan los *buenos días* al portero y salen caminando del hotel. A una manzana, doblan a la izquierda hacia el Café Bianca, un lugar grande y ruidoso en República de Uruguay.

Su hijo pide *huevos a la mejicana*. Caridad pide *café con leche*. Él escucha, mientras ella le explica la siguiente fase y, aún más importante, su papel, el papel de él, en la siguiente fase. Mercader empalidece. Deja de masticar. Retira su plato. Pierde el apetito. Ve un *piolet* destrozando un bloque de hielo de un solo golpe. Lo sustituye por un cráneo humano. En su mente, lo ve partirse, una fisura irregular que atraviesa la cabeza. Un solo movimiento rápido, ve los sesos desparramándose por el suelo. No siente nada. Una acción aislada, un simple golpe en la cabeza. Su madre lo mira, preocupada por su silencio.

«Desde luego», dice él, esparciendo los huevos por el plato. «Debe hacerse.»

Después del desayuno con su madre, regresa al hotel para descansar. Tras el ataque de la noche anterior no durmió bien. Se la pasó pensando qué sería lo que seguiría y cuál sería su papel, si es que tenía alguno. Tiene una inmensa habitación doble en el hotel La Reina. Muros color salmón y verde. Cortinas doradas. Un balcón de hierro forjado y contraventanas que no abren, pues el balcón no es seguro. La habitación es sofocante. Se ha quejado dos veces del baño. El agua del lavabo gotea sobre el suelo. El hotel es un laberinto, un desastre, nada funciona como debería funcionar. Pero le gustaba la desgastada grandeza del lugar. Le divertía. Todos los candelabros rotos y la suciedad de la escalera. Se tira sobre la cama y empieza a fumar. Está agotado. Necesita descansar. Piensa en las esperanzas que su madre ha depositado en él. No duda de sus habilidades, pero cuando finalmente se levanta para ir al baño, se ve a sí mismo en el espejo entintado en sepia, su palidez vuelta color verde y no se siente bien. Imágenes de *las dos Fridas* rondan por su mente. Las dos figuras. El mismo sistema circulatorio. Los dos seres. La partición. La unidad en la división. Se recuesta y se deja caer en un sueño vigilado.

Cuando despierta, hay una pregunta insistente en su cabeza: *¿Qué piensa realmente de Trotski?* Quería aclarar esto para sí mismo. Los pocos encuentros que había tenido con el hombre le habían confirmado que Trotski era un completo egoísta. Que el movimiento revolucionario estaría mejor sin él.

Durante los últimos seis meses, Mercader había estado cortejando a Silvia, una de las secretarias de Trotski, con la intención de acercarse a su jefe. Hasta el momento, había tenido éxito. Lo había tomado como una manera para reunir información. Pero ahora, era diferente. Silvia le contaba historias de cómo el Viejo la hacía mecanografiar y volver a mecanografiar cualquier cosa solo porque alguno de los márgenes estaba ligeramente torcido, eran páginas de cosas irrelevantes, como las actas de una reunión en la casa, algo que iba directamente al archivo. De cómo enfurecía si la cinta del magnetófono no se entregaba a tiempo. De cómo tenía tan poca mecha para cosas sin importancia.

De los dos, Trotski y su esposa Natalia, él se fiaba menos de Natalia. Trotski era tan pagado de sí mismo, tan seguro de su influencia sobre aquellos que entraban en su órbita, que distorsionaba su juicio. Era su debilidad, la necesidad de explotar. Pero Natalia era indiferente a una audiencia. No le interesaba ganarse a la gente para una idea. Se sentaba hacia atrás, escuchaba, servía el té con sus pequeñas y fuertes manos, hablaba pausadamente, era muy perspicaz. No se perdía nada. Hacía que uno le cogiera confianza y se abriera a ella.

Esto se lo había contado Silvia.

SEÑORA ROSITA MORENO
Coyoacán, Pascua, marzo de 1940

De vuelta en su choza, Rosita Moreno, la mejor fabricante de Judas en toda Ciudad de México está sentada con cara de disgusto. No está contenta con su trabajo. No quería hacer un Judas con la figura del famoso amigo de la *señorita*, aunque sabe que el hombre ya no se lleva bien con la *señorita* ni con el *patrón*. Alberto se lo dijo. ¿Pero de verdad era un enemigo, ese Trotski? ¿Era tan malo y corrupto como los jueces y como los policías y todos los demás que ella creaba como figuras de Judas? En esto no confiaba en Alberto, pero él la había obligado a hacer la figura, diciéndole que el Partido pagaría mucho dinero por ella, y *Virgen Santísima*, necesitaban ese dinero.

Así que trabajó de memoria, de las ocasiones en que lo había visto. Lo hizo con un traje negro, camisa blanca y corbata roja. Ojos azules tras los lentes. Barba de chivo. Era un gran encargo. Construyó la figura con las palmas de las manos vueltas hacia arriba y con una mirada de sorpresa. Alberto quedó muy complacido. Seis hombres se llevaron la figura a hombros, la subieron a una camioneta y se la llevaron hasta el *Zócalo* de Ciudad de México. Los alambres estaban tan amarrados que ella sabía que cuando explotase no quedaría huella. Exactamente como lo solicitó el Partido, a través de Alberto.

Su Alberto odiaba a Trotski. Desde que había trabajado en las minas de Jalisco, se había unido a un sindicato de allí y había entrado en contacto con los comunistas. Ahora se llamaba a sí mismo comunista. Ahora adoraba al camarada Stalin y odiaba a Trotski. Poco después de haberse unido al Partido, Rosita lo había seriamente interrogado. Le cuestionó sus motivaciones. Y Alberto la había llevado a Ciudad de México, diciéndole, «Quiero mostrarte algo». La llevó al edificio de la Secretaría de Educación Pública. La cogió de la mano y caminaron hasta el muro oriental en el Patio del Trabajo. Se pararon frente a los murales de los mineros. Cuando había ido allí por primera vez, con Frida, no se había detenido ante estas pinturas. En aquel entonces fueron *Los moribundos* los que le habían llamado la atención. Pero ahora veía detenidamente *La entrada a la mina* y *La salida de la mina*. Se pararon frente a esas pinturas. En el primer mural, los mineros con sus palas y picos sobre los hombros, las cabezas inclinadas, inician el descenso desde la luz hacia la oscuridad. La figura que va al frente lleva una linterna que ilumina la boca del túnel. Cada figura en solitario. La fosa es desconocida. En el segundo fresco, un hombre de piel oscura vestido de blanco se para sobre una plataforma, subiendo de la mina. Los brazos abiertos. Los pies juntos, como si estuviesen atados. Es cacheado —en busca de armas, objetos de valor, algo que puede haber robado— por un funcionario de la mina, de piel clara y con uniforme. Hay un abandono evidente en la pose del minero. Detrás del minero con los brazos abiertos se encuentra otro minero, escalando desde el fondo de la mina, y aún otro hombre que lo sigue sobre una escalera de madera. Hay una mirada de sufrimiento en cada hombre que sale en busca de la luz. La luz es una redención pero ¿de qué? ¿hacia qué? El ascenso y el descenso. «Eso es la mina, esta es la vida que llevo cuando estoy lejos de ti. Por eso soy comunista.»

Sintió, durante esos minutos frente al mural, viendo la oscura vida que llevaba su Alberto cuando se alejaba de ella, que en un instante lo comprendía todo: sus silencios, la bebida, su pasión política. Todo estaba allí. En los tristes murales del *patrón*.

Caminaron hacia la escalera norte y se pararon frente al *Entierro de un revolucionario*. Alberto señaló las banderas rojas, enredadas en las astas. Hacia los ángeles indígenas de los cielos, hacia la oscuridad que rodea el entierro. Rosita tuvo entonces una visión del futuro, intentó frenar la imagen que se le formaba en la cabeza. «Ese no es tu fin, Alberto», le dijo. Pero la cara de Alberto brillaba. Estaba callado. Se vio a sí misma como una de las plañideras que aparecen en la pintura, con la cabeza cubierta, la cara escondida.

Nunca pudo discutir con Alberto, pues no tenía argumentos. Intentó decirle que ya habían visto suficiente sangre para toda su vida. Un millón de muertos durante la Revolución de 1910. Ella no quería otra Revolución. Pero los comunistas le enseñaron a

Alberto a leer. Se estaba convirtiendo en un hombre educado. «Un borracho educado», corregiría ella. Él creía que les debía la vida. Cuando se conocieron, él era un hombre religioso, un creyente como ella. Ahora era ateo. Había notado el cambio en otras ocasiones. Con los amigos de Alberto. Pues ella era observadora, inteligente, entendía a la gente; veía sus vidas en sus rostros y en las palmas de sus manos. Y comprendía: una gran pasión puede trasladarse a otra gran pasión. El compromiso con una cosa puede volverse lo contrario. Así pasó con Alberto.

A veces añoraba al Alberto devoto de su juventud. Cómo le acomodaba amorosamente el velo sobre su cabellera. Cómo acostumbraban ir los domingos juntos, del brazo, a tomar el Sagrado Sacramento. Luego, dando vueltas dentro del templo, persignándose la frente y los labios, inclinando la cabeza, mojando un dedo en agua bendita. Cómo rezaban el uno por el otro, por sus familias, por su país y por su vida juntos. Pero aquellos tiempos se habían ido y él se había alejado de ella. Y se había ido a las minas, por necesidad, ella lo sabía. Le mandaba dinero cada ciertos los meses, pero cuando regresaba no era el mismo. Y ella se quedó en Ciudad de México con su puesto de frutas y sus figuras de Judas y los niños, siempre los niños.

Hacía meses que la señora Rosita no había visto a Frida; esta había estado en Estados Unidos y en París por una exposición. El patrón también había estado fuera. La última vez fue cuando Frida asistió al entierro de Inocencio, el hijo pequeño de Rosita. Rosita estaba segura de que sería el último bebé. La *señorita* había llegado a la choza con un hombre alto, de pelo negro ondulado, muy guapo. Se habían sentado a comer *verduras con mole y quesadillas con pollo*. La puerta de la choza estaba decorada con papeles de colores, en forma de mariposas. La señora Rosita había sentado a su niño muerto en el sitio de siempre, con una corona dorada de papel sobre su cabecita. Los otros niños habían ofrecido dulces en forma de sandías a su hermanito muerto. El acompañante de Frida, un alto y apuesto joven, no decía mucho, parecía muy incómodo al ver al niño muerto sentado así a la mesa. Desde luego, Frida estaba acostumbrada a esas cosas. «Inocencio, ¿quieres fruta?», dijo dirigiéndose al niño y ajustándose el *rebozo* de color rosa, y pasó el plato hacia la cabecera de la mesa, para que lo pusieran frente al niño.

Los otros niños hablando y cantándole al niño, levantando sus bracitos y jugando con él. Sí, era muy incómodo. Sobre la cabeza de Inocencio, había una Dolorosa clavada sobre la pared de adobe. Rosita vio al hombre mirando la pintura. «Sí, la madre siempre llora por su hijo», le dijo con la boca llena de *mole*. Luego, Frida puso un puñado de cempoalxuchitl en las manos de Inocencio, esas flores anaranjadas entre los dedos congelados del niño. Jordi se dio vuelta.

Más tarde, Frida le explicó lo de los *angelitos*, que así se les llama a los niños muertos. Porque están libres de pecado, por ser demasiado chicos. La muerte, por lo tanto, proporcionaba a los *angelitos* un camino rápido al cielo. Le contó que había una tradición de retratos mortuorios, iniciada en tiempos de la colonización. Los ricos encargaban el retrato de su niño. Ahora, se empleaban fotógrafos. Pero, Frida quería pintar al niño muerto. Había llevado su cuaderno de apuntes y a la mitad de la comida con la señora Rosita, y mientras uno de los otros niños peinaba al bebé, Frida hizo unos rápidos apuntes. Luego pintaría al niño con los ojos entreabiertos, descalzo y con las flores iluminándole el pecho.

Los niños tamborileaban sobre las ollas. Un vecino llegó con una guitarra. Alguien le cantó al niño muerto. Todos aplaudieron. Mucho más tarde, cuando todos se habían ido, la señora Rosita lloró como la Dolorosa; sus lágrimas como gotas blancas pintadas sobre latón. Estaba contenta por el rápido encuentro de Inocencio con Dios, por haber sido destinado a un paraíso especial. Pero extrañaría a su último bebé. El último. Estaba segura de ello. Y le rezó a su Dios para que librara a sus otros hijos y que les diera una vida mejor; muy diferente a la suya.

LEV DAVIDOVICH BRONSTEIN
(TROTSKI)
Coyoacán, marzo de 1940

Hacía mucho tiempo que Lev Davidovich era conocido por el nombre de quien fuera su carcelero en Siberia. El nombre que había sido escrito apresuradamente en su falso pasaporte a la edad de veintitrés años. Fue el nombre que le vino a la mente mientras escapaba hacia su primer exilio: *Trotski*. Durante casi cuarenta años, ese nombre había sido el suyo. Ahora, él sabía que su comitiva se refería a él como el Viejo. A Lenin también le habían llamado el Viejo. Esta continuidad le complacía.

Esposado a la historia bajo el nombre de su carcelero, sentado en su exilio de México, en el patio de una casa en la avenida Viena, a una manzana de la Casa Azul, Trotski se recostó en la silla y cerró los ojos.

Pensó en la manera en que los cactos en flor de este jardín siempre lograban remitirlo al otro jardín, de la otra casa, hacia los recuerdos de otros tiempos.

Piochita, la esposa de Trotski, Natalia escucha risas y murmullos en inglés y español —idiomas que no entiende— que vienen de la habitación de al lado. Llevan varios meses en la Casa Azul. La mayoría de los días van a visitarlos Diego y Frida. Ese día, Natalia camina con una fuente de granadas maduras y ve a Frida fumando con la mirada fija, los ojos entornados, sobre Lev Davidovich. Frida hace aros de humo, burlándose de Lev Davidovich que se opone vehementemente a que las mujeres fumen. Frida se sienta en el borde de un sofá verde oscuro, meciendo su pie bueno, con su pierna maldita metida por debajo. «¡Venga viejo, deténme!», y Frida sigue echando aros de humo a la cara de Trotski y Natalia observa su pelo y su barba de chivo enmarcados en azul-blanco y cómo se ríe, dispersando el humo con sus manos y amonestando a la joven. Su tono es amable. La risa gutural de Frida hace que incluso Natalia se ría un instante, pero se contiene. «Perdón, no sabía que tenías visita», le dice a su marido, colocando el plato delante de él.

«Querida —Trotski se gira hacia su mujer, extendiendo sus largos dedos con los ojos brillantes como los de un niño—, le estaba diciendo a nuestra anfitriona lo indecoroso que resulta que una joven mujer fume.»

Frida se recuesta desafiante, mostrando su largo cuello y sus senos echados hacia delante bajo su camisola bordada en oro. Cerrando los ojos, sopla otro aro de humo. Es casi demasiado bella. Natalia la mira fascinada.

Frida se levanta para salir de la habitación y Trotski le tiende un pequeño libro: *La cuestión nacional*, atribuido a Stalin aunque le dice que, de hecho, está escrito por Lenin. Frida se lo agradece y le dice que lo estudiará cuidadosamente en relación con la *Situación mejicana*. Enfatiza esto último y lo mira fijamente a los ojos. Sus dedos rozan los de él y se despide en español de Natalia, y mirando a Trotski, agrega en inglés, «All my love». Se contonea al salir sin mirar atrás; sus enaguas encarnadas y rosas arrastrándose por la duela, con el libro bajo el brazo y una nota de Lev Davidovich oculta entre sus páginas.

Natalia tiene unos ojos cansados en medio de un rostro claro e inteligente. Con la cabeza ligeramente inclinada, posa para un retrato de un grupo de exiliados en México. Se coloca junto al pintor mejicano con las cejas arqueadas y la mirada intensa. La figura de Natalia, ligeramente angulada entre la joven y su marido. No sonríe. Ella nunca sonríe en las fotografías. Europa está en llamas. Hay camaradas muertos. Le han quitado a sus hijos. Está llena de presagios.

En su diario, escribe: *Deambulamos por el jardín de Coyoacán rodeados de fantasmas con las frentes abiertas.*

En el retrato de grupo, Natalia está de pie tiesa, pálida y frágil, más pequeña que Frida, con un pie delante del otro, elegante con su sombrero negro en forma de campana con flores blancas, la chaqueta y la falda negras, los zapatos en dos tonos atados al tobillo. Como su esposo, siempre va arreglada. Antes de que dispare el obturador, Lev Davidovich, se alisa el pelo blanco y la barba; recuerda algo que Vladimir Ilich Lenin dijo alguna vez, cuando eran jóvenes y llenos de esperanza. «Si L. D. estuviera algún día frente a un pelotón de fusilamiento —bromeaba Lenin—, su última voluntad sería un peine.»

Natalia se permite una ligera sonrisa que se disipa inmediatamente cuando siente el calor que desprende el cuerpo de la joven; cuando Frida se inclina hacia ella, tocándose momentáneamente, codo con codo, acercándose hacia la cámara, como una planta hacia la luz.

Dispara el obturador y Natalia percibe un riesgo aún mayor que el de la bala de un asesino.

A veces, Natalia se despierta en medio de un sueño en el que lo pierde todo, todo lo que ha sacrificado en la vida por estar junto al gran y temperamental Lev Davidovich. Sueña que el georgiano, *el hombre de hierro* logra localizarlos finalmente, después de todas las casas, de todos los países por los que haya pasado, después de la pérdida de sus amados hijos y de la mayoría de sus camaradas. Está acostumbrada a que esos sueños terminen con lágrimas y sangre. Son talismánicos, cree ella, llenan sus días. Sabe que la suya *no es una posición materialista*, por lo que los guarda para sí misma. ¿Qué pensaría Lev Davidovich si se enterara de que invoca a los sueños para huir de la realidad?

Se decía a sí misma que los sueños la preparaban para resignarse cuando llegasen los días de lágrimas y sangre.

JORDI MARR
Coyoacán, Pascua, marzo de 1940

Había estado pensando en ello todo este tiempo. Lo había entregado todo, aunque no hubiera mucho que entregar. Y estaba contento. Más que contento. Está sentado en el jardín. Un rifle sobre sus rodillas. Escucha los ruidos de unos niños más allá de los muros y los cohetes que truenan sobre las figuras de los Judas. Observa cómo flotan las tiras de papel maché, humeantes en el cielo al explotar las figuras.

Se recuesta sobre los muros encalados de la caseta del guardia y se siente más solo que nunca. Sus pensamientos lo han alejado del resto de las personas. Desde su aventura con Frida lo ve todo de otra forma. Se ha resquebrajado su equilibrio. Todo lo ve de un modo diferente. Lo más angustiante es que no puede ver al Viejo con los mismos ojos. Todo ha cambiado.

Piensa en lo que significa ser feliz. Las veces en su vida en que ha tenido conciencia de ello. Aquella vez en 1936 en un pequeño pueblo a las afueras de Barcelona, cuando entró en una pequeña iglesia y se quedó atónito al ver filas y filas de hombres con los torsos cubiertos con sábanas blancas y otros hombres con el pelo engominado, cortando el pelo y afeitando mientras cantaban. Se quedó parado en el umbral de ese templo. Hombres que se cortaban el pelo en fila, con sábanas blancas atadas al cuello, oscuros mechones de pelo cayendo sobre sus frentes como coágulos. Todos los peluqueros del pueblo se habían unido para formar una cooperativa. Entró, se sentó, y se conmovió con las charlas, las risas, los tragos de café, los recortes de *El Machete* y el serrín que había en el suelo, las discusiones en torno a *La República*. Había un espíritu de camaradería, de algo compartido, en aquel recinto que se quedaría con él el resto de su vida. La Cooperativa Durruti. Los barberos del pueblo. Se sentía contento con el serrín sobre los pies y los hombres hablando de política a su oído y él mismo afeitándose por primera vez en meses con la mirada fija en su reflejo sobre el espejo, enmarcado en latón.

Felicidad. La frase de la Declaración de Independencia norteamericana, la frase sobre la búsqueda de la felicidad. Pensó que era tan fácil como peligroso. Pensó que esa sola frase podría ser responsable de todas las desgracias e hipocresías del mundo occidental. Como si la felicidad fuese algo que se pudiera cazar, rastrear y atrapar. Pero la felicidad no era así. Caía sobre uno, descendía; a veces despacio, a veces rápidamente. Era tan intangible como la bruma. Algo misterioso. Y luego, desaparecía. Era media docena de hombres con tijeras en la mano, trabajando unidos.

Cuando pensaba en la felicidad, pensaba en Frida. La última vez que había estado con Frida, en la avenida Madero de Ciudad de México, se había sentido real e inexplicablemente feliz. Frida había estado comprando dulces para sus sobrinos. Entraron en una panadería. Recordó la luz de los fluorescentes, el olor dulce de las confituras, los pasteles de bodas que se alzaban encima de ellos. Merengues de todas las formas. Pasteles helados en forma de banderas, pelotas, coches y caras. Se sentía abrumado por tantas cosas entre las que poder elegir. Frida se sumergió en ese mundo de elecciones y de colores como si fuera un derecho de nacimiento. Ella pensaba que todo el mundo tenía ese derecho. Frida susurrando, inclinándose, señalando. Frida convenciendo a las vendedoras para que les dejaran probar, ofreciéndole a él dulces pedazos con las yemas de los dedos manchadas de color violeta. Probó el pastel de miel que ella le ofreció. Se sintió feliz.

Después de aquello fue la visita a Rosita Moreno, la fabricante de Judas. El funeral del *angelito*, el niño muerto. Se había girado, avergonzado, lleno de dolor y de pesar. Muerte: Frida y su gente se reían y cantaban, bebían y bailaban con ella. Aquel día marcó un cambio en su relación. Frida lo vio darse vuelta, él no había dado la talla y ahora lo comprendía. Demasiado aprisionado por su pasado, su ateísmo y su sentimiento de cómo deberían ser las cosas; el ser político. Incapaz de llevar a la superficie al ser emocional y privado. El ser que anhelaba encender velas y dar gracias. Se sentía avergonzado.

Frida lo había mirado con otros ojos. Así como él veía ahora al Viejo.

De pronto, se siente enojado. Quiere saltar esos muros. Siente que está apartado de la vida. Decide encontrar un pretexto para salir de la casa, a las calles y pasear por el *Zócalo* de Ciudad de México. Ver vida a su alrededor, formar parte de ella. Le dirá al Viejo que las provisones escasean. Que volverá luego. Cogerá la camioneta y la dejará estacionada cerca de la Alameda.

Una hora después, camina por la calle 16 de septiembre en dirección al *Zócalo*. A los lados de la plaza pasa por encima de los pies de los indígenas sentados de espaldas al Palacio Nacional. Pisa una gastada bota campera que sobresale por debajo de un sombrero. Otro hombre está cruzado sobre esa pierna. Los dos están dormidos. Camina por las calles disfrutando de la gente, del ambiente de Pascua. Pasa delante de la pequeña iglesia de Santa Inés, muy ornamentada y decorada con tallas y oro. Ahora todo aquello que aborrecía de la Iglesia lo lleva a entrar en ella. Las puertas talladas, el interior fresco y poco iluminado. Entra en el templo a la mitad de la misa. El sermón habla de Judas Iscariote y el verdadero sentido de sus actos. ¿De verdad fue un traidor? ¿Por qué fue el único discípulo a quien Jesús se dirigió como «amigo»? ¿Sería posible reconciliar los papeles de amigo y de traidor? *Iodas Iskarioth, Judas Sicarius. El Sicario... una bandada de zelotes armados con dagas.* Jordi se sienta en la parte trasera de la iglesia y escucha el relato de la vida de Judas Iscariote. Cae en la cuenta de que el joven sacerdote está diciendo algo realmente radical. Que, lejos de ser un traidor, Judas había sido simplemente un alma desengañada y que, como tal, un espejo de nuestras propias ilusiones y desilusiones. Judas había creído la palabra de Jesús y pensaba que de verdad estaba construyendo el reino de Dios en la tierra. Judas, desconcertado con las parábolas de Jesús y alarmado por la dirección en la que se movía Jesús. Judas el apóstata. Es el eje sobre el cual gira toda la historia. Él hizo cumplir los planes que tenía Dios para su Hijo. Por eso, dijo el joven cura, merece nuestro respeto y nuestro perdón. Cuando el joven sacerdote ha terminado, se escuchan movimientos de pies en el suelo, gargantas que se aclaran y algunos susurros. La congregación no está del todo convencida. Jordi mira a su alrededor. Ve ojos mirando al suelo y expresiones incrédulas. Termina la misa. Todos salen a la calle. Jordi se queda quieto y callado. Se arrodilla, con la cabeza inclinada, en silencio.

Sus rodillas crujen al levantarse y caminar lentamente por la iglesia. Se para frente a la estatua negra de San Martín de Porres. El santo sostiene una escoba en la mano izquierda y un crucifijo en la derecha. Jordi se maravilla antes estos símbolos de la vida cotidiana. Se sorprende besando los pies del santo negro. En el muro junto a la estatua hay pequeños *retablos*, pequeñas pinturas en las que se representan calamidades y la intercesión de la Virgen. En la parte inferior, escrita a mano está la explicación de cada milagro: un incendio, una inundación, un pariente moribundo, y se da gracias a la Virgen por haberlos salvado. Había visto cientos de esos *retablos*, grotescos, de colores vivos, en la escalera de la Casa Azul. Diego y Frida los coleccionaban.

Pequeños *milagros* adornaban otro de los muros del templo. Pequeñas piernas, corazones y brazos hechos de latón y de plata, prendidos a una tabla de fieltro con un lazo de colores. Observa también el calcetín de un niño colgado de un cuadro de anuncios. Ve las fotos de las personas desaparecidas y las oraciones que ofrecen sus familiares por ellas. Sobrecogido, Jordi moja un pulgar en la pila de agua bendita. Se persigna en la frente, en los labios y sobre el corazón. Sale del templo. Se para enfrente de la iglesia, en un puesto que vende ofrendas e imágenes; compra un pequeño corazón de latón con una cinta azul pálido. Vuelve a entrar en la iglesia y cuelga su ofrenda en la tabla de fieltro rojo. Cuelga el corazón en la tabla, cierra los ojos y reza para que su corazón sea puro, para que desaparezca la confusión, para que haya amor en su vida.

Más tarde, en la avenida Viena, se siente tranquilo. Casi es feliz. Trotski, ansioso por tener noticias del mundo exterior, le pregunta por la ciudad, por las celebraciones de Pascua, por lo que ha visto. Jordi está cansado de las preguntas del Viejo, de sus exigencias y necesidades.

—Todos en la iglesia o camino de ella —lo informa.

—Iglesia —dice Trotski con desdén—, nuestro gran rival. El mayor engaño.

—Para algunos, el gran alivio —dice Jordi con dureza, sabiendo dónde llevará ese tipo de comentario.

—Ese alivio es una ilusión —contesta Trotski.

—Aun así, es un alivio —insiste.

El Viejo lo observa como si se hubiese vuelto un extraño.

Jordi vuelve a la camioneta para bajar las provisiones que ha comprado en la ciudad. Conoce todos los argumentos. Los conoce perfectamente. Pero los argumentos racionales ya no son suficientes. Hay un vacío en él. Todos estos años de movimientos, de exilio en México, de agitación, de creer en el Paraíso del Hombre sobre la tierra, todo esto no ha logrado llenar el vacío que hay en su interior. Siente un deseo irracional de que su corazón sea limpiado, barrido, por un santo negro y descalzo. Un santo que carga con una escoba en una mano y con un crucifijo en la otra.

Jordi se recuesta en su cama de la casa de la avenida Viena, fumando y pensando en el tiempo que pasó en España. ¿Qué quedaba de aquello?

En alguna ocasión, Trotski había dicho que *las ideas que entran en la mente con fuego se quedan allí para siempre.*

Había aprendido muchas cosas en la Escuela de las Brigadas Internacionales de Albacete. Había aprendido a manejar un fusil Maxim, las armas refrigeradas por agua enviadas por los rusos. Había aprendido a utilizar su orina para enfriar el arma, si estaba lejos de algún depósito de agua. Podía desmontar un arma a ciegas. En artillería había aprendido a asegurar un flujo constante de tiroteo cruzado midiendo primero la distancia, luego el ángulo del movimiento y asegurando que las otras armas se traslaparan en ese movimiento. Podía desenvolverse bien bajo el fuego; se concentraba en lo que estaba haciendo; gozaba con la disciplina y con la responsabilidad que implicaba todo aquello.

Lo más importante que había aprendido era que si no oía el ruido de la batalla es que ya era demasiado tarde, quería decir que había sido alcanzado. Las balas habían entrado en su cuerpo.

Noche tras noche en México, de guardia en la avenida Viena, en el silencio de la noche, pensaba si no sería ya demasiado tarde, si las balas no estarían ya anidadas en su sangre, convirtiendo los cuerpos en cadáveres.

¿Qué quedaba de aquello? Recordó el olor de los hombres muertos, las mulas muertas pudriéndose en los campos. Recordó haber visto cuerpos, cabezas cortadas y miembros amputados por las bombas. Hombres en pedazos con tablas de madera sobre el pecho, indicando nombre y batallón, cuando se sabían.

Durante meses, antes de aquellos días de mayo en Barcelona, había hecho de mensajero entre los diferentes batallones de las Brigadas Internacionales. Recuerda que esa fue su peor labor durante el tiempo que pasó en España. Siempre perdiéndose, atrayendo el fuego y, a veces, sin poder siquiera entregar los mensajes. En una ocasión estalló un obús tan cerca de él, que lo tumbó. Lo dejó inconsciente. Perdió el habla durante tres días. Recordaba haber visto campesinos después de un ataque aéreo, multiplicados por la prisa, corriendo hacia un río para sacar los peces que habían quedado aturdidos o muertos por el bombardeo y luego volviendo corriendo a través de los campos con las cabezas inclinadas y las manos plateadas por los peces.

La guerra le enseñó a depender de sus instintos, vivir el presente, ese era el único momento que contaba.

Lo que había quedado, lo que permanecía, era esto: que en la guerra no hay abstracciones, todo te concierne. Cuando los proyectiles cruzan el cielo, es *tu* cielo el que queda partido. Es *tu* trinchera la que es bombardeada. Es *tu* guerra. Tan personal como la forma de la cicatriz sobre tu hombro, la marca que te ha dejado el retroceso del rifle. Las cicatrices de cada uno tenían diferentes formas y colores. Todos vivían su propia guerra.

Huyendo del GPU de Stalin, después de los días de mayo de Barcelona, se había untado árnica en el hombro para quitarse la marca que lo delataría como miembro de una brigada del POUM.

Ahora en México, dentro del séquito de Trotski, se toca el hombro y recuerda. Aquí la guerra era callada. Trotski bombardeaba al mundo con palabras. Stalin se acercaba lentamente. El silencio inquietaba a Jordi, pues pensaba en los que se le habían adelantado.

Había una lista: André Nin, jefe del POUM y antiguo secretario de Trotski había desaparecido en Barcelona, se le creía muerto. Erwin Wolf, mitad checo, mitad alemán, antiguo secretario de Trotski, secuestrado en Barcelona, probablemente muerto. Rudolf Klement, antiguo secretario francés de Trotski había sido encontrado en un saco de lona en el Sena con la garganta cortada.

Pero creía que, llegado el momento, podría enfrentarse a cualquier amenaza.

Últimamente, era su hostilidad hacia el Viejo lo que lo perturbaba, más que los tentáculos del GPU de Stalin.

A veces, abrigaba oscuros sentimientos, cuando el Viejo se ponía irascible y exigente. Cuando tomaba riesgos innecesarios. Cachear a los visitantes, por ejemplo, apenas hacía unos días, Trotski había rechazado su propuesta de que todos los que visitaran la casa se sometieran a un registro.

La aventura de Trotski con Frida había sido un riesgo innecesario. Ahora, la ruptura entre Diego y Frida hacía la vida más difícil para todos ellos. Lejos de la magnanimidad de Diego, la vida era más difícil. Emocionalmente, financieramente. En cuanto a él, se había quedado sin la válvula de escape que significaba Frida.

Por insistencia de Trotski, Jordi mandó cartas a las secciones norteamericanas y europeas solicitando apoyo. Los americanos acusaron a Jordi de derrochar el presupuesto de la casa de Coyoacán, proponían recortar la nómina de toda la gente que trabajaba allí. Trotski estuvo de acuerdo. Jordi veía al Viejo con su porte imperial y su negativa a ocuparse del dinero. ¿En cuántos países habría estado el Viejo, pensaba Jordi, y de cuántos sabía el color de los billetes? Eso era siempre asunto de otro. En ese momento, mientras Trotski pontificaba sobre los gastos, Jordi lo miraba y recordaba algo que había leído en alguna parte sobre Karl Marx, un comentario que se atribuía a la madre de Marx: «Si al menos Karl hubiese logrado un capital, en lugar de escribir sobre ello».

Jordi examinó el único buen par de pantalones que tenía, pana marrón, con los bajos gastados. Tenía un buen traje que había pertenecido a su padre. Calculó los meses, los años que había trabajado, que todos habían trabajado por la Oposición sin esperar ningún dinero. Incluso la pequeña iguala que había recibido se consideraba un diezmo del Partido, de la sección mejicana de la Cuarta Internacional.

¿*Salarios? Hacemos esto por amor al arte*. Contestó a las cartas, con su pluma encendida.

El enemigo de mi amigo es mi enemigo. Trotski seguía un esctricto código de conducta. Cualquier amigo podía convertirse rápidamente en enemigo. Gracias a Trotski había encontrado a Frida, cuando Trotski había perdido su amor y su amistad. Se había visto obligado a tomar una decisión. A principios de 1939, tras la ruptura de Trotski con Diego, se habían mudado de la Casa Azul a una destartalada casa que precisaba reparaciones, a dos calles de la avenida Viena. Ya nada era sencillo.

En España había usado los pantalones de pana, la chamarra color caqui, la rugosa manta encima de los hombros: el uniforme de las Brigadas Internacionales. Aquí en Ciudad de México, los guardaespaldas de Trotski y sus secretarios se vestían casi de manera idéntica. La idea era extrañamente reconfortante. Le volvía a la mente lo aprendido durante su estancia en España. Le ayudaba a prevenir algún posible ataque a la casa de Coyoacán, un ataque

que todos estaban constantemente temiendo. Ese día, durante los ensayos en el patio, Jordi había explicado qué hacer en caso de un ataque con gases. En ausencia de máscaras, aconsejaba orinarse en un pañuelo y colocarlo sobre la boca. Describió el procedimiento a los otros guardaespaldas, a dos secretarias, al chófer, los mecanógrafos y al cocinero. Natalia, la esposa de Trotski, lo miraba con la risa en los ojos. *Más fácil para los hombres que para las mujeres,* fue todo lo que dijo.

De noche, en España, había aprendido a camuflar cualquier cosa que brillase. La hebilla de un cinturón, un anillo. La tapa de una lata.

Aquí en México eso era imposible. La posesión más preciada de la casa, Trotski, brillaba con una fuerza que escapaba a su influencia. Aislado, exiliado, rodeado de un puñado de seguidores, el hombre aún brillaba.

Quizá esa era la historia del Viejo. Aun en el exilio, lejos del centro de los acontecimientos, demasiado aislado como para influir directamente sobre las cosas, brillaba. Desde el exilio en Estambul, Noruega, Francia y México, brillaba. Como el rastro de una estrella muerta.

Imposible de ocultar.

RAMÓN MERCADER
Ciudad de México, Pascua, marzo de 1940

Ramón Mercader salta de su cama al tiempo que estallan miles de figuras de Judas por toda la ciudad. Las figuras están llenas de explosivos y de cohetes; como si fueran músculos y tendones bajo los colores del papel maché. Su novia, Silvia, duerme a su lado. Tiene el sueño profundo. De alguna manera, está encariñado con ella. A pesar de que la cree ingenua y ridículamente ligada a ese egoísta de Trotski. Se viste con rapidez y sale por la escalera de incendio a la azotea del hotel La Reina. Desde allí mira hacia el *Zócalo*, la plaza principal de Ciudad de México. La plaza está repleta. Hileras de Judas colgados sobre un cable, con forma de policías, jueces y políticos, van detonando uno tras otro. El ruido es extraordinario. Minutos después, las carcasas cuelgan flácidamente sobre el alambre. No es un hombre religioso, pero le divierte la destrucción de estos Judas, pues los mejicanos ven a Judas como un traidor que solo se liberará a través del suicidio, de la muerte. Ve a un grupo de mineros comunistas que cruza la plaza. Llevan sobre los hombros la figura descomunal de un hombre vestido con traje, barba de chivo y lentes. Lo cuelgan sobre la alambrada que está cerca de la Catedral. Esta figura de Trotski rebasa todas las expectativas de Mercader. Explota en la mañana de Pascua y ya no queda nada, ningún resto de papel maché, ningún rastro de los colores. Cada parte de la figura íntegramente volada. Mercader lo observa con satisfacción.

LAVRENTY PAVLOVICH BERIA
Moscú, 1938

Beria sube la escalera del tercer piso de la prisión de Lubianka, su mente concentrada en el siguiente escalón. Son escalones gastados, cada escalón con una doble capa de hormigón apisonado por una multitud de pies. ¿Cuántos pies? Beria intenta calcularlos, los números se multiplican en su cabeza. Lo único que sabe es que los números seguirán multiplicándose.

Eso es lo que exige la vigilancia.

Los escalones son tan desiguales que siente que camina sobre olas de hormigón o sobre unos labios ligeramente abiertos. La idea le provoca una sonrisa. Recuerda a la chica de ayer, y a la del día anterior. A ambos lados de sus pies es más fácil distinguir las huellas de los otros pasos que han subido por estos escalones. Beria imagina un cráneo sobre estos escalones con la boca abierta en un agónico gesto que parece una letra O al hundir su bota por uno de los lados. Es un cráneo en concreto, una agonía en particular la que imagina mientras respira agitadamente al llegar a la curva de la escalera. Siente gozo al ver la cara de Lev Davidovich Bronstein, Trotski, traidor de la Revolución, un *Yudushka*.

Yudushka: Pequeño Judas. Una frase ya en desuso, alguna vez utilizada por Lenin y los bolcheviques para caracterizar a Trotski. La habían utilizado antes de la Revolución, cuando Trotski era aún menchevique, unos días antes de que se pasara a las filas bolcheviques.

Se utilizaba aún.

Beria llega al tercer piso y hace una pausa para tomar aire antes de entrar al cuarto más grande de Operaciones. Estas habitaciones y los archivos que contienen, salones que ocupan tres pisos de la prisión de Lubianka en donde los hombres se sientan encorvados sobre mapas, ladrando comunicados por los teléfonos. Tres pisos dedicados a la eliminación de un solo hombre. Tres pisos y tres continentes, piensa Beria con satisfacción. De hecho, todo el edificio de la Lubianka, cada piedra, lleva la huella de Trotski. Cada *zek*, cada judío, todos los *kulak* están de alguna manera conectados con el hombre que está en México.

Es un hecho: todo se vuelve contra Trotski. A partir de 1936, la influencia perniciosa de Trotski se ha vuelto más y más evidente. Desde su estudio en México, León Trotski dirige las cosechas empobrecidas, el hambre resultante, la inquietud. Todo. Está fichado por ser un opositor del gobierno soviético. En un reciente *Boletín de la Oposición*, Trotski escribió:

> **El duodécimo Congreso del Partido Bolchevique es el último. No quedan ya senderos constitucionales normales para echar a la camarilla gobernante. La única vía para obligar a la burocracia estriba en transferirle el poder por la fuerza a la vanguardia proletaria.**

Es un enemigo del Estado. Y un enemigo del Estado es un enemigo personal. Dividir y destruir es lo que acostumbra a hacer este hombre. Todo el país lo sabe.

Pues debe haber alguien a quien culpar.

Beria se acerca a un archivo y saca una carpeta azul marcada como *Operación Utka*. Dentro, hay una lista de nombres. Beria consulta esta lista con frecuencia. Organización, rigor, disciplina; la valía de un camarada estriba en la atención que presta a los detalles. Las listas son prueba de ello. Ese día en Lubianka, carpeta en mano, mira por la ventana sobre la fina neblina gris que cubre el sur de la ciudad de Moscú. Le produce un inmenso placer ver los nombres en las listas y luego verlos desaparecer en la bruma.

No todos deberán morir.

Desde la ventana observa un camión de pan que se dirige hacia el monasterio de Don. Qué gratificante sería poder ver a Trotski, ese *Yudushka*, entre los camiones del pan. Se imagina el ruido sordo y las caras contorsionadas al conectar los gases y empezar el bombeo, los cuerpos erectos, entrelazados: recibiendo el gas. Los cuerpos salen de los camiones como si fuesen uno solo, con muchas extremidades, para ser quemados y enterrados en el monasterio de Don. El camión del pan como cámara de gas. De veras, es maravilloso. ¿Cuál es la palabra? *Ingenioso*.

Los cuerpos gaseados y quemados. Los cuerpos incinerados con la facilidad del papel quemándose y retorciéndose en un cenicero. Le está llegando el momento al hombre que encabeza la lista. Se han iniciado los preparativos.

Humo, fino humo gris sube delicadamente por el aire desde el monasterio de Don y acaricia las mejillas, piernas y brazos de los transeúntes como si fuera una prenda de cachemir. Como una ligera llovizna gris. Pasados unos días, el terso gris se anida en las gargantas, los niños que juegan en la calle se meten en sus casas, las madres limpian con trapos sus rostros y aun así el gris se anida en los poros y en las pestañas, como una memoria.

A menudo, se envía a los presos políticos con picos y palas al monasterio de Don. Se les ordena que caven zanjas, en las que caerán luego perforados por las balas de los guardias enloquecidos por el vodka. Luego, los guardias disfrutan rociando los cuerpos con cal viva y observando la destrucción de la carne.

Lenta, muy lentamente, los hombres en el cuarto de Operaciones de Lubianka siguen el rastro de los antiguos aliados de Trotski, miembros de su familia y conocidos. Trabajan a partir de las listas. Persiguen a aquellos que protestan por no ser ni aliados ni conocidos. Los juicios de los antiguos bolcheviques: con qué facilidad caían los acusados en plegarias y denuncias. Dentro de poco, se juzgará a Bujarin. Le demostrarán al hombre que está en México que ya no le queda nadie y que ya no tiene adónde ir. Están cerrando el cerco. Han borrado su pasado. Están seguros de ello.

MOSCÚ
Julio, 1940

En Berlín, un hombre pequeño se arregla el bigote después de ver una película de Charlie Chaplin. Recorta su bigote hasta que se adapta mejor a su nariz: un pequeño bloque rectangular. Este será su rasgo distintivo. A través de los noticieros cinematográficos, Stalin admira el bigote que luce Hitler, copiado de la cara de un cómico estadounidense. Está tentado de recortarse el suyo. Pero algo lo detiene. A mucha distancia, dos hombres se miran al espejo y se preguntan qué deben llevar bajo la nariz. Stalin cree que el pacto entre ellos avalará la consolidación de Rusia, la anexión de Polonia, protegiéndose. Cree que los alemanes tuvieron la acertada idea de eliminar a los homosexuales de sus altos mandos: no se puede confiar en ellos... Stalin no imitará el bigote, aunque se lo recorta en señal de solidaridad. De noche, se para frente al espejo, preocupado por su bigote. Recientemente ha purgado al alto mando del Ejército Rojo. Hitler verá que va en serio. Que hay espacio para un territorio común. Y para una expansión. Sabe que esto ya enfrentó a su oposición. Debe eliminar a la oposición de raíz.

Recorta su bigote. Sabe que se está acercando. Primero, los generales rojos. Luego, Bujarin. Luego, Trotski. Pronto será Trotski. Deja a un lado su navaja y se desplaza al comedor para volver a encender la lámpara debajo del retrato de Lenin. Revisa el nivel de aceite. Recuerda a su esposa, que esta tarea le corresponde a ella. Piensa en su traición. Un hombre solo puede tolerar hasta cierto punto la traición. Llama a Beria. Son las dos de la madrugada. Da más instrucciones para el plan mejicano. Después del intento fallido en mayo, la próxima vez no debe haber ni un solo error. *Operación Utka por cualesquiera medios que sean necesarios*, dice en voz alta hacia el auricular, alisándose el bigote.

EL DIARIO DE LEÓN TROTSKI
EN EL EXILIO
Coyoacán, marzo de 1940

LA AVENIDA VIENA
Coyoacán, marzo de 1940

Todos los días escribo sobre mi enemigo. Sobre este escritorio, dentro de estas paredes, el enemigo recibe las flechas de mi vista. Rodeado de viejas fotografías, documentos e informes para los congresos del Partido. Este enemigo que para mí es tanto una abstracción como una realidad. Mi motivación no es la venganza. Más bien es lo que representa:

> ... Nuestros caminos se han separado tanto y durante tanto tiempo, y para mí él es un instrumento tan enemigo y hostil de las fuerzas históricas, que mis sentimientos personales hacia él apenas difieren de lo que siento por Hitler o por el Mikado japonés. Por lo tanto, creo tener el derecho de decir que nunca he considerado lo suficiente a Stalin como para merecer un sentimiento de odio...

El enemigo de la revolución mundial es una hidra. Peleo en muchos frentes, Iossif Vissarionovich Stalin es ese enemigo. Pero no es un adversario noble. Me cuesta combatirlo. Y este conflicto, permítaseme aclararlo, no es solo sobre dos hombres, uno en Moscú que persigue a su enemigo como un *Khevsur* con un puñal, mientras el otro está en Coyoacán anticipando los golpes.

No. Se trata de dos hombres con dos propuestas distintas para la revolución mundial.

La Revolución Permanente contra *el socialismo en un solo país.* Yo confío en el espíritu revolucionario de las masas, en su indomable instinto de clase. La Revolución en Rusia no puede sostenerse sola. Es nuestro deber apoyar a otros en la lucha, más allá de nuestras fronteras, más allá de nuestro interés personal. Pero Stalin deposita su confianza en la inercia de las masas, el viejo y somnoliento sentimiento de los grandes rusos, el chauvinismo de la estepa.

Stalin fue quien me hizo judío en un principio. Eso no lo puedo olvidar.

Armó a los republicanos españoles, pero solo a cambio de recibir el oro de España.

Esa hipocresía todavía me hace temblar.

Stalin nunca se aventuró más allá de Rusia. Nunca estuvo en el exilio por culpa de la policía zarista. Nunca caminó por un bulevar parisino, nunca probó las delicias ni los horrores del mundo burgués. El mayor viaje de su vida fue el que lo llevó de Gori a Moscú. Sigue siendo el muchacho de Georgia, esclavo de las primeras luces urbanas que vio en su vida.

Intento comprender a Iossif Stalin. De dónde ha venido. El aprendizaje en el seminario de Tiflis, cómo se quedó con él. Cómo aprendió su catecismo, se sabía a Lenin de memoria, siguiendo con los labios los pasajes del Kremlin. Noche tras noche, lo puedo ver, bajo una tenue luz en su habitación y un dedo que se mueve lentamente sobre los renglones para imprimir las líneas en su memoria. Su capacidad para memorizar era admirable. Pero también lo era su inflexibilidad. La forma que tenía de destrozar a sus oponentes con una cita textual del libro. Las deficiencias de su imaginación.

Este es el gran defecto de Stalin, la falta de imaginación, su miedo a todo lo que pueda ser diferente. Su desconfianza campesina ante lo nuevo.

Me siento aquí, ordenando documentos, pensando en el enemigo. Tengo algunas antiguas fotografías de periódicos. Una del joven Stalin con su pelo negro y piel cacariza por la viruela, su brazo malo escondido en el abrigo. También fotografías de la familia. De su esposa poco antes de su muerte, caminando bajo la nieve en una calle de Moscú, agarrando el cuello levantado con una mano, los ojos fijos hacia delante, intentando mantener el equilibrio. La nieve que cae parece aplastarla. Muros de nieve como si fuesen de hormigón.

Dicen que se suicidió. Algunos incluso aseguran que él mismo apretó el gatillo.

Hay tanto que comprender. Tantas cosas que jamás sabremos a través de las fotografías o documentos.

Me siento aquí a escribir este libro que no me compromete ni ocupa del todo. No me inspira ni impulsa. Escribo sobre el enemigo, el enemigo de la clase trabajadora, pero en este momento de mi vida, preferiría escribir sobre la amistad y la colaboración. El libro que realmente quiero escribir, el libro que me atrae, es sobre la amistad. La profundidad y la carga de la amistad. Amistades de dos días o de dos horas. Lo que significa en la vida poder decir: *este es mi amigo*. Leo las cartas del joven Engels a Marx. Toda amistad empieza como una variante de una relación amorosa. Fascinado por la persona y por la idea de la persona. Uno quiere saber más, debe saber más. Luego, se profundiza y se amplía. Aun cuando el objeto de nuestro afecto esté ausente, permanece la idea de la persona y la idea de ese amigo lo mantiene a uno.

A estas alturas de mi vida, me quedan pocos amigos. Incluso mis enemigos se me han adelantado. Leo las cartas del joven Engels, luchando contra su devoto padre mercantilista, enviándole cartas numeradas a Marx, estableciendo códigos y claves entre ellos, enviando manuscritos en sobres lacrados, a través de los vendedores de libros de Alemania, Bruselas y París. Una amistad apasionada. Engels conoció a Marx durante diez días en agosto de 1844, y nació entonces una amistad perdurable. Desde el principio, Engels ayudó a Marx con sus finanzas, su eterno problema. Imagino a Karl Marx, sumido en deudas, los pantalones sucios, peleándose con su obra, en exilio permanente. Marx, cubierto de furúnculos de las mejillas al pene, lacerándose el cuerpo con una navaja de afeitar, sin poder sentarse o ponerse en pie sin sentir dolor, bromeando con Engels que la burguesía *tendría razones de peso para recordar sus carbúnculos*. Y las palabras de aquellas primeras cartas de Engels, siguiendo un modelo que no cambiaría, todas reconfortantes, de amistad, la gran idea, la gran obra apoyada sobre esa amistad y siento nostalgia cuando leo aquellas cartas:

> *Bueno, adiós querido Karl y escribe pronto. No he vuelto a estar en tan feliz y humano estado de ánimo desde los diez días que pasé contigo.*

Vuelvo hacia la correspondencia de Marx y de Engels por el mero placer de leerla. La energía que allí quedó contenida. Engels instando a Marx a que no permita que su estado de ánimo le in-

fluya. A que termine sus manuscritos, alternativamente lison-
jeando y alentándolo a que se fije fechas límite, y que las cumpla.
Engels, recabando fondos para Marx una vez que lo han expulsado de Bruselas. Dándole un adelanto de los derechos de su
propio y maravilloso libro *Historia de la clase obrera inglesa*. La
creencia de Engels en el talento y en la visión de Marx. Juntos,
podrían enfrentarse al mundo burgués y vencerlo. Engels, el segundo hombre. Engels, feliz en su papel.

Me pregunto si viviera Vladimir Ilich Lenin cómo sería ahora nuestra amistad, qué curso habría seguido, ya que siempre fue
apasionado, no siempre estábamos de acuerdo pero siempre nos
respetamos. Cómo hubieran evolucionado las cosas. De estar
juntos, podríamos haber cumplido con el sueño de Marx y Engels, podríamos haber mantenido una buena amistad, algo de lo
que nos sentiríamos orgullosos. Vladimir Ilich no vivió el tiempo
suficiente como para que nuestra amistad evolucionara en esa dirección. Y yo no me conformaba con ser el segundo. Quizá la naturaleza de una amistad política requiere que uno de los socios
acepte un papel secundario. Y ahora veo que quizá no estaba en
nuestra naturaleza sobrellevar una amistad tan honda y apasionada. Ninguno de los dos podría haber cedido lo suficiente. A veces, lamento esa ausencia. El respeto y la grandeza de Vladimir
Ilich. Ahora, el amigo perdido. Un infarto es una cosa cruel. Al
final, Lenin y su esposa Krupskaya. Al final, como estoy yo ahora. Y como quedamos todos al final.

Con la soledad que conlleva.

Ya llega la primavera. No siento la alegría de la primavera. Me
siento más viejo que nunca. Todos los días lucho con la historia
vital de un enemigo político declarado. Esto me obliga a ver mi
vida en relación con el enemigo; conocerlo me obliga a agudizar
mis sentidos. La intimidad de la enemistad. Qué honda es.

Yo soy lo que no es mi enemigo.

Ya llega la primavera. Al parecer podemos pasar el largo invierno del alma con la promesa de la luz, pero el oscuro invierno
del alma hiere más profundamente. He leído que hay más suici-
dios en primavera que en cualquiera de las otras estaciones. Aquí
en Coyoacán, cuando ya han muerto todos los que me eran cercanos, pienso en estas cosas.

Recuerdo haber estado en una ocasión en un café de París, a

orillas del Sena. Fue por la época en que conocí a Natalia, 1901, quizá 1902. En la mesa de al lado había un capitán de barco *emigrado*, un ruso. Resultó ser un menchevique, es decir un ruso blanco que se oponía totalmente a la Revolución. En ese momento, era un tipo apacible, sentado a la mesa de al lado. En una ocasión había surcado el Báltico con un petrolero. Había recorrido el mundo. El mar era su hogar. Ahora, exiliado del *Okhrana* del zar, llevaba un *bateau-mouche* por el Sena. No estaba a disgusto con su vida, *pues aún estaba cerca del agua*, decía, *aunque, cómo añoro el mar. Su silenciosa expansión.* Recuerdo su mirada perdida. Me confió que *no pasa un solo día sin el recuerdo del mar. Lo llevo siempre, aquí.* Y se tocó la frente, en medio de las cejas, en el ojo de la mente.

Comprendía bien a este capitán de barco. Lo veía bajar los pequeños escalones que conducían a la barcaza. Rodeado por el bullicio de los turistas. Vestía un uniforme de la marina con los botones de cobre y una gorra de marinero con hilos dorados. Se veía más grande que el Sena.

A veces, pienso en ese capitán de barco con el horizonte metido en los ojos y el oceáno en la mente. Y pienso en mí mismo. Varado. Con todos mis extensos viajes a mi espalda. Pero todavía puedo pensar y escribir y soñar. Estoy, por decirlo en palabras del capitán, aún cerca del agua. Pero me muevo por canales más estrechos. Y se me ocurre pensar ahora en cómo llegamos a acostumbrarnos a esas economías de escala de nuestras vidas. En un momento dado, estoy al frente de un ejército. Al siguiente, estoy peleándome con una pluma en una ciudad desconocida. Lejos de vagar por el oceáno, me encuentro en los pantanos de México y, de alguna manera, aún a flote. En muchas ocasiones, para mí como para el capitán de barco, con esto es suficiente.

Primavera. Suicidio.

Natalia y yo solíamos quedarnos sentados hasta tarde, después del trabajo y escuchábamos música en la radio. Ella escuchaba. Yo dejaba que la música me relajara y la observaba, cómo se quedaba sentada absolutamente quieta. Cada nervio en tensión por la concentración, sus pequeños dedos sobre las piernas, los ojos cerrados, completamente absorta. Mis pensamientos divagaban, siempre. Confieso que no tengo oído para la música. Pero me gustaba la cadencia y la oscilación que había en ello, y ver cómo mi mujer respondía a estos estímulos.

Juntos escuchamos a Shostakovich, durante esa primera emisión por la radio de *Lady Macbeth* de Mtensk, desde la ciudad de Nueva York en 1936. Natalia estaba en trance. Yo admito que me parecía solo ruido. Ella me dijo en broma que yo era un filisteo. Unas pocas semanas después, un ejemplar del *Pravda* pasó por mi escritorio y allí aparecía el editorial, con el sello de Stalin, donde se condenaba esa obra: *Confusión en vez de Música*. Me reí ante el título. Por una vez, Stalin y yo parecíamos estar de acuerdo. Pero también podía leer entre líneas; sabía lo que implicaba tal condena.

Ese Shostakovich debería guardarse las espaldas, le dije a Natalia.

En 1938, después de que muriera nuestro primogénito Lyova, ya no hubo música por las noches. Hace ya dieciocho meses que no escuchamos música. Nos quedamos sentados en silencio en la oscuridad de la habitación. Escuchando nuestra respiración, exhalando la presión que pesa sobre nuestras vidas. A veces nos damos la mano. Toda nuestra vida juntos contenida en la punta de los dedos, con un tierna presión.

Nos hemos planteado el suicidio. Más de una vez.

En 1911, las muertes de Paul y Laura Lafargue, hija de Marx y su yerno. Tenían setenta años. Estaban cansados. Demasiado cansados para pelear. Sintieron la carga de su propio peso.

Una Revolución es para los jóvenes. Todos sabíamos eso. Todos nos alistamos sabiéndolo.

Y ahora soy viejo. Me siento viejo. La presión arterial demasiado alta. Las piernas que duelen. Vejez. Es la cosa más sorprendente y más difícil para un revolucionario. Para un ser humano. Con tiempo a mi espalda y tiempo que se me echa encima. Levanto las manos. Nada puede detener esa carrera.

Vladimir Ilich habló en el funeral de Paul y Laura Lafargue. Luego, le confió a su esposa Krupskaya: *Si uno ya no puede trabajar para el Partido, debe mirarse a los ojos y hacer lo que hicieron los Lafargue*.

Todos apoyamos la decisión de los Lafargue. Éramos jóvenes. No lo dudamos. Aplaudimos desde esa época privilegiada que es la juventud. Los Lafargue decidieron que ya no eran útiles. Hicieron lo más noble.

Hacer lo que hicieron los Lafargue.

Natalia y yo lo hablamos. Nos reservamos el derecho que ejercieron los Lafargue. Tomar ese camino, no quiere decir que esté desesperado. Para nosotros, no es un acto desesperado. Es un acto racional. Es una liberación.

Recuerdo la época de nuestro exilio en Francia. Durante un tiempo en 1933, vivimos en una villa cercana al mar. Siempre teníamos visitas. El escritor André Malraux era uno de ellos. Malraux y yo hicimos un largo paseo siguiendo el borde del acantilado y me dijo, mirando hacia el agua que se enredaba y serpenteaba allá abajo, con la marea que subía hacia nosotros: «La única cosa que el comunismo jamás llegará a conquistar es la muerte».

En ese momento le dije que cuando un hombre ha hecho lo que se propuso hacer en la vida, entonces la muerte es fácil. Pero crear una sociedad en la que cada hombre debe asumir su papel, en que cada hombre sabe su función, *eso* sí es difícil.

Para mí, la muerte es simple. Pero si Natalia se fuera antes que yo... No puedo seguir con ese tipo de ideas. Algunas cosas no se pueden ni pensar.

Cuando murió su esposa Jenny, Karl Marx estaba tan enfermo de pleuresía que no pudo ir al funeral. Murió quince meses después. Estaba desconsolado. Después de todo: las mudanzas, la muerte de los niños, las penurias, Jenny mendigando las sábanas y la platería que habían sido su dote, su belleza esfumándose del rostro; después de todo esto él vio que su vida sin ella era incompleta. Durante quince meses, tras su muerte, vagó por Europa, sometiéndose a todo tipo de curas. Soportó las pústulas y los tatuajes. Ingirió grandes cantidades de arsénico y opio. *La curación como castigo*, pues habían vuelto a aparecer todas las antiguas erupciones de su piel, la piel aquejada, junto con su hígado y la bronquitis. Le escribió a Engels que *el único antídoto efectivo para las penas del espíritu es el dolor corporal*.

En estos días me traspasa el dolor. Me duelen las piernas, aquellas viajes heridas de la guerra civil, y la espalda me atormenta. Tengo dolores de cabeza. Mi sangre hierve dentro de las venas.

Mi persona aquejada.

Este es el gran dilema del revolucionario. Vivimos para la Revolución, para el levantamiento, para el cambio. Para el espíritu y voluntad colectivos. Pero cuando somos nosotros los que padecemos ese cambio, cuando llega esa revolución a nuestras vidas, sentimos que ya no fluimos con el colectivo, pues ya no está con nosotros ese único individuo que nos ha sostenido.

Mientras más envejezco, más me alejo de las soluciones a estos dilemas personales.

En ausencia de su amigo, Engels dijo la oración fúnebre en el entierro de Jenny Marx. Le rindió tributo a ella y al papel que desempeñó en la vida de su amigo. Se dice que dijo: «En verdad, hoy también murió Karl».

Stalin también tenía esposa. Dicen que la muerte de su segunda esposa, Nadezhda Alliluyeva, lo cambió, lo endureció. Desconozco qué significó para él la revolución de su propia vida. Fue después de la época de nuestro exilio. Hubo tantas cosas que ocurrieron entonces, que yo solo podía intentar adivinar.

¿Cómo vivía entonces la gente, con el hambre que había en Ucrania? ¿Con la escalada del Terror? Busco antiguas ediciones del *Pravda*. Leo descripciones de un Moscú que ya no reconozco. Estos últimos años han sido un frenesí de construcciones y de demoliciones. Hay estaciones del metro por toda la ciudad —muros de ónix y de mármol—, el escaparate del nuevo Moscú. Proyectos construidos por esclavos. ¿A qué precio se realizan estos sueños de reconstrucción? La nación entera convertida en un cuartel. Socialismo de puño y pistola.

Y aquí me siento, viendo estas fotografías, deseando que pudieran hablar. Mis últimos recuerdos al exilio son de Moscú. Fue en 1927. Me acababan de expulsar del Partido. Pronuncié la oración fúnebre para nuestro amigo y camarada Adolf Joffe. La esposa de Stalin, Nadezhda Alliluyeva también estuvo en el funeral. Por encima de las cabezas de los asistentes, miré hacia donde se encontraba ella. Era joven y pálida. Aun entonces, la nieve parecía aplastarla.

Mi amigo Joffe se quitó la vida.

La gente se suicidaba en ese entonces.

Stalin tuvo una esposa que se fue antes que él. Me siento aquí mirando su fotografía, intentando comprender. Solo puedo intentar imaginar las cosas que ella presenció, la vida que llevó.

El individuo. La historia. El individuo en la historia. La historia de la vida de un individuo. Descompongo los conceptos. Los vuelvo a construir. Cada componente me parece indivisible. Pero ¿será posible que la muerte de un eslabón deshaga toda la cadena?

... Si mi Natalia se va antes que yo... La idea que no puede ser pensada.

Mi enemigo contempló esa idea.

Temo a esto más que a la bala de un asesino.

2

LA LÓGICA DE LOS POETAS

NADEZHDA ALLILUYEVA
Moscú, 1932

En ese entonces, la gente se suicidaba.

Moscú y Leningrado se sacudían con esas pequeñas explosiones nocturnas de los lóbulos frontales. Los viejos bolcheviques caminaban con la mano crispada como si apretaran un gatillo imaginario: ambas manos cargadas con la idea. Al amanecer, se llevaban a los muertos en automóviles de color negro; sábanas ensangrentadas ondeaban en las puertas laterales, así de rápido se deshacían de los cádaveres.

Muchos años después, cuando los que no se habían suicidado estaban siendo juzgados, Beria pronunciaría políticamente: *Encierren a esos perros rabiosos.*

Odié a Beria con solo verlo. Todo en él era circular, como si no hubiera por donde entrar. La barbilla, los quevedos, la panza. Gordos dedos haciendo círculos en el aire. Iossif no podía entender por qué lo odiaba. Lo vio como una prueba más de alguna maldición materna.

Camarada Nadezhda. Camarada Stalin, decía Beria al entrar planeando en la habitación, volando tan bajo que su frente casi tocaba las alfombras. Se movía con agilidad para ser un hombre tan pesado. Tenía una voz apagada. Él me odiaba. Yo lo fulminaba con una sola mirada.

Le dije a mi marido: *No se puede confiar en él. No permitiré que ese hombre entre en casa.*

Era la época de la extrema vigilancia, los tiempos en que había enemigos por todas partes. Beria, el segundo hombre más poderoso, ya dirigía el NKVD y nos mantenía vigilantes. Trotski estaba en el exilio, pero la Oposición aún existía. La Oposición era astuta. Había que vigilarla. Incluso leían los diarios de mis hijos;

vigilaban a todos sus amigos. El cerco de Beria se estrechaba alrededor de cualquier sombra de disidencia. De noche, su automóvil se paseaba por Moscú en busca de mujeres. Madres llevándose a toda prisa a sus hijas de las calles. Maridos que instaban a sus esposas a permanecer en casa. Beria ahogaba a Moscú como una serpiente pitón.

Durante un tiempo, me libré del cerco de la pitón.

Pero saber es a veces peligroso.

En la Academia Industrial, durante mucho tiempo nadie supo el nombre de mi marido.

Tenía mi orgullo.

Mi padre, Sergei Alliluyev, escondió primero a Vladimir Ilich y luego a Iossif Vissarionovich. Mi padre trabajaba en la Compañía Eléctrica de San Petersburgo y era respetado como mecánico de primer orden. Mi padre sabía mucho sobre la luz. También sabía sobre la oscuridad. Mi abuela era gitana, de su familia heredé mis rasgos morenos. Mi padre ocupaba un sitio especial en los corazones de los viejos bolcheviques. Cuando les daba por recordar, mi padre servía vodka y señalaba orgullosamente hacia la alacena de madera que estaba bajo las escaleras. Me sabía bien la historia. Vladimir Ilich se había encogido encima de uno de los estantes de esa alacena durante las razias policíacas de 1917. «Me preocupaba que la calva de Lenin brillase a través de las rendijas de los tablones —decía mi padre—. Así que le puse mi gorra.» Posteriormente, cuando había pasado ya el peligro, mi padre se la regaló como recuerdo. Al principio, Vladimir Ilich, modestamente, se negó a aceptarla, pues sabía que éramos obreros pobres y sabía que era la única gorra de invierno que tenía mi padre. Pero mi padre insistió.

Tres años después de eso, el Primero de Mayo de 1920, junto con otros miles, mi padre, mi madre y yo estábamos de pie a un lado de la Plaza Roja. Recuerdo que Lenin pasó frente a nosotros, se quitó la gorra de su cabeza y nos extendió su mano. Para ese entonces, la gorra ya estaba casi en harapos. *La gorra especial* —le dijo a mi padre, riéndose con los brazos abiertos—. *¡Casi tan calva como yo!* Los coches aminoraron la velocidad por un momento y Vladimir Ilich se inclinó desde su auto para estrechar la mano de mi padre. Mi padre se volvió hacia mí con lágrimas en los ojos: su gorra tenía un lugar en la historia.

Iossif Vissarionovich era un hombre de casi cuarenta años cuando mi padre lo escondió. Se conocían desde los primeros días en Bakú; en el tiempo en que mi padre instalaba imprentas clandestinas y Iossif, entonces conocido como Koba, asaltaba bancos por toda la región del Cáucaso. Mi padre pensaba que era un tipo directo en el sentido georgiano. A mí me parecía muy fuerte y muy seguro de sí mismo. Mi madre le prestaba poca atención, por razones que luego se hicieron evidentes. Hablaba de la prisión. Del exilio en Siberia, donde cazaba y pescaba. Habló de haber crecido en Georgia, en el pueblo de Gori, a la sombra del monte Kazbek. Habló de cómo había finalmente elegido su nombre: Stalin, *el hombre de hierro*. Él también estuvo oculto en la alacena de madera bajo la escalera. Pero con su pelo negro y su cara cacariza por la viruela mi padre no temía por que lo vieran. «El hombre de hierro está acostumbrado a las sombras», dijo.

Iossif era tan de hierro como una sombra.

Desde luego, de esto me di cuenta mucho después como suele suceder con esas cosas.

Si hubiera sabido entonces... pero ¿qué sabe en realidad una niña?

Era hija de revolucionarios. Los recuerdos de mi infancia están llenos de conversaciones en voz baja; de hombres con las manos manchadas de tinta y de panfletos amontonados en la alacena; de adultos que aparecían y desaparecían de mi vida; de estar parada a las puertas de las cárceles del zar, con la nieve hasta las rodillas como si me hubiesen plantado allí, esperando a que liberasen a mi padre. No conocía ningún otro tipo de vida. Para cuando nos mudamos a San Petersburgo, sacando todas nuestras pertenencias bajo un encapotado cielo, de un apartamento a otro, con los niños vigilando por si venía la *Okhrana*, la policía secreta del Zar, el sistema de señales con las manos había evolucionado, aquel estado de alerta parecía tan natural como respirar.

En 1917, durante aquellos días del mes de julio, vi a Iossif Vissarionovich, mi futuro marido, afeitarle la barba y el bigote a Lenin en nuestra cocina de San Petersburgo, con sumo cuidado, las manos firmes. Ejemplares de *Pravda* arrugados bajo la silla, una vieja toalla enrollada al cuello de Lenin, los pelos llenos de espuma ante la navaja. Vladimir Ilich emergió brillante y renovado, su piel de niño ocultando al hombre. Iossif Vissarionovich Stalin, *el hombre de hierro*, retrociendo para observar su obra. Era como si toda su carrera revolucionaria hasta entonces: los robos brutales a los bancos en Tiflis, la relativa calma de su exilio en Siberia, las huidas y transformaciones, como si todo eso lo hubiese conducido hasta este crucial momento.

Me enamoré del peluquero de Lenin, esa es la verdad. A mi manera, aún lo amo.

En ese momento, mi padre propuso a Stalin que también se afeitara el vello de la cara. Pero Stalin aseguró que no estaba en peligro inminente y que, en cualquier caso «con mi bigote, soy un hombre cualquiera. Estoy a salvo», dijo. En ese momento era cierto. Con una gorra podía confundirse entre los obreros de las calles de San Petersburgo. Incluso entonces, Iossif tenía la habilidad de perderse entre la multitud y aguardar el momento oportuno para salir. Era notable su aspecto de hombre común.

Sus enemigos lo llamaban la nebulosa gris en 1917. Ese fue su primer error: subestimar el aspecto común de Iossif Vissarionovich Stalin.

Yo tenía dieciséis años cuando trabajé de secretaria para Lenin. Diecisiete, cuando me casé con Iossif Vissarionovich. Creo que Iosiff me amaba a su manera. Me decía que era su reina gitana: yo le recordaba a una muchacha trapecista que había visto alguna vez en un circo en Georgia. *Tan delgada y morena y girando por encima de mí.* Iossif siempre amó el espectáculo y la ilusión. En años posteriores, estaba prendado del cine por las mismas razones. Quería que caminara sobre el trapecio para siempre. Pero a mí no me gustaba ni el aire ni la luz. Él era mucho mayor, forjado en las sombras. A su lado envejecí antes de lo que hubiera querido.

«Tus cuadernos son precisos y claros, Nadezhda Alliluyeva.» Mis instructores en la Academia Industrial alababan mi trabajo desde el principio, aun antes de que supieran el nombre de mi marido. Ahora, aunque mis dibujos técnicos son fluidos, a veces distorsiono la disposición del polímero sobre la página.

Solo para ponerlos a prueba.

«Nadezhda Alliluyeva será nuestra mejor química», dicen, aunque ves, cada vez más, que no juzgan de forma imparcial mi trabajo. Las manos de mis profesores tiemblan al pasar las hojas. En los últimos exámenes, en una pregunta sobre los aminoplásticos sustituí intencionadamente un átomo de oxígeno con uno de sulfuro.

Aun así, me dieron las mejores notas. Yo protesto.

Estás equivocada. Tu trabajo era absolutamente correcto en todos los detalles, dice el profesor.

Esa duplicidad me deprime.

En la Academica Industrial circulan rumores. Desde que volvieron los camaradas de Ucrania, varios de mis compañeros y profesores favoritos ya no han vuelto a clase. La gente desvía la mirada cuando me ven pasar. Hay otro Moscú, que late lejos de mí. Otro Moscú que deseo ver claramente. Otro país que quiero que vea mi marido. Tengo estos deseos, pero ahora estoy tan enclaustrada como una zarina.

Por eso me sumerjo en el nuevo mundo de los plásticos y de las fibras artificiales. Tengo sobre mi escritorio, en casa, un pedazo de ámbar del Báltico que me recuerda al brazalete de ámbar de mi madre. El ámbar es un plástico natural. Maleable. Levanto el ámbar y lo pongo a la luz y me maravillo de su color miel tan perfectamente formado y moldeado por la acción conjunta del calor y la tierra. Hay una pequeña huella de insecto dentro del ámbar. Me acuerdo de los días claros en Crimea; Iossif con un traje blanco y sombrero de ala ancha. Los niños jugando con la arena. Las pálidas y delgadas piernas de los miembros del Politburó envueltas en una clara ola color ámbar. Conservo una peineta de concha de tortuga en mi armario que había pertenecido a mi bisabuela, de la época en que las mujeres aún no llevaban el pelo tan corto. A veces, mi hija juega con ella. El caparazón de la tortuga es también un plástico natural, un material maleable. Comparo estos plásticos naturales con los materiales que creamos en el laboratorio. En los nuevos plásticos veo el futuro. Quiero producir estos plásticos naturales pues ahora podemos triunfar sobre la naturaleza. Con la reproducción de la naturaleza podemos ganarle la partida a las necesidades y carencias. *Esta* será mi contribución.

Mi esposo no comprende mi pasión por estos materiales. No comprende el placer que proporciona algo que es más ligero que el metal, algo que puede moldearse hasta tomar forma, que puede producirse en masa, un material de nuestro tiempo que no depende de los caprichos del calor o de la tierra. Piensa que no es un tema que deba preocupar a las mujeres. Cuando pienso en él, intentando comprenderlo, lo comparo con los materiales con los que trabajo. Tiene la fijeza de un plástico termoestable. Veo que tiene naturaleza de baquelita, una vez moldeada ya no cambia. Sin embargo, a muy altas temperaturas puede romperse irremediablemente.

A veces, Iossif se acuesta sobre la *takhta*, con su manos sobre la cara. He visto las fisuras.

Se dice que en Occidente, junto con los nuevos plásticos, hay nuevas telas en producción. Telas artificiales más bellas que la viscosa. Una seda artificial que no se aleja mucho de la real. Aguardo estos descubrimientos.

Estoy enclaustrada como una zarina y anhelo ver las cosas con claridad, el otro Moscú, más allá de los muros del Kremlin. Anhelo usar una tela a la que no se adhiera la memoria.

EL OTRO MOSCÚ: HISTORIA DE MIJAÍL, 1
1932

El metro. Siempre está el metro. Una garganta serpenteante. Mijaíl Kosarev vuelve la cabeza hacia su jefe, el Segundo Secretario del Partido en Moscú están supervisando la construcción a medida que suben por los húmedos túneles hacia la luz opalina de las calles. Como jefe de uno de los equipos, un ingeniero jefe de minas, responde directamente ante el segundo secretario, Nikita Kruschev. Mijaíl arrastra su corazón de carbón a lo largo de los túneles a medio construir, lejos de la pesadez de su apartamento. Busca profundizar el nudo de los túneles. Esta mañana subterránea, mientras se dirige al trabajo, repasa la labor del día anterior, siente que se acerca al núcleo de la tierra, que busca por amor, vibrando con la tierra, intentando encontrar su origen.

Allá abajo todo parece sólido, aunque él sabe que no es cierto. Sobre las calles, en su pequeño apartamento, siente como si caminara sobre algo tan frágil como una tela. En su apartamento, las relaciones están sedimentadas como si fuesen arena, continuamente cambiantes y móviles. Se siente exhausto por ello. A veces, siente que no puede escapar, que sucumbirá al igual que han sucumbido otros, y que no quedarán ni sus huellas.

Se siente solo, sondeando en busca del amor allá abajo en los túneles, con la salvación de otra jornada de catorce horas por delante. Hubo un tiempo en que se evadía de la soledad con los camaradas del metro, con la adrenalina de días sin dormir porque estaban construyendo algo bello, algo que perduraría más allá de cualquier otra cosa.

El metro será la obra principal del nuevo Moscú, un símbolo de la *Reconstrucción socialista*. Han visto los planos, los trazos de tinta que abren paso al futuro. Han visto las maquetas realizadas por los artistas: los relucientes candelabros, los ondulados bronces de las estatuas proletarias y los veinte diferentes tipos de mármol brillando en las paredes.

Han visto el mañana.

Sin embargo, desde que oyó la noticia de su amigo, un atisbo de futuro no basta para sostenerlo. Solo hay la sucesión de los días. Los túneles en medio. Por las noches, se ve a sí mismo salir del hondo túnel cercano a su apartamento, se ve a sí mismo entre la pequeña multitud de camaradas que pueblan el bar, se sorprende riendo y pidiendo copas que saben a fuego, discutiendo con ellos. Exudando energía. Él es un buen hombre. Un buen líder.

No todos los camaradas son tan entusiastas como él. Eso sería imposible, con más de setenta mil trabajadores, la mayoría de ellos *mujiks* iletrados traídos desde Kazajstán y de más allá. Mijaíl piensa que es mucho más fácil construir un tramo ferroviario, aun subterráneo, que construir nuevas actitudes. Le basta con mirar a su madre y a su hermana.

Desde luego que allá abajo hay otros problemas a los que enfrentarse: muchos de los obreros también son *zeks*: prisioneros políticos, trotskistas, antiguos presos de los campos en los que no se puede confiar. Se intenta rehabilitarlos con el trabajo, involucrarlos en el proceso de la reconstrucción socialista. Sin embargo, de entre las caras inexpresivas y los ojos adormilados que rascan la tierra, Mijaíl a menudo se pregunta si la rehabilitación total es realmente posible.

Sí, ha habido triunfos. Oskar, su amigo de la infancia —rehabilitado y liberado— ha sido transferido al proyecto del metro dada su experiencia como ingeniero de minas. Oskar pasó dos años en el presidio que está a las afueras de Moscú por haber liderado una huelga en el Donbass. Nunca hablaron de ello. Pero esos dos años empañaban su vida. Sus hijos se cogían de la mano para ir a la escuela, caminando cuidadosamente por los espacios marcados para ellos. Todo estaba marcado para ellos.

De alguna manera, Mijaíl no podía aceptar que su amigo había sido un *zek*. El hecho de que en privado jamás lo había considerado como un enemigo del estado, y el hecho de que Mijaíl fuera apreciado en el Partido con un expediente intachable, significaba que debía tener cuidado si quería reanudar su amistad con Oskar. Kruschev en persona le había aconsejado a Mijaíl no acercarse demasiado a ese antiguo prisionero político. Había que tener cuidado. Aun cuando no había visto a Oskar desde su juventud, mucho antes de que se hubiera ido a trabajar a Donbass. Pero no siempre se podía tener tanto cuidado. En el trabajo intentaba no acercarse demasiado a Oskar. Después del trabajo, en el bar, parecía siempre casual que terminasen intercambiando algunas palabras, mientras atravesaban el local para ir a buscar una copa. Pero luego, se aseguraba que pasaran semanas *sin* que esto ocurriese de nuevo, *sin* tan siquiera cruzar la mirada con su amigo en cualquier lugar repleto de gente. El espacio que rodeaba a Oskar tenía que ser cuidadosamente administrado. Estratégicamente controlado. Mijaíl siempre se aseguraba, cuando salían en grupo, borrachos, de algún bar, de que a él *no* lo encontrarían cantando abrazado a Oskar. Deseaba que Oskar lo perdonara por ello. Oskar era un buen hombre, un obrero diligente, un buen camarada. Pero estaba marcado, *un antiguo oposicionista*. Mijaíl estaba obligado a aceptar eso.

Ahora, algunas noches, ahora que ya no está Oskar, cuando finalmente sus camaradas se levantan para irse del bar, Mijaíl se queda sentado en un banco cercano a la ventana, observando cómo regresan con sus hijos y esposas, a sus vidas totalmente ajenas a los pozos del metro. Una vida apretujada, pero una vida, al fin y al cabo. Cada *metrostroievsti* (trabajador del metro) bromea sobre ello: «Algún día, traeremos a la familia aquí abajo». De hecho, las secciones de los pozos subterráneos son más grandes que los cuatro metros y medio cuadrados que mide de promedio un apartamento. No son solo los trabajadores del metro los que desean tanto espacio. Tras meses de construcción, los obreros y las ratas de los túneles reciben a otro tipo de sabandijas: los *kulaks*, fugados del exilio político o delincuentes de baja ralea. Mijaíl siente su presencia, percibe su olor a miedo, adivina sus dilatadas pupilas en la oscuridad, aun cuando no las ve. Moscú está lleno. Moscú tira sus despojos a los pozos del metro. No hace mucho, los cimientos de toda una sección se desplomaron, inundados por una de las corrientes subterráneas. Después de drenar la zona, se hallaron veinte cuerpos, hinchados como burbujas, sobre el suelo enlodado. Ninguno de esos cuerpos era de un *metrostroievsti*. Ahora, la policía vigila las entradas de los túneles.

Mijaíl piensa en la vida subterránea al observar que se van sus camaradas. Para él, son más que su familia. La relación va más allá de los lazos de sangre. Están unidos en una empresa gloriosa. Los une aún más que si fueran hermanos. Vacía el vaso. Observa cómo se van yendo los *bonhomie*. Un desasosiego se le instala en

los huesos. Se prepara para enfrentarse a su madre y a su hermana en el mausoleo que tienen por apartamento. Ya han pasado
tres meses. Esa mezcla de alivio y de culpa. Ya no recuerda si
hubo un tiempo en que la felicidad le saliera por los poros.

Tiene las palmas de las manos anchas. Es un hombre grande.
Hay un gran vacío dentro de él. Se dice a sí mismo que somos
nuestro trabajo. ¿Cómo podríamos ser más que la suma de nuestro trabajo? Y, sin embargo, persiste la necesidad de amor, de espacio y de camaradería. A veces, ese hambre no se puede saciar
con el trabajo, ni siquiera con un proyecto tan audaz como el metro. En los tres meses que han pasado desde la noticia de Oskar,
ha sufrido esa inquietud exageradamente.

Mete la llave en la cerradura. Luego, el cotidiano ritual de empujar dos veces la puerta con el hombro, hasta que la oxidada cerradura cede y le permite entrar. Son las once de la noche cuando
empuja la puerta de su *kommunalka*, un apartamento comunita-
rio en lo que antiguamente fue una residencia burguesa, cerca de
Ulitsa Gor'kogo. Está previsto que la primera sección del túnel
del metro se inaugure muy cerca de allí. Su familia lleva ya varios
años ocupando este apartamento. Son afortunados. Cuando se
hicieron las expropiaciones masivas de 1920, la familia de Mijaíl
—junto con otras veinte familias— exigió su parte. Ahora, veinte
familias ocupan el mismo espacio que, en su momento, fue hogar
de un mercader y sus seis hijos.

Al empujar la puerta, sabe que son las once de la noche porque en las habitaciones apartadas de la entrada principal se escucha el quebrado doblar de las campanas de la torre Spasskaia del
Kremlin, al unísono gracias a los viejos radiogramas hechos con
piezas de repuesto. La voz, *Govorit Moskva!*, lo asalta con auto-
ritaria familiaridad. En el boletín de noticias escucha al primer secretario de Moscú Kaganovich, habla sobre los nuevos proyectos
en construcción. Escucha que Kaganovich declara: *El metro es
uno de los frentes de la gran guerra que hemos estado librando...
para hermosas cosas nuevas y el hombre nuevo...*

Camina por el pasillo. Las bacinas están colocadas fuera de
las habitaciones. Ropa gris se acartona, colgada de las vigas del techo. Se escuchan toses, respiraciones asmáticas y llantos de niños
pequeños. Al final del corredor está goteando un grifo, carco-
miendo los tablones del piso donde diariamente hacen fila veinte
familias para echarse agua fría encima y llenar sus samovares.

Su apartamento está separado de la cocina comunitaria por

una pesada cortina. La cocina consiste en varios quemadores de leña y unas cuantas mesas. Por la noche, las mujeres se arremolinan en torno a esos quemadores para proveer a sus familias. Le exaspera la ineficiencia de todo esto. Pero se ha resignado ante estos vestigios de moralidad burguesa que quedan en la cocina comunitaria. Separa la cortina, respira profundamente y grita: *Govorit Moskva!* Su madre y su hermana se alzan en sus sillas, como tiradas por una polea, y luego se dejan caer de nuevo. Dos pares de ojos le lanzan reproches y remordimiento desde las esquinas iluminadas por lámparas. Le murmuran algo, no han entendido su ironía. Camina hacia una pared de la habitación, hacia su espacio, y las mujeres se encogen, rosadas y oliendo a jabón, hacia la esquina opuesta. Hoy es viernes y su madre y hermana han asistido a su semanal baño caliente de tina en los baños públicos. Él despega una delgada sábana, corre la cortina, y se tira sobre el gastado colchón tan largo y ancho como un ataúd; con las botas aún puestas fija la vista en el techo, cruza las manos bajo su cabeza, e intenta encontrar algún sentido a su vida entre los húmedos parches del techo.

Él no es responsable. La muerte de Oskar no fue responsabilidad suya.

Todo en el apartamento es ruidoso y húmedo, aunque nadie esté hablando. Su hermana abona los hongos que crecen en el antepecho de la ventana con los excrementos de la noche. Le está dando la espalda. El hedor es intenso. Incluso los hedores son ruidosos y húmedos. Su madre abre la puerta de una jaula de conejos que hay en una esquina de la habitación. Salen tambaleándose cuatro diminutas figuras grises. Su madre los inspecciona y luego los empuja hacia dentro, con dificultad, hacia la figura más grande, maternalmente apretujada en la esquina de la jaula. «Pronto estarán listos», dice. Su hermana se vuelve desde la ventana:

—¿Cuándo?

—Dije que pronto.

—¿Cómo de pronto? —pregunta su hermana, hambrienta.

—Cuando Dios quiera.

Su hermana vuelve a los hongos, la brusquedad de su madre le ha golpeado los hombros.

—¿Para qué esperar la voluntad de Dios? —se escucha a sí mismo, provocándolas, detrás de la cortina.

Su hermana, enfurecida, retira la cortina.

—¡Porque nos morimos de hambre esperando a tu Partido!

Se ríe, lo cual la altera aún más.

—Basta. *¡Basta!* —Su madre se pone las manos sobre las orejas.

Todo es muy familiar. Todas las noches una variación de lo mismo. Él tras la cortina. Los murmullos de los conejos y el fétido olor a excremento nocturno.

Con los conejos y los hongos, podrán sobrevivir el próximo invierno. Su madre está convencida de ello, haciendo caso a las exhortaciones de Kruschev. Las únicas exhortaciones que obedece son las que conciernen a la comida y a la vivienda. Todo lo demás, pasa por un filtro: el intelecto subordinado al instinto. A veces, él la observa en la cocina comunitaria, escurriéndose entre las otras mujeres, platos en mano, apenas deteniéndose en reconocer su existencia, pisando las babas de los niños enflaquecidos para regresar con los platos humeantes a *su propio* apartamento, a *sus propios* hijos, a *su propia* mesa detrás de la cortina. Jamás ha visto que su madre comparta algo: ni una cebolla, ni un utensilio de cocina. No lo entiende. Ya no recuerda si siempre fue así, y si siempre fue así, cómo la aguantaba su padre.

Es 1932 y hay hambre en Moscú. Todo se mueve rápidamente: edificios, fábricas, el canal Moscú-Volga, el metro. Pero no hay dónde vivir. Nada que comer. Pero ellos son los afortunados. Se ha vuelto ya una obligación revolucionaria cultivar hongos y criar conejos para aliviar la escasez de comida. A pesar de que no ha habido sequía ni otra catástrofe natural, el grano ya no llega a las ciudades y corren los rumores de que hay carretas por Ucrania transportando esqueletos. El Ejército Rojo se pone a cultivar remolacha. Los *kulaks*, intransigentes, los observan moverse sin gracia por los campos. Ellos prefieren sacrificar la mitad del ganado del país, antes que entregarlo al Estado. Millones son deportados. Esos son los rumores. La cosecha de remolacha, así como la cosecha de trigo en Ucrania, se han perdido.

Estos son los rumores.

Incluso en las afueras de Moscú, los sucios *kulaks*, refugiados de la colectivización, con las manos extendidas, son desplazados, pues no traen consigo las *propiska*, los permisos laborales que son requeridos a todos los ciudadanos de Moscú. Jóvenes y adultos sin hogar son transportados en camiones por la noche, hasta setenta u ochenta kilómetros de Moscú, y allí tirados sobre la carretera como desperdicios. Mijaíl no tiene piedad de ellos, por su patético arraigo por pequeños e improductivos pedazos de tierra, y por haber estafado a las granjas del Estado con el mercado negro. Por haber masacrado intencionadamente al ganado. Ellos mismos han provocado lo que les pasa. *La mayoría ni son rusos.* Estos prófugos de la provincia ejercen presión sobre las ciudades. Las tienen como rehenes. Moscú está lleno y cada antepecho de ventana apesta a hongos, y en los rincones, a excremento de conejo.

Y tras todo ello, Trotski y la Oposición, dirigiendo las cosas, ahora alterando las cosas desde la comodidad del exilio.

Les ha explicado muchas veces a su madre y a su hermana los perjuicios de la Oposición. Estaban de acuerdo en la perniciosa influencia de León Trotski. Por diferentes razones. Sin embargo, más allá de Trotski, su madre y su hermana parecen culparlo a él de la situación. Pero él no es responsable. Se lo ha dicho una y otra vez. Pero como miembro del Partido, ellas lo hacen responsable.

Por no ser creyente, lo consideran responsable.

¿No estuvo en 1931, jaleando al lado de la Liga de Ateos Militantes, mientras caía por los suelos la catedral del Cristo Redentor? ¿Jaleando al tiempo que las explosiones partían los techos y las puertas y los iconos volaban por los aires?

¿No sabía que nada bueno saldría de aquello? Su amigo Oskar, recientemente liberado, también había estado presente, ebrio y aplaudiendo. La madre de Mijaíl le había advertido que al final Dios expresaría su descontento. Durante años su madre había estado anticipando la forma de tal descontento. Su madre esperaba, estoicamente, que algún horror cayera sobre ellos.

Su madre y su hermana no podían perdonarlo por ello.

Pero ¿no había también rescatado un pequeño fragmento de oro, una reliquia para su madre, guardándola en su bolsillo, al tiempo que se despegaban como botín los ciento ochenta kilos en láminas de oro de las cúpulas? Se había acercado, observando cómo los obreros desmantelaban las catorce campanas que doblaban en disonancia mientras el mármol y el granito se desplomaban de los muros, y los pesados crucifijos caían al suelo. Todo el procedimiento le había fascinado. Sí, los había jaleado, incluso cuando el trabajo se volvió demasiado pesado para realizarlo a mano y llegó la orden de dinamitar el edificio. Después de dos intentos, aún permanecían el gran domo y las columnas de soporte. El horizonte de Moscú se cimbró. Ya no aplaudió. Una pequeña reunión de fieles, incluyendo a su madre y su hermana, ofrecieron plegarias, clamando un milagro, que Dios había intervenido para salvar su iglesia. Pero los capataces del OGPU no se dejaron impresionar. Una tercera detonación destruyó la iglesia por completo. Notó una sacudida. Recuerda el aire polvoriento y las casacas con hoja de oro de los sacerdotes y los lamentos de los fieles.

Recuerda las tres explosiones.

Vio sacerdotes postrados. Vio cómo los arrastraban, alejándolos del lugar. La Liga de Ateos Militantes jaleaba. El sonido se quedaba pegado a su garganta. Siempre había creído en el método científico. En la construcción de lo nuevo. En relegar la superstición al pasado: las lecciones que le había enseñado su padre. Pero había algo en que las casacas fueran arrastradas por el polvo que le llamaba la atención, que le molestaba. Más que eso, le avergonzaba. No podía mirar a su madre y a su hermana. Se murmuraba, mucho después, que a cinco de los sacerdotes que habían protestado por el saqueo de las santas reliquias se les había arrestado y fusilado esa misma noche.

Desde entonces, la construcción en ese lugar había sido siempre aplazada. *El sitio tiene una condena*, decía su madre. Ahora, después de dos años, siente que quizá haber estado allí aquel día, y la demolición misma de la catedral, fueron un error. La superstición no desaparece tan fácilmente. Pero no podía admitirlo plenamente, ni aun a sí mismo. Admitirlo sería ceder poder dentro de las cambiantes arenas de las relaciones familiares.

Ahora, en el espacio que ocupara la iglesia se levantará el Palacio de los soviets. Debía ser más alto que el edificio Empire State de Nueva York, coronado con una estatua de Lenin de cien metros de altura que fracturaría las nubes. Ahora, cada vez que pasaba frente al ensordecedor trajín de las grúas y de los tractores que movían el cascajo, le venía a la mente la imagen de las sotanas ensangrentadas.

Moscú entero se había convertido en una construcción.

—*Destrucción* —decía su madre.

—*Construcción* —insistía él.

Su hermana le siseaba desde el rincón.

Su madre guardaba el fragmento de la lámina de oro que él había recogido aquel día en una gasa. De vez en cuando, lo sacaba y manoseaba, luego mirándolo a él, desviaba la mirada y fríamente envolvía el fragmento en la gasa, doblando con precisión las esquinas, como si fuese un sobre fino. Colocaba la gasa con la hoja de oro bajo el retrato de la Madonna que estaba cerca de la jaula de los conejos, encima de una vela roja que jamás se apagaba. Junto a la Madonna había un retrato en tela del perfil de Lenin. Mijaíl había clavado la tela sobre la pared, al lado del icono, cuando era un joven miembro de *Komsomol.* Una década después, una esquina del retrato estaba rota. Una sección del dedo índice de Lenin deshilándose en el infinito.

Tres meses antes, Kruschev se había entusiasmado con el ojo para los detalles que tenía el camarada Stalin. «¡Más retretes públicos! El *Khozyain* se preocupa porque Moscú necesita más retretes públicos.»

Era cierto, Mijaíl lo reconocía esa noche, tendido de espaldas, ignorando el murmurante silencio de la habitación, había escasez de retretes públicos. Hasta hace tres meses, ¿dónde podía cagar un hombre de Moscú, fuera de su casa? ¿Qué caso tenía construir el socialismo si un camarada no podía mear donde le viniera en gana?

Ya era bastante difícil encontrar algún espacio en su propio hogar, tropezándose con las cubetas que hacían las veces de bacina.

Prioridades.

Una semana después del entusiasmo que expresara Jrushchev por el metro, ya proliferaban los retretes públicos como si fueran hongos fertilizados con excrementos nocturnos. Incluso, a mayor velocidad. Mijaíl observó cómo se eregían las letrinas públicas con mayor rapidez que los túneles del metro, aún más rápido que el tiempo en que se levantaron los *baraki,* los destartalados búnkers donde habitaban los trabajadores de la periferia de Moscú.

Más retretes públicos. Meneó la cabeza.

Prioridades.

Su hermana y su madre veían todo esto con escepticismo. Desaprobaban que llegasen a Moscú trenes cargados de madera, metal y materiales. Ellas preferían los adoquines, las calles sin pavimentar y las carretas tiradas por caballos, como era antes Moscú, como siempre había sido. Recelaban de los túneles. Él no podía hablar de ningún aspecto de su trabajo o de ninguno de los aspectos de su pensamiento con ellas. Y la única persona con la que sentía que podía hablar de esas cosas, ya no estaba.

Había el silencio y el espacio en medio del silencio. Como cuadro del Partido se le había asegurado un apartamento propio para la próxima primavera. De eso hacía ya un año. De nuevo, ya casi llegaba la primavera. Ahora sentía que la energía de la primavera le era tan ajena como un país extranjero.

Para un soltero que vivía en una *kommunalka* con su madre y su hermana, no importaba cuánto valiera un camarada ni el grado de desesperación en el que estuviese: no era una prioridad.

Su hermana tenía un aspecto tirante en el rostro, como si se lo hubieran estirado. Pasaban los días y, de pronto, ya tenía cuarenta y ocho años y ninguna perspectiva de matrimonio. Se estaba convirtiendo, con el paso de los años, en una sombra exagerada de su madre. Su hermana bebía todo lo que decía su madre, pero dentro de ella, eso se transmutaba en algo aún más amargo y siniestro. Desde la muerte de su padre, durante los lejanos años de la Guerra Civil, toda la amargura se había vuelto más pronunciada, como una llaga.

Su hermana fue la primera en darle la noticia de Oskar, con un tono triunfante.

Sintió el impulso de sacarle ese triunfalismo a golpes. En cambio, cogió el cojín sobre el que estaba sentada, sacándoselo de un tirón. Su hermana se cayó de la silla, sorprendida, y extendió la mano exigiendo el cojín. El cojín, su favorito, estaba bordado en rojo y blanco, se lo había traído desde Ucrania su padre. Su egoísta apropiación del cojín y de la memoria de su padre, lo pusieron furioso. Se pelearon por él, tirando cada uno de un lado, entonces se rasgó la tela y una docena de cartas volaron sobre la alfombra, como si el crupier hubiera enloquecido. Cartillas de racionamiento. Su hermana cayó de rodillas y se puso a recogerlas rápidamente en su delantal. Él se quedó mirando fijamente las cartillas. Todo tipo de sellos rojos y negros, las cartillas para obreros, para no-obreros, para enfermos, para ancianos y demás. Quedó apabullado. Tal acaparamiento. Aún más, apabullado de estar peleándose con su hermana por un cojín, habiéndose acabado de enterar de la muerte de su amigo. Su madre les gritó a ambos, atravesó la habitación para separarlos como lo había hecho siempre cuando eran niños. Empujó a su madre con tal fuerza, que la mujer dio contra la pared. Le pegó una bofetada en la boca a su hermana, *Perra estúpida, podrías hacer que nos arresten a todos*, dijo con su voz dura.

Por un segundo, se imaginó la satisfacción que le daría denunciar a su hermana ante las autoridades. En esos momentos, en Moscú se llevaba a cabo una campaña para penalizar el acaparamiento y tráfico ilegal de cartillas de racionamiento. Se imaginó tener el apartamento para él solo. Su hermana pareció intuir su pensamiento, y aún en el suelo con el mandil repleto de cartillas de racionamiento, se giró hacia él y le dijo:

—¿*Querías que nos muriéramos de hambre?*

—Callaos, los dos —dijo su madre.

Después corrió la cortina y la mantuvo firmemente mientras se quedaba ahí parada, intentando amortiguar el ruido con su cuerpo, la cabeza inclinada hacia el corredor. Esperaba oír los pasos de Andrei Konchovski. Konchovski era el superintendente del edificio. No se le escapaba ni un solo murmullo. Tenía un cuarto en el sótano solo para él. Recientemente, había llegado una estufa para él, tras descubrir al *kulak* del final del pasillo, un primo de una de las familias que vivía allí escondido durante el día, trabajando ilegalmente por las noches, sin *propiska*. Lo había denunciado debidamente y la estufa de Konchovski llegó al día siguiente.

Todas las familias temían a Konchovski.

En ese momento, con su hermana en el suelo y su madre pegada a la cortina, se dio cuenta del poder que hasta ahora no sabía que tenía y que no estaba enteramente seguro de querer. Despreciaba a su madre y a su hermana. Tan retrasadas. Su falta de compromiso con cualquier cosa que no fuera suya. Sus emociones pequeñoburguesas. Ahora veía que le eran indiferentes.

En ese momento, se dio cuenta de que su madre no tenía miedo de que Konchovski llegara sigilosamente y descubriera las cartillas de racionamiento. No, le tenía miedo a él, al hijo que podría delatarlas a Konchovski.

Vivía con dos mujeres fuera del tiempo y del espacio. Los grandes prejuicios de la Madre Rusia dormitaban, noche tras noche, en su apartamento. Eran verdaderas creyentes. En alguna ocasión bromeó con Oskar que su madre y su hermana tenían tan poco mundo que no podían distinguir entre *metropoliten* (el metro) y *mitropolit* (un sacerdote ortodoxo). Temían cualquier cambio. No confiaban en nadie. Él había escapado de las garras de su retraso y se había forjado una educación, tras la Revolución. Pero su madre y su hermana pertenecían a un tiempo anterior al de la Revolución. Anterior a la historia. Su madre y su hermana se sentían cómodas caminando sobre calles empedradas, al lado de la mierda humeante de los caballos. Solamente estaban de acuerdo con el camarada Stalin en dos cosas: el peligro de los tranvías y la peligrosa influencia de León Trotski. Al igual que el camarada Stalin, les preocupaba que un tranvía de dos pisos, al doblar una esquina, siguiera su carrera incontrolable. Se negaban a subir al tranvía.

En cuanto a Trotski, su madre quería venganza. Nunca se había recuperado de la Guerra Civil. La pérdida de su esposo, peleando contra los blancos. La pérdida de su hermano, un marinero de Kronstadt, peleando contra el gobierno bolchevique. Despreciaba a todos los líderes gubernamentales, pero ella decía que, por encima de todos, despreciaba al tal Trotski, ese *Yudushka*. La noticia corrió deprisa aquel día de 1921, cuando su madre le dijo: *Pensábamos que esto no podía estar pasando; seguramente, el gobierno escuchará las peticiones de los marineros. Pues, sus demandas son razonables. Quieren pan, quieren democracia. En las ciudades ya estábamos cansados. Queríamos algo de paz. Nadie se puede sacrificar para siempre.*

Después vinieron las noticias de los cuerpos que caían sobre el hielo. Trotski dirigiendo el asalto contra sus propios marineros en la guarnición de Kronstadt. Trotski llamándolos traidores.

Su hermano jamás volvió de la guarnición de Kronstadt.

Y ella jamás perdonó al camarada Trotski. Se rió cuando escuchó que lo expulsaban del Partido y el consiguiente exilio. *Tiene las manos manchadas de sangre*, dijo ella.

Mijaíl asentía en silencio cada vez que se mencionaba a Trotski. Era el único tema en que estaban de acuerdo.

Sus otras creencias le resultaban inconcebibles.

Le sorprendía el hecho de que fuera de ese cuarto la historia se desplegara como una bandera, mientras que dentro, el tiempo era como un gato acurrucado frente a una chimenea en continua somnolencia, demasiado perezoso como para estirar sus patas.

Esta somnolencia felina y reaccionaria lo oprimía. No entendía cómo su padre, un ateo y comprometido comunista, se había llegado a casar con su madre, ni cómo él pudo haber nacido en ese hogar.

Se quedó con su madre y su hermana porque Moscú estaba atiborrada de gente. Moscú estaba llena. Por todos lados, en los saturados apartamentos, la enemistad flotaba en el aire.

La espera era complicada. Para algunos, la proximidad se volvió intolerable. Algunos no podían hallar salvación en el trabajo. Y para los camaradas con demasiado pasado, gente como Oskar, ni siquiera existía la posibilidad de esperar algo mejor.

LA APUESTA DE NADEZHDA
Moscú, 1932

En casa, soy aún más dura con mi hija. La obligo a practicar francés y música para que sepa gozar de sus propios logros, mientras pueda. Para que pueda medirse ella misma, antes de que lleguen otros a juzgarla.

Yo era demasiado joven para saber esto antes de casarme.

Estoy sola y me pego a las paredes color crema del Kremlin y siento cómo me rechazan.

Anhelo introducir el desorden en nuestras rutinas, tal como hago con mis dibujos técnicos en la Academia Industrial. Para ver si lo que hay debajo de lo habitual es verdad. Allá arriba, en los apartamentos del zar, ya no sé qué es normal o real. Ahora, Iossif insiste en que me lleven en coche a mis clases en la Academia Industrial. Tengo la sensación de otro Moscú, de una vida que late ligeramente más allá de las páginas del *Pravda* y de las sesiones del Politburó, que se extienden hacia la noche. Miro de reojo ese otro Moscú cuando me llevan en coche, veo a un hombre con dos conejos en una jaula. Veo a una mujer mayor, con un pañuelo sobre su cabeza, a unos hongos en una zanja; veo policías haciendo guardia frente a los túneles del nuevo metro. Llamo por teléfono a mi madre en Zubalovo. Se queja de los *kulaks* que deambulan por los bosques, cerca de su dacha. Teme que le hayan robado huevos y pan. Me pide que no se lo diga a Iossif.

Mientras tanto, a Iossif le preocupan las amenidades públicas de Moscú. A veces, sale por las noches con Beria, cuando Beria se ha hartado de mujeres y mi esposo se ha hartado de todo; así empezó su obsesión con las letrinas públicas, pues una noche en que Iossif andaba inspeccionando los túneles y los proyectos del Nuevo Moscú, de pronto se halló sin un lugar donde orinar.

Pensó que como secretario general no estaría bien visto que orinase en una zanja llena de hongos. A la siguiente tarde, cuando amaneció, seguía furioso por haber tenido que hacerlo.

Y así comenzó la campaña en pro de más letrinas públicas.

Asisto a una fiesta para los camaradas que vuelven de Ucrania. Los había despedido cuando se fueron, con sus caras radiantes y ansiosas, forman parte de los veinticuatro mil que se movilizaron para restaurar el orden en la provincia. Los vi partir. Los vi volver. Tienen historias que me quieren contar e intento no juzgarlas, pues veo que no son las mismas caras que se fueron a la provincia. Ahora, estos ojos llevan un vendaje, ojos de gente joven que ha visto demasiado. Me paro, amablemente asintiendo con la cabeza, con el vaso que han vuelto a llenar en mi mano, rodeado de ojos tristes. Hay mucha bebida en esta bienvenida, pero no hay alegría. Uno por uno, se van acercando y me ofrecen sus historias como si me estuviesen entregando una condecoración, un broche o una medalla, algo ornamentado y punzante. Cierro mi mano en torno a estas historias y mi piel queda llagada. Hablan del hambre como si fuese un virus, multiplicándose fácilmente sobre los campos de trigo. Familias enteras que devoran a sus muertos: un anciano que tuesta la lengua sobre una llama de su nieta muerta. La matanza de animales. Hablan de las imposibles órdenes de requisar; calculadas bajo las nuevas fórmulas de Moscú «el rendimiento biológico» que solo contabiliza el trigo mientras está plantado, antes de cosecharlo. Hablan de campesinos que han sido flagelados y sentenciados a muerte por haberse apropiado de una cebolla. Un voluntario muy joven, de no más de dieciocho años, se desmorona al recordar los asaltos a las sucias chozas, destrozando la madera con palancas, desmenuzando cada centímetro de las casas campesinas en busca de grano.

—*No hay más trigo en los campos* —dicen inflexibles los voluntarios que han vuelto—, *no hay más trigo cultivable.*

—Pero los *kulaks* —digo. Trastabillo una respuesta—, los *kulaks. Seguramente, ellos son responsables...*

Me interrumpe un joven camarada poniéndome su mano firme sobre mi brazo:

—*El* kulak *no existe. El* kulak *es producto de la imaginación. Un* kulak *es un hombre que alguna vez tuvo una vaca, un hombre que jamás imaginó comerse a su hermano. El pueblo está re-*

pleto de kulaks. *El campesino rico, el campesino medio, el proletario del pueblo, ellos no existen. Solo hay una clase en la provincia: los muertos de hambre* —hace una pausa—. *Y nosotros hemos destrozado sus pueblos. Y estoy avergonzado de lo que he visto. De lo que he hecho* —tomando aire profundamente, susurra—: *Shtuchnil holod* (hambruna provocada por el hombre). *Dígale eso a su marido.* —Me quita la mano del brazo y siento la presión que permanecerá allí días después.

Me apoyo en la pared. Vuelven a llenar mi vaso. Sigo tragándome las historias. Es justo antes de los días de cada mes en que permanezco en cama con el sabor a hierro en mi lengua y mi vientre arrastrado. No es un momento para que beba. Mantengo la punzante orilla de sus historias presionada en la palma de mi mano. Con los focos brillantes por encima de mi cabeza. Se aligera el ambiente. Bailamos. Los camaradas me observan, esperanzados.

Uno de los instructores prepara un auto para que me lleven y entro al Kremlin, cantando, con los brazos abiertos. Soy una guardián de historias. Por una sola vez, por obra de mi matrimonio, puedo hacer la diferencia. Por primera vez en muchos años tengo tantas cosas que contarle a Iossif. Me digo a mí misma: «Así que esto es la felicidad».

Mi marido entra y me ve acostada sobre la *takhta* color trigo —el adorado sofá de Georgia que le enviaron desde su Gori natal—. Me mira un buen rato y luego sale de la habitación.

Espero, mientras la habitación gira a mi alrededor. Espero que algo suceda.

Vuelve después de un tiempo y me levanta en sus brazos, con su débil codo tras mi cabeza.

—Y ahora a la cama, Nadiushka.

Es tan tierno conmigo. Como lo fue durante los primeros meses de nuestro matrimonio. Mis brazos se sienten pesados y caídos. No los puedo mover. Me siento paralizada por el alcohol y por la responsabilidad de decirle lo que se debe hacer.

Miro hacia arriba, hacia su rostro pesado:

—*Iossif, los camaradas que vuelven de Ucrania... las cosas que han visto... el hambre que hay allá...*

Parece temblar. Me mira durante un largo rato.

—¿Quién te ha dicho esas cosas? Si envenenan a mi mujer con vodka y cuentos, ¿quizá también la envenenen en mi contra?

—No, Iossif, nadie me ha envenenado. Me dieron sus historias. Necesito entregártelas a ti.

—Estás loca.

Me lleva a la cama y sale rápidamente de la habitación. Recuerdo que lloré.

Al día siguiente de la fiesta en la Academia me dolía la cabeza. Empecé a sangrar. Miré hacia el jardín Alexandrovsky, la primera nevada doblaba los árboles.

Sabía que lo había echado todo a perder. Había mantenido el control durante tantos años. Ahora todo se deshacía como una bola de seda artificial.

La introducción deliberada del desorden.

Crecerían las sospechas de Iossif sobre mí. Beria se cortaría las manos.

Me acuesto en mi cama. Duermo y despierto con ese dolor. La última edición del *Pravda* está cerca de mi almohada. A las cinco de la mañana, doliéndome el abdomen, paso las páginas del *Pravda* y leo el titular que dice: *LA PATRIA NECESITA CONOCER A SUS HÉROES*. Se ha iniciado la nueva campaña del Partido. Los actuales héroes del trabajo socialista se encuentran allí. Treinta y dos fotografías de ingenieros, líderes de brigadas obreras y aviadores. Mi marido fotografiado junto a ellos.

Descubro que no tengo ningún interés en estos héroes del trabajo socialista.

Dos días después, mis compañeros estudiantes, esos camaradas que se fueron a Ucrania, esos que me entregaron sus historias ya no vienen a clase. No los vuelvo a ver. Interrogo a Iossif, que me dice que no sabe nada de los hábitos de los alumnos demasiado flojos para seguir las clases. Que él no puede ocuparse de todos los detalles. Es un asunto de zona. Le pregunto por los nombres al secretario del área del Partido en la Academia. Parecen avergonzarse por mi petición. Semanas después, la lista de desaparecidos también desaparece de mi carpeta de trabajo.

Vuelvo a tocar el tema en la sección del Partido en la Academia. Me dicen que los jóvenes camaradas han sido nuevamente enviados a Ucrania. Se les ha encargado una nueva misión. *Demasiado importante para comentarse.*

Encomiendo sus nombres a mi memoria. Me los recito a mí misma. Para que al ser nombrados, no sean olvidados. Guardo estas cosas en mi cabeza y decido abandonar Moscú.

Me llevo a los niños conmigo a Leningrado durante tres meses. Salgo tarde por la noche y Iossif no se entera de que me he ido hasta el día siguiente por la tarde. Durante tres meses me llama a diario. Me envía cartas y flores. Me corteja para que vuelva. Los miembros del Partido en Leningrado me tratan con frialdad. Conocen a mi marido y no pueden entender por qué estoy lejos de él. No confío a nadie mis verdaderos sentimientos. Mi lado familiar con Iossif: *Él es un buen marido. Mejor que la mayoría. ¿Qué más se podría esperar?* En el tren de regreso a Moscú, me bajo de la plataforma como si se me hubieran roto las rodillas. Iossif cubre a los niños de besos. La noche de mi regreso, tras llenar las lámparas con aceite, entra Iossif a verme. Su brazo se arquea en una enojada sombra sobre la pared y su fuerza me tira al suelo. *Jamás vuelvas a hacer eso*, me dice en voz baja.

Soy una guardián de historias demasiado peligrosas para ser contadas. Mi vida es como una larga cadena de moléculas en repetición, bajo presión.

EL OTRO MOSCÚ: HISTORIA DE MIJAÍL, 2
1932

Mijaíl había reunido todas las piezas durante los meses que habían pasado desde que su hermana le dio la noticia. Los hechos consistían en que Oskar, totalmente ebrio, se había desangrado hasta morir en una letrina pública del centro de Moscú. Sin embargo, ¿tras la muerte, qué? Mijaíl peleaba con ello. Se sabía que Oskar bebía, aunque no más que los demás y que la bebida jamás había interferido en su trabajo. Su hogar consistía en un colchón puesto sobre el suelo de una *baraki*, a las afueras de Moscú. Había cincuenta camaradas en cada habitación, dos metros cuadrados por camarada. Dormían por turnos. Él compartía su espacio de suelo con su hermano, su cuñada, sus tres hijos y su esposa. Rara vez veía a su mujer. Trabajando todo el día, borrando su pasado, atendiendo reuniones en los días en que libraba, absorbido totalmente por el metro, la joya del nuevo Moscú. Solo entregándose plenamente al trabajo y mostrándose como un camarada ejemplar podría aspirar a mudarse. Esa era su ambición: trasladar a su familia del escuálido y mugriento colchón, de las peleas por las estufas de los rincones, del olor a mierda, de cómo exudaba la mierda al pasar por entre las vigas del piso de arriba, cuando lo convirtieron en letrina. Todo tipo de infecciones asomaban entre los colchones. Él había aceptado su error al liderar una huelga en contra del Estado. Se había establecido que no tenía conexión alguna con la oposición trotskista. Se le había concedido una segunda oportunidad. No la quería desaprovechar.

Sus planes habían sido interrumpidos por una cuestión meramente personal. Durante el tiempo que pasó en prisión, tuvo sospechas de que su mujer tenía un lío con su hermano. Un día, allá abajo en los túneles, se lo había susurrado a Mijaíl. La noche que murió, Oskar había llegado a casa tarde, después de un día subterráneo, encontró a su mujer abrazada a su hermano. Se quedó parado en el quicio de la puerta, mirándolos largamente antes de que ellos se dieran cuenta de su presencia. Los niños y su cuñada estaban dormidos. Él estaba borracho. Su mujer se apoyó en su codo, pero antes de que pudiera murmurar palabra, él le dio una patada dejándola nuevamente postrada, pisó con su bota las costillas de su hermano, y luego calmadamente pateándolos, pisó la larga cabellera castaña de su mujer. Después bajó las escaleras hacia la noche, pasando al lado de una zanja con nueva cosecha de hongos color ostión, hacia el centro de Moscú.

Justo ese día, Oskar había estado elaborando un plan para sacar a su familia del escuálido *baraki*. Se había tropezado con un tendajón de carbón en desuso, no muy lejos del túnel donde trabajaban en Ulitsa Gor'kogo. Pensó en transformarlo en vivienda para él y su familia, mudándolos en secreto durante dos noches. Tales apropiaciones de espacios vacantes se daban por todo Moscú. Se volvían espacios habitables los armarios para escobas y los nichos debajo de las escaleras. Era un buen plan. Había invitado a Mijaíl a que se le uniera.

Hasta allí era lo que se sabía.

Oskar se tambalea hacia una de las nuevas letrinas públicas. Baja de la calle y pasa al lado del aún reluciente orinal. Se protege el puño izquierdo con la manga y le pega una y otra vez a los nuevos espejos que hay sobre los lavabos. Con una delgada lámina del espejo se destroza las venas y se sienta a esperar, hundido en la oscuridad en la que finalmente ha encontrado el espacio para pensar y para ser. Tiene su propia habitación, cerrada al vacío, con los muros oprimiéndole al pecho. En su mente, su esposa vuelve a él. Pero al iniciarse la presión, Oskar intenta incorporarse, acordándose demasiado tarde de la pistola de su padre y de lo fácil que es apretar el gatillo.

NADEZHDA ALLILUYEVA
Moscú, 1930

Era el 14 de abril de 1930. Desde esa fecha, para mí las páginas del *Pravda* significaban pánico. Según el viejo calendario, era primero de abril, día de los Inocentes. Podría incluso decir la hora: las diez en punto de la mañana. Me estremecí al remover mi té, viendo cómo se disolvía lentamente la mermelada; una orilla rosada alrededor de mi taza. Me dolía el pecho. Sentí que no podía respirar. En las calles, los rumores cobraban fuerza, como tambores.

Al siguiente día, 15 de abril de 1930, abrí las páginas del *Pravda* con la misma sensación. Leí sobre las huelgas de los obreros del textil en Bradford; huelgas del ferrocarril en la India; proyectos del metro y planes para la reconstrucción de Moscú. El cultivo de la soja y del maíz y de la importancia de estos para la dieta nacional. En la página cinco había un pequeño artículo sobre la muerte del poeta Maiakovski que se había pegado un tiro el día anterior. La nota necrológica afirma que el suicidio se debió a preocupaciones personales. *La vida social y literaria del poeta no fueron factores de su suicidio.*

La gente se suicidaba en esos tiempos.

Y esta muerte en particular, reverberaba en mi pecho.

Después de que Maiakovski se pegara un tiro en la cabeza, a las diez de la mañana del 14 de abril, primero de abril en el viejo calendario, mi vida jamás fue la misma.

Pushkin, Lermontov, eran muertes literarias que sí podía comprender. Pertenecían a otro tiempo. Un tiempo anterior a la esperanza. Pero ¿Esenin y ahora, Maiakovski?

Había visto al poeta por primera vez en marzo, en el teatro Meyerhold, para el estreno en Moscú de *El cuarto de baño*. Iossif se había negado a acompañarme, así que, como de costumbre, asistí con mi buena amiga Polina Zhemzuchina, esposa de Molotov.

Le dije: «Polina, el hombre con el abrigo verde...¡estoy segura de que es Maiakovski!». Mis guardaespaldas se giraron para mirarlo. La gente seguía nuestras miradas. Maiakovski parecía más delgado y alto de lo que aparecía en las fotografías; con sus ojos esculpidos como de icono doloroso. Le sonreí y se me quedó mirando lo que me pareció una eternidad y luego, desvió la mirada.

No podía entender por qué no me devolvía la mirada.

No le vi bien la mano derecha; con los dedos encogidos como los de un antiguo bolchevique esperando para hacer puntería.

Maiakovski había decorado el escenario y el teatro con unas pancartas, colocadas estratégicamente. Desde donde estaba podía ver una pancarta amarilla y grande con letras en negro. En parte, decía:

LOS BURÓCRATAS
RECIBEN AYUDA DE LAS PLUMAS
DE CRÍTICOS.
CRÍTICOS COMO YERMILOV.

Podía ver al crítico literario en cuestión, la parte posterior de su cabeza moviéndose con enojo en su butaca de la segunda fila. Era la venganza de Maiakovski por la mala crítica que escribió Yermilov del estreno en Leningrado.

Al final del primer acto, el público permaneció callado. Algunos sisearon y reprobaron con gritos. Había murmullos que decían *¡Incomprensible!* Entre todos, solo quedé impresionada por la disección que había hecho Maiakovski de la burocracia. No había eco. La gente salió silenciosamente en fila. Beria estaba parado en el vestíbulo, con una copa en la mano, hablando con Yermilov con silenciosa intensidad. Polina Zhemzuchina condenó la obra por ser pequeñoburguesa, una vergüenza: *¿En qué parte de la obra estaban los comunistas reales?*

Maiakovski se fue antes del segundo acto. Su abrigo dejó un rastro verde entre las butacas.

Después de la función, Yermilov se quejó. La Asociación Revolucionaria de Escritores Proletarios obligó a Maiakovski a que quitara las pancartas.

Posteriormente, en la nota de suicidio, Maiakovski dijo que lamentaba haber quitado la pancarta con el nombre de Yermilov.

Me fui a casa y esperé despierta a que llegara Iossif.

—*Esta noche, entre la gente, vi al poeta Maiakovski* —le dije.

La espalda de mi marido se puso rígida.

—*¿Maiakovski? A Vladimir Ilich nunca le gustó Maiakovski* —dijo él.

—*Pero Iossif* —protesté—. *En 1917, los marineros iban cantando a Maiakovski hasta las mismas puertas del Palacio de Invierno.*

—*Nosotros no nos preguntamos de dónde viene un hombre, sino hacia dónde se dirige* —dijo Iossif mirándome fijamente.

En ese momento comprendí que el tema ya estaba zanjado. Supe en ese momento que jamás vería a Maiakovski con la mano alzada para saludar. Supe entonces el significado de la solitaria huella verde que quedó contra las cortinas del teatro.

Un mes después, al derretirse la nieve y comenzar la primavera, el poeta me espetó balas desde las páginas del *Pravda*.

YO, VLADIMIR MAIAKOVSKI
14 de abril de 1930

> *En esta vida el morir no es nuevo*
> *y el vivir, por supuesto, no lo es.*

> SERGEI ESENIN,
> nota de suicidio, 1925

Efectivamente, el poeta dejó una nota. Y en ese momento, aquella desesperación que había en las últimas líneas de Esenin... Intenté durante meses neutralizar su fuerza. Trabajé. Ahora puedo admitir que estaba fascinado por el hecho de que Esenin se me había adelantado. Ansiaba poder preguntarle si fue doloroso. ¿Duele más que la vida? Luego, en un poema dedicado a su memoria, puse al revés las últimas palabras de Esenin:

> *Morir*
> *en esta vida*
> *no es tan difícil.*
> *Me atrevo a decir*
> *que construir la vida*
> *es aún más difícil.*

Han pasado tres años desde entonces. Tres años. Al mirar hacia atrás y ver lo que he escrito, descubro que construir esta vida ha sido más difícil de lo que jamás hubiera imaginado. El tiempo me ha dado la vuelta.

Efectivamente, Esenin se fue antes que yo. ¿Qué decir cuando un poeta se mete en los versos del otro? Esenin. Siempre en busca de un pedazo de tierra de la Revolución proletaria. Arañando su memoria en busca del paraíso campesino de su infancia. Un lugar que nunca existió, pero que estaba presente en su vida urbana. Podía ser tan majadero como cualquier *mujik* que pega a su esposa. Pegó a Isadora hasta amoratarle toda la cara, del mismo color con el que se tintaba el pelo. Como letrista, sus imágenes podían ser tan toscas como unos dientes sin lavar. Ese era su don. Pero fue la Revolución la que le dio al *mujik* un cepillo de dientes. *La Revolución*. Esenin nunca entendió eso. La Revolución nunca tuvo nada que ver con los campesinos. Jamás fue su intención. Su lirismo provinciano se vino finalmente abajo con la disonancia de la ciudad, y con la definición de socialismo que dio Lenin: *soviets sumados a la electricidad*, repicaba en sus oídos.

Tal era la diferencia entre nosotros. Cuando Esenin se quejaba:

Los dedos asfaltados de las nuevas carreteras
Se entrelazan con la suave garganta de los pueblos.

Me reía de él.
Progreso, cantaba yo.
Yo también estaba muy seguro.

Esenin fue un poeta que bebió hasta provocarse la muerte. Pero en su nota final, culpó al hotel Angleterre por no haberle proporcionado suficiente tinta. Dijo que lo habían forzado a usar su propia sangre. Lo encontraron ahorcado.

E incluso ahora, después de todas las discusiones que he sostenido con él desde el más allá, después de años intentando contrarrestar su desesperación, me encuentro con que los últimos pensamientos de Esenin se entrelazan con los míos. Todo ese tiempo rebatiendo a Esenin para al final descubrir que la melancolía que compartíamos era todavía más profunda que nuestras diferencias.

¿Qué decir cuando un poeta se mete en los versos de otro?
Dejé suficientes pistas. Dejé suficientes huellas. No es algo inesperado.

El pueblerino ojiazul ebrio de Esenin vuelve a mí, en esta habitación, en este escritorio, con esta pistola.

Me ocurrieron cosas. O yo les ocurrí a ellas. No estoy seguro cuál de las dos cosas.

Dos mujeres, primero, Lili, luego Tatiana, me ocurrieron.

Me ocurrió la Revolución.

Le ocurrí a la Revolución.

Todo es lo mismo.

Cuando era joven era famoso tanto por mi manera de vestir, como por mis versos. Mi madre me hizo la camisa amarilla más fina de todo Petersburgo. Con esa sola camisa me convertí en el símbolo de los futuristas rusos. Una revolución declamatoria de color oro. Yo era una rebelión en espera de que ocurriese la Revolución. Incluso de niño parecía mayor de lo que era. Nadie se dirigía a mí como a un niño. Las mujeres llegaron temprano a mi ancha cama. Era el hombre más alto de Petersburgo. Toda mi vida he sido extravagante, y ahora al final de mi vida, después de haber vivido dos Revoluciones, aún siento la soledad, me pregunto a mí mismo... *¿dónde encaja una persona como yo?*

Eso lo escribí en 1916. Y ahora vuelve la misma vieja pregunta. La dialéctica del amor, del arte y de la revolución. Anhelo la negación de la negación, para que inicie una nueva espiral.

Tatiana era lo suficientemente alta para mí. Cuando nos besábamos, se rozaban nuestras cejas. Los espacios profundos de entre mis cejas dejaban huella en su frente. Dos titanes. Éramos tal para cual. Pero ella vivía en París. Juntos podríamos haber conquistado Moscú, le decía y fui premiado por mi arrogancia.

En París, ella se casó con alguien de la mitad de mi estatura y de la mitad de la de ella.

Si hubiera traído a Tatiana de vuelta a Moscú, si hubiese logrado satisfacer a Lili, ¿hubiera sido diferente mi vida? ¿Podría haberles dicho al crítico Yermilov y a todos los demás que se fueran al carajo?

Finalmente, me uní a la Asociación Revolucionaria de Escritores Proletarios, una asociación que despreciaba, pero estaba desesperado por encajar en alguna parte. ¿Por qué nunca podía encajar? Decían de mí que:

*Maiakovski... ha demostrado su afinidad con el proleta-
riado. Sin embargo, esto no quiere decir que Maiakovski
pueda ser admitido con todos sus antecedentes teóricos. Será
admitido en la medida en que se despoje de todos esos antecedentes. Le ayudaremos en eso.*

Mi lugar en la Revolución empezó a perderse. No había sitio
para mí. No cabía en ese espacio. ¿Qué querían que dijera?

Desde luego, al principio estaba Lenin. La gente afirma que,
no nos apreciábamos. Soy el hombre que le falló a Vladimir Ilich.
En 1917, durante los días de octubre lo vi trabajar en el Instituto
Smolny. Su inmensa frente era una cúpula para mi futuro. Anhelaba captar aquel instante. *Camarada Lenin, ¿me permitiría pin-
tarle la frente de rojo?* Se me quedó mirando como si estuviera
ante un loco. Efectivamente, yo era un loco. Intoxicado por la va-
nidad de los tiempos. A diferencia del pobre Esenin, quien solo
estaba intoxicado. Yo corría por todo Petersburgo, colocando letreros y pancartas, proclamando el nuevo orden, proclamando el
nuevo amanecer. Tuvimos una reunión en el Smolny, el yeso caía
a nuestro alrededor. Éramos seis, para jurar nuestro apoyo artístico a la Revolución. Como pueden ver yo estuve allí desde el
principio.

Es cierto que Vladimir Ilich jamás me comprendió. Lo admito. Es cierto que definió uno de mis poemas como «absurdo,
monstruosamente estúpido y lleno de pretensión». Pero tuve
quienes me apoyaban: Trotski, por ejemplo. En una ocasión,
Trotski se alzó en mi defensa. Y en defensa del pobre Esenin.
Nos llamó *poputchiki, los compañeros de viaje* de la Revolución.
Los mejores poetas de la Revolución eran los *poputchiki*. Trotski
entendió eso mejor que nadie. En 1923 escribió:

> *Todos éramos conscientes de las limitaciones políticas, la
> inestabilidad y la poca confianza que se podía tener en los
> poputchiki. Pero si descartamos a Pilnyak... Maiakovski...
> Esenin, ¿qué nos quedaría, salvo las aún impagables notas
> promisorias de la futura literatura proletaria?*

Qué extraño entonces, que Trotski me comprendiera. Pero
Lenin nunca lo hizo. Yo los entendía a todos y a su arte revolu-
cionario. También comprendía al camarada Stalin.
Demasiado bien.

Aún impagables notas promisorias de la futura literatura proletaria...

¿Sabe usted la carga que implica ser demasiado comprendido? ¿Amar demasiado?

> *Pero me dominé*
> *pisando*
> *la garganta*
> *de mi propio canto.*

El amor tiene muchas caras. Los ideales y el amor pueden llevarlo a uno, a la locura.

Es cierto que el deseo de abofetear el gusto del público jamás me abandonó. Solamente cambiaban las caras.

Por eso, los críticos me acusan de una sátira que sería mejor dirigir hacia cualquier otro lado. Y yo pregunto, ¿hacia dónde? En mis obras lanzaba un aviso. Había aduladores arrastrándose por todas partes. Hombres que se hacían a costa de los otros. Empecé con la Nueva Política Económica y todavía seguía allí. Estábamos creando la antítesis del hombre comunista.

Yo creía en la creación del nuevo hombre. Creía en mis propios intentos.

Siento que todo cuanto he hecho es trabajo. ¿Qué otro poeta puede decir que los marineros rojos cantaron sus tres pareados hasta las mismísimas puertas del Palacio de Invierno? Al cargar las balas, tarareo un poco, y las lágrimas queman mis ojos en memoria de aquellos cantos: la belleza y la fuerza de aquel día.

Aquí estoy, solo en esta habitación, con mis recuerdos de Esenin y Lenin y el fracaso, con el cañón de la pistola sobre el pecho. Es el día de los Inocentes, de acuerdo con el viejo calendario. Y ya no puedo engañarme a mí mismo.

Dios, que nunca me hizo, me ha dejado varado con un bulto que deberá ser perforado. Durante dos días, he estado aquí sentado y solo. Las palabras han estado explotando dentro de mí. Rebotando por las paredes. Declaro que:

Dios me ha fallado. Le he fallado a Dios.

El Amor me ha fallado. Le he fallado al Amor.

Cobrador de Impuestos, déjeme hablarle de la poesía...

Mi mirada apuntando a las palabras, todo este tiempo sacando rimas de las zanjas.

Indudablemente, ¿esto me otorga algunas concesiones?

Al hablar, el tiempo es circular. Pero las palabras sobre la página son diferentes. Ahora encuentro que su permanencia me deja helado. Escribo para un mañana que ya no puedo entrever. El tiempo sobre esta página es como una corbata que mira hacia abajo, terminando en punta de flecha. Ahora me hallo a mí mismo con los gélidos gemidos de Esenin: *El riguroso octubre me ha decepcionado.*

¿Qué podía saber un *mujik* sobre la decepción?

Si pudiera seguir hablando, manteniendo las palabras en el aire, en blanco y negro, como si echara los dados sobre una mesa... Siempre fui un jugador... Si puedo hacer eso, mantener las palabras flotando como cartas, barajarlas rápidamente entre los dedos, entonces el tiempo también flota y los buenos momentos volverán a ser pasado...

La pálida sonrisa oval de Lili, sonriéndome después de haber ganado a las cartas. Yo regalándole un chal con cuello de zorro; yo mismo, no tanto el zorro, sino el cachorro, le entregué el chal llevándoselo entre los dientes.

Fui el tamborilero de la revolución. Esenin fue el flautín. Yo tamborileé fuera de mí, dentro de mí y más allá de mí. Tamborileé hasta las fronteras de mí mismo. Pero aun así las fronteras permanecieron. Tamborileé durante años contra mi propia soledad. Tamborileé colgando carteles y epigramas. Mantuve al país informado durante la Guerra Civil. Sabía de mi responsabilidad poético-revolucionaria. Dormí con un tronco bajo mi cabeza en las oficinas del ROSTA, la Agencia Telegráfica Rusa. Y si miran detenidamente, bajo la línea de mi cabello hay una marca roja de todos esos años durmiendo sobre esa almohada tan rígida. Los tiempos eran rígidos. Yo tamborileé al ritmo de aquellos tiempos.

Ustedes saben que algunas personas quieren que el arte sea una armonía curvilínea. Pero los tiempos exigían el derrumbe de las simetrías. La disonancia de la multitud; el chirrido de los frenos; el maullido de las sirenas de las fábricas; las pulsaciones de la electricidad.

Disculpamos al pobre Esenin, pues nunca entendió nada de esto.

¿Y qué excusa tengo yo?

¿Cómo puede uno estar solo entre la multitud?

El arte hace a la vida; no la reproduce ni la refleja.

No soy un espejo.

Soy una distorsión.

Esenin fue un gran destructor de espejos y de ventanas. Esenin, girándose hacia mí una noche, «Rusia es mía, lo entiendes, ¡toda mía!».

Esenin cortando su propio reflejo.

—¡Quédate con Rusia! —le dije—. Tómala, por favor. ¡Unta tu pan en ella, como si fuera mantequilla!

Esenin rodeaba a Lili con su brazo, deseando compartir a la musa.

—¡Quédate con Rusia! —le grité—. Pero jamás podrás llevarte a Lili.

Pero Lili, como el ímpetu puro de la Revolución, como los sueños de algo mejor, se fue de mí.

Puedo ver al joven Esenin, escudriñándome por entre los pliegues de la piel de Isadora.

En alguna ocasión, Trotski dijo de mí: «Para poder elevar al hombre, lo eleva al nivel de Maiakovski». Los críticos pueden hablar del *Maiakamorfismo*. Déjalos que lo hagan.

Déjenlos intentar torcer tan gran marco en un espacio tan pequeño. Yo cabalgué entre lo individual y lo colectivo, abracé las supuestas contradicciones. Al parecer hoy en día, el individualismo impera. Una tensión aún más virulenta.

¿Les he hablado de todos los lugares que he visitado?

Yo mismo, tan alto como un rascacielos de Manhattan.

¿París, Berlín?

¿Mi gira ininterrumpida para hablar en cincuenta y dos pueblos soviet?

¿Mi cansancio? ¿Mi garganta sangrante?

¡Esenin! Ven a sangrar conmigo por las *hundidas calles sifilíticas*. Pero no. Eso fue antes de la Revolución. ¿Debo decirlo de nuevo?

Soy el poeta que con su cuello aguanta el ribete revolucionario de las noches prolongadas y de la agitación interminable. Sosténganme.

Yo fui el hombre que amó a Lili.

Yo fui el hombre al que Tatiana no pudo amar.

Yo fui el hombre que amó la Revolución.

Yo fui el hombre al que Vladimir Ilich no pudo amar.

Ahora descubro que el amor es la aguja de la corbata del oportunista.

Encima de mi escritorio hay dos mil rublos, liquida mis impuestos.

Lili, ámame.

NADEZHDA ALLILUYEVA
La amenaza trotskista
Moscú, 1932

De noche me quedo sentada en mi habitación, leyendo a Maiakovski. Me aferro al último ejemplar que existe en Moscú, como
si fuese una balsa. Lo sigo leyendo cuando entra Iossif a las tres
de la mañana. Rápidamente, empujo el ejemplar por debajo de las
sábanas. Iossif entra en mi habitación hecho una furia. Agita un
pequeño periódico sobre la cama. Miro el periódico: *Boletín de la
Oposición.* En la primera página aparece una nota editorial, escrita desde el exilio por León Trotski:

¿QUÉ ES STALIN?

> **Esta es la mediocridad más notable de nuestro Partido... Su
> horizonte político es extremadamente estrecho, su nivel teóri-
> co es igualmente primitivo... tiene la mentalidad de un empí-
> rico obstinado, exento de imaginación creativa. Su actitud
> hacia los hechos y hacia las personas se distingue por su ex-
> cepcional desatención... El stalinismo es, por encima de todo,
> la obra de una organización...**

*Hay que actuar. La amenaza trotskista. Debemos hacer
algo...,* dice Iossif.
   Me doy vuelta hacia la pared y cierro los ojos. *La amenaza
trotskista.* Recuerdo la última vez que vi a Trotski. Fue en 1927
en el funeral de mi buen amigo Joffe. Joffe había admirado a
Trotski durante mucho tiempo. Había pasado algún tiempo a su
lado, en el tren, durante la Guerra Civil. Yo amaba a Joffe como
amigo y como camarada. Era la única persona que me había mos-
trado afecto desde que llegué al Kremlin. Veo estas conexiones.
Los significados que tienen. A través de mis lazos con Joffe,

¿querrán significar que yo también soy trotskista? Quiere decir eso que yo también soy una amenaza? Estos días, estos tiempos, me confunden. Debo resguardar cuidadosamente mis propios pensamientos. Me es mucho más fácil hundirme en el pasado.

Es noviembre de 1927. Trotski y Zinoviev acaban de ser expulsados del Partido. Camino tras el cortejo fúnebre de mi amigo el diplomático soviético. Adolf Joffe, famoso por haber negociado el tratado Brest Litovosk. Era el más elegante y el más cuidadoso de todos los camaradas. Todos caminamos en silencio. Se rumorea que Joffe se ha suicidado por no poder soportar la expulsión de aquellos viejos bolcheviques, que no había podido comprender qué le sucedía al Partido. Me paro al frente de la multitud.

Tras el discurso oficial de un miembro del Comité Central, hablan también Trotski, Kamenev y Zinoviev. Trotski parece apagado, con el aura de su arrogancia opaca. Habla quedamente y con seriedad sobre la necesidad de la unidad del Partido. No menciona a mi marido. Pero uno de sus seguidores que se halla entre la multitud, un viejo bolchevique, está enojado. Lo interrumpe, enumera las faltas de mi marido y la distorsión que se le ha dado a la Oposición desde el Partido. Me giro, incómoda, mientras Trotski se acerca al interlocutor, poniéndole la mano firmemente sobre el hombro, e inclinándose en mi dirección. Trotski se encoge de hombros hacia mí, como disculpándose. Me acerco al féretro, extiendo mi mano para tocar las manijas de cobre, para despedirme.

Fuera de las rejas del monasterio Novodechi, un pelotón militar se prepara para disparar una salva en honor de Joffe. Fuera, el mismo viejo simpatizante de Trotski, antiguo jefe del Ejército Rojo. *Defensor de la Revolución*. Pero el pelotón está formado por cadetes, recién salidos de la adolescencia. Mi respiración se para, a la espera de ver qué pasará. Trotski, Zinoviev y Kamenev hacen una pausa. Trotski mira a su alrededor, desafiante; espera el aplauso que lo acompañó por todas partes durante su brillante carrera. Yo también, espero el aplauso. En cambio, hay un silencio, y Trotski mira hacia arriba con unos ojos horribles y se mueve entre el cordón de hombres quietos como árboles e, inclinando la cabeza, se mete en un auto que lo espera. Kamenev y Zinoviev mueven la cabeza, incrédulos.

Cuando se aleja el automóvil, los jóvenes reclutas se agrupan, fumando y riéndose. Pertenecen a una nueva generación. Bromean y se ríen, pues tienen un futuro sin un pasado. Ellos no estuvieron en la Guerra Civil. Solo conocen a Trotski como el nombre de un oposicionista.

—¿Trotski? —escucho que dice un recluta, moviendo la cabeza—. ¿En aquel tren de la Guerra Civil?

—¿Y el conductor del tren espera aplausos? —bromea otro.

Recuerdo haberme alejado.

En ese entonces me parecía que Trotski era algo magnífico, pero gastado, como si fuera el último ejemplar de una especie. Me parece ahora que, si Iossif hubiese visto a Trotski aquel día como lo vi yo, empequeñecido, un hombre esperando unos aplausos que nunca llegaron, quizá las cosas hubieran sido diferentes.

¿*La amenaza trotskista?* Vuelvo a ver a Iossif, después del ensueño de mis recuerdos. Lo veo con incomprensión. Le digo:

—*Se desgastó en 1927. La enterraron con Joffe.*

A Iossif no le interesa el tono de mi voz.

—*Levántate* —me dice—, *vuelve a llenar de aceite la lámpara, Nadezhda.*

Ese es mi trabajo. Mantener encendida la llama. Lentamente, saco las piernas de entre las mantas. Me desplazo hacia el salón, paso al lado de una mesa en la que hay un pálido círculo de polvo que indica que Iossif ha salido de la ciudad y se ha llevado el busto de Lenin. El busto de Lenin viaja siempre con él. Distraídamente, paso mi dedo por la mesa, dejando una huella de polvo como hecha por un caracol, y me acerco al inmenso retrato de Lenin que domina la habitación. Debajo del cuadro hay una pequeña lámpara votiva que Iossif exige que esté siempre encendida. Vuelvo a llenarla con aceite y camino lentamente de regreso a mi cama. Iossif camina detrás de mí, con el busto de Lenin bajo el brazo y lo coloca sobre la mesa. Camina hacia donde brilla la lámpara roja. Al girar, lo veo con la cabeza inclinada.

De regreso en mi habitación, me quito toda la ropa y me deslizo bajo las sábanas. Nuevamente, tomo mi ejemplar de Maiakovski.

Iossif regresa a la habitación y me ve leyendo. Dejo el libro, rápidamente, pero no lo suficientemente rápido.

Se acerca a la cama.

—¿Qué estás leyendo, a estas horas de la noche, que tienes que escondérselo a tu marido? —me pregunta.

—Nada.

Intenta destaparme. Me aferro con fuerza.

Iossif empuja su lengua contra mis dientes apretados. Me

fuerza a abrir la boca, con una mano bajo la mandíbula. Inhala, los olores de la menstruación. Está tentado y en igual medida, disgustado. Retrocede, acusándome:

—*Estás sangrando.*

Yo muevo la cabeza.

Hace ya muchos años que mi marido no ha visto mi cuerpo desnudo. Desde la llegada de nuestro hijo. Su segundo hijo. Sus hijos no son más que una decepción para él.

Y yo también, no soy más que una decepción para él.

Mi desnudez sangrante es mi defensa. El sabor metálico de mi lengua. Iossif deja las mantas y acerca su cara a la mía.

—Dime —me dice—, ¿es mi esposa un perro rabioso? —Intento alejarlo de mí, empujándolo—. No me sorprendería que fuera un perro rabioso, conociendo a su madre.

—¿Mi madre? —lo miro, agarrada firmemente de las mantas—. ¿Por qué mencionas a mi madre?

—Tu madre asegura que una vez caminó por el final de un arco iris. ¡Déjame decirte que el final del arco iris no fue todo lo que halló, la muy puta!

Yo también conocía esa historia desde mi infancia, de cómo mi madre paseando un día por el campo de pronto se vio brillando en colores. El dorado sentimiento del arco iris que nunca la había abandonado.

—Pero Iossif. Ella realmente *sí* caminó por un arco iris —objeto tímidamente.

—Solo cuando me la estaba follando.

—Estás mintiendo —lo miro fijamente.

—Pregúntale a ella. O eres mía o de Alliluyev. De cualquier manera, llevas la maldición de esa vieja puta. —Sale caminando de la habitación.

¿Está mintiendo?

Me tiemblan las manos mientras saco los colores de Maiakovski de debajo de las sábanas.

> Pero me dominé
> pisando
> la garganta
> de mi propio canto.

A Iossif nunca le gustó Maiakovski. Siempre prefirió la poesía rimada y simple de las canciones típicas georgianas. Y ahora, las nuevas letras que le han puesto a las viejas canciones, las *noviny*. Lo escucho tararear una *noviny* en la habitación de al lado, mientras sosiega a su hija para que vuelva a dormir.

> *El Plan Quinquenal*
> *no es una ramita*
> *y romperlo no deberá*
> *pues el Plan Quinquenal*
> *lleva en sí dinamita*
> *¡y verá cómo estallará!*

Mi hija aplaude suavemente, adormiladamente, al ritmo de una canción que ahora se ha hecho popular en todo el país. Me tapo la cabeza con la almohada y espero a que cese su aplauso.

Ahora estás seguro. Le hablo al poeta como si estuviera aquí conmigo. Deslizo el libro entre mi ropa interior, en el segundo cajón. Debajo de las calcetas de lana y encima de la pequeña pistola Walther, envuelta en su estuche de terciopelo; un regalo de mi hermano que compró en Berlín.

Pisando la garganta de mi propio canto.

Cuando se disparó Maiakovski, ¿estaban teñidas las paredes con el rojo de las palabras?

Más tarde, despierto de un sueño terrible.

Mi madre. Debo preguntarle a mi madre.

Fue gracias a mi hermosa y extravagante madre que desarrollé mi interés por la ciencia. Mi madre desaparecía durante semanas enteras. Veía cómo volaban sus faldas tras la ventana, con los brazos abiertos en cruz, yéndose. Mi padre me sentaba sobre sus rodillas y me confortaba, me decía: «Tu madre es especial. Estaría mal detenerla». En una ocasión estaba en las calles de Petersburgo cogida de la mano de mi padre y me pareció ver a una mujer, bajita y hermosa, proporcionada como mi madre, que caminaba apresuradamente del brazo de un joven oficial del Ejército Rojo.

—Mamá —le grité y tiré de la mano de mi padre—, ¡Mamá!

—Mi padre se giró y la mujer se nos quedó mirando con los inmensos ojos grises de mi madre y luego, desvió la mirada.

—Esa no es tu madre —me dijo con calma—, es alguien que se le parece.

Cuando no estaba mi madre se me permitía jugar con las cosas que guardaba en su cajón especial. Mi padre me daba permiso. Tenía un hermoso espejo hecho de laca. Era de color ocre y muy ligero, un óvalo perfecto, como la cara de mi madre. Me encantaba ese espejo. La forma que tenía, su textura. ¿Qué es la laca? Le preguntaba a mi padre. Pensaba que si tan solo me quedase mirándolo el tiempo suficiente, comprendiendo sus propiedades, quizá mi madre me podría ver y volvería.

En la librería del ferroviario me compró un libro que mostraba los materiales naturales y los fabricados por la mano del hombre. Me pasé muchas horas con ese libro. Fue mi compañero cuando mi madre se hallaba lejos. En ese libro aprendí que el espejo de mi madre estaba hecho con las secreciones del escarabajo de laca que vivía en ciertos árboles que crecen en lugares exóticos y cálidos, a mucha distancia de Petersburgo. Desde tiempos remotos, la laca se había utilizado para hacer cosas maravillosas. Se podía moldear y comprimir. Se podía mezclar con polvo de pizarra o serrín y comprimirlo en moldes decorativos precalentados. Este fue el inicio de mi pasión por los plásticos.

Le contaba a mi padre lo que había aprendido. Me decía que era su pequeña científica.

Cuando regresaba mi madre, buscaba en sus bolsas. «¿Escarabajos de laca?» Mi madre me cogía en brazos diciendo, «¡Cuánta imaginación!».

Movía la cabeza y sonreía. Y me pasaba a los brazos de mi padre. Él sonreía y la besaba y todos estábamos felices, pues en aquel entonces, todos creíamos que mi madre, en dondequiera que hubiera estado, siempre venía cargada de magia.

Mi padre siempre estaba arreglando y pegando cosas. Gente. Objetos. Su matrimonio, también. El comprendía las ausencias de su esposa. Cuando fui lo suficientemente mayor para entenderlo, me explicó: «Tu madre fue un espíritu libre, una seguidora de Alexandra Kollontai. Para ella, la monogamia era burguesa. Puedo entender las ideas que la movían a actuar así». Para papá, ese era siempre el aspecto más importante, entender el pensamiento que subyace a la acción, poner las cosas en una especie de marco ideológico. «He estado con tu madre desde que ella tenía catorce y yo, veinte. Cuando estás con alguien tanto tiempo, la llegas a conocer bien y a perdonarle todo.»

Desde luego, al envejecer, pensó de manera diferente. Todo era diferente.

Mi madre era religiosa y revolucionaria y no veía ninguna contradicción en ambas maneras de fe. Era emocional y sociable, hábil y veloz. Era la hija menor de una familia protestante alemana de Georgia, siempre extrañamente desenfrenada, como si la hubiesen soltado al mundo prematuramente y siempre estuviese intentando crecer dentro de él, empujándolo con fuerza. Yo era muy diferente a ella; yo era emocional, incluso romántica, pero más comedida. No podía expresar tan bien las cosas.

Mi madre llevaba abalorios de ámbar en la muñeca izquierda. A veces, alrededor del tobillo izquierdo. Podía confeccionar un nuevo vestido con los restos de tres viejos. Era especial. Era un espíritu libre.

Cuando les hice aquella visita inesperada, mi madre, el espíritu libre, y mi padre, el arreglador de cosas, vivían en extremos opuestos de nuestra dacha en Zubalovo. En esa etapa de su vida, se habían distanciado mucho. Con el tiempo, mi padre se quejaba de estar siempre esperándola. Se sentía ninguneado. Alguna vez me confió: «Yo era comunista en mi cabeza, pero desafortunadamente, mi corazón era otra cosa. Me costó años comprender esto. Pero, créeme, lo intenté. Era un problema para todos en esos tiempos. Verás, yo podía estar de acuerdo con ella intelectualmente, pero en mi corazón quería que fuera mía. Que solo estuviese conmigo. Durante mucho tiempo, intenté ocultar mis verdaderos sentimientos».

Los años oxidaron a mis padres, los lazos que había entre ellos. Pero nunca se rompieron del todo.

El día que los visito, ella está sentada en el suelo con las piernas cruzadas, cortando un patrón para un vestido para mi hija, se queja de la casa.

—Hay tanta gente aquí, la dacha llena de gente. No conocemos a nadie. No confiamos en ellos. Pero, al parecer, ellos confían menos en nosotros —y añade con desdén—: Dile *eso* a tu marido. —Levanta la vista de las tijeras, me observa y pregunta—: Pero ¿esta es una visita inesperada?

—Sí —le digo—. Hay algo que te quiero preguntar.

—Pues entonces —baja la cabeza y sigue cortando—, pregunta.

Siento que mi corazón se encoge y vuelve a crecer. Esa opresión.

—Mamá —le digo fingiendo indiferencia—, ¿desde cuándo conoces a Iossif?

—Demasiado tiempo —dice suspirando—. Mucho tiempo. Desde que tu padre... muchos años. Recuerdo una ocasión, cuando tú tenías dos años, que casi te ahogas en el río en Bakú y Iossif te rescató... Hace tanto tiempo. Sí... —Sus ojos grises se detienen en los míos. Alisa el papel del patrón con los dedos.

—Iossif dice que dormiste con él.

Mi madre cierra los ojos y se inclina hacia atrás apoyando los codos. Parece tranquila.

—Es cierto que yo prefería a los hombres del sur.

—¿Intimaste con Iossif?

La veo tragar saliva con dificultad. Sigo sin estar preparada para su respuesta.

—Sí —dice ella, simplemente.

—¿Cuándo?

—Antes de que tú nacieras. Estaba también con tu padre. Me enamoraba fácilmente.

—¿Es Iossif mi padre?

—No seas ridícula. No te pareces en nada a él.

—Pero ¿no estás segura?

Pone las tijeras a un lado y en un solo movimiento se ha colocado en la ventana, descorre las cortinas dejando que el aire circule. Ganando tiempo.

—No te pareces en nada a él —me dice.

Levanta la muñeca izquierda hacia la ventana, inspeccionando sus cuentas de ámbar y no se gira mientras salgo de la habitación.

Me siento condenada. Desde ese momento. Salgo corriendo de la casa y corro por un sendero que me lleva al coche, me ahogo mientras mi aún bella madre inspecciona sus cuentas de ámbar.

—¿Una pistola?

En 1930, Iossif miraba con incredulidad a mi hermano Pavel.

—¿Para qué comprarle a tu hermana una pistola?

—Quizá la necesite algún día.

—Exactamente, ¿para qué?

—Para defenderse. Son tiempos peligrosos, Iossif, yo mismo te he escuchado decirlo. Tu joven esposa necesita protección.

—Ella ya tiene protección. Tiene guardaespaldas. Ellos pueden protegerla.

—Parece un juguete —interrumpí. Me fascinaba el tacto de esa pequeña pistola en mi mano. La empuñadura con incrustaciones de marfil—. Es mi hermoso juguete. ¡Gracias por mi hermoso juguete de Berlín, Pavel!

Pavel aceptó mis besos. Iossif levantó la pistola con sus manos enormes y me apuntó a la frente. Me quedé quieta oyendo mi respiración.

—Una pistola de mujer —dijo con desdén mientras me apuntaba—, no puede causar demasiado daño. —Me la tendió y luego salió de la habitación.

Pavel me susurró algo sobre una bala.

—*Tiene una sola bala. Es para que la uses en caso de necesidad.*

—No la necesitaré —le digo—. Estoy bien protegida aquí.

—*Sí* —dijo Pavel—. *Eso es lo que veo.*

Llevaba tiempo sin acordarme de la pistola. Ahora, a menudo la saco y contemplo la incrustación de marfil de la empuñadura. La mayoría de las cosas de mi vida ya no son tan bellas.

EL OTRO MOSCÚ: HISTORIA DE MIJAÍL, 3
1932

Meses después, Mijaíl seguía preguntándose por la muerte de su amigo Oskar. Había escuchado historias, de otras muertes. Incluso, había rumores de que Nadezhda Alliluyeva, la esposa de Stalin, se había suicidado. Una versión más oscura decía que Stalin había apretado el gatillo. Eran tiempos difíciles. Solo aquí, en el silencioso hastío de su apartamento podía comprender la decisión de su amigo. Allá afuera, en el metro, en el mundo real de la Reconstrucción socialista, en el trajín de construir el mañana, allí no había tiempo para pensar. Solo en sus sueños podía pensar con claridad.

Mijaíl se despierta sudando en medio de la noche. Intenta concentrarse en las tareas del día siguiente, lejos de la resaca de lo personal, aquellas visiones de Oskar, que amenazan con llevárselo hacia aguas extrañas, lejos de él mismo.

Tiene que considerar importantes propuestas. Durante muchos meses han estado cavando zanjas abiertas poco profundas, de acuerdo con el llamado sistema alemán. Ardua labor que a menudo se interrumpe por culpa de manantiales subterráneos y la tierra saturada. Ahora, un joven ingeniero del proyecto, un camarada al cual respeta, le ha hablado de cambiar los planes. Pero ¿acaso no era ya imposible cambiar de planes a estas alturas? El joven ingeniero había hecho la propuesta radical de cambiar al sistema inglés, con túneles de mayor profundidad y cerrados. El sistema inglés tenía la ventaja de que podrían construir los túneles por debajo de los edificios en vez de limitarse a trabajar en las principales líneas de transporte. Esto los libraría del problema de los manantiales subterráneos. Luego, quedaba la cuestión de cómo transportar a los pasajeros. Ya había planes, de acuerdo con el sistema alemán, de poner ascensores. Sin embargo, el joven ingeniero se inclinaba por las escaleras, como las de la estación de Piccadilly del centro de Londres. Las escaleras implicarían excavaciones más profundas, serían más caras, pero en caso de guerra, los túneles más hondos podrían ser utilizados como refugios.

Cuanto más lo pensaba, más se inclinaba por el sistema de túneles cerrados y escaleras. Deseó que los oficiales del *Metrostoi*, la junta del metro, hubieran sido precavidos y hubieran firmado con lápiz y no con tinta los permisos. Mañana hablaría con Jrushchev. Si pudieran convencer a Kruschev, tendrían una oportunidad con Stalin, el *Khozyain*, el jefe.

Vuelve a caer dormido. Se despierta algunas horas después, con la cara de su amigo Oskar flotando entre sus sueños, cubierto de oro. Se incorpora y se calza las botas, sus calcetines están húmedos. Se queda mirando un plato frío de estofado de hongos que su madre le ha dejado cerca del colchón hace horas.

Falta poco para que amanezca. Primavera. Otro día. Su amigo Oskar no estará ya en este día. Piensa en todas las ocasiones en que no tuvo valor para mirar a Oskar. A veces, incluso, ignoraba la existencia de su amigo. Ahora ya no tiene que preocuparse por ello. El racionamiento de su amistad por Oskar ha terminado. Torpe y adormilado se pregunta por qué Oskar no utilizó una pistola. Se lleva la cuchara a la boca y comienza a comer, a masticar. La comida no tiene sabor.

Se obliga a pensar en otras cosas. Especula, inútilmente, sobre sus posibilidades de matrimonio. Sueña con ello aunque parece improbable, ya que pasa todo el día entre hombres. Solo existe la certeza del trabajo y de más trabajo. La sólida belleza de las incrustaciones de malaquita, pórfido y ónix en los muros, la visión de los mosaicos y de las cúpulas de un metro que ya casi es real. Existe el romance de este inmenso proyecto de construcción que lo sobrevivirá. Esa es su contribución. Esto vale por todo. ¿Qué más hay?

Ha visto a una mujer en la reunión de la sección de Moscú. Si pudiera esperarlo, esperar hasta que el metro esté terminado, quizá podrían conseguir un apartamento. Después de todo, había prioridad para las parejas casadas.

Resuelve superar el desánimo en que lo ha sumido la noticia de Oskar.

Se imagina la cara de su hermana, con la boca distorsionada, las manos llenas de cartillas de racionamiento, frente a un tribunal del Partido. La cara de su madre desencajada.

Se imagina una habitación para él solo.

Le entusiasma la idea.

EL ANIVERSARIO
NADEZHDA HACE PUNTERÍA
Noviembre de 1932

Esta noche es el banquete para celebrar el decimoquinto aniversario de la Revolución de Octubre. Debemos asistir a una cena que ofrece el Politburó en honor de mi esposo. Ahora hay muchas caras nuevas en el Politburó. Hay pocas caras de antes.

Mi esposo está de buen humor. Está bebiendo más que de costumbre. Se gira hacia mí y me dice:

—¿Y tú, por qué no estás bebiendo? Saben, caballeros, mi esposa bebe como un cosaco, ¡pregúntenles a sus camaradas de la Academia!

Por alguna razón, contraataco, delante de todas estas caras nuevas y expectantes.

—Iossif —le digo molesta—, sigo siendo tu esposa.

Iossif se acobarda. Nadie le ha hablado así en muchos años.

Beria le susurra algo al oído a Molotov. Siento que quiero forzar el desorden.

—Permitan que mi mujer beba por el Glorioso Octubre —me dice Iossif, mofándose de mí, y acercándose él mismo a llenar mi copa.

—No, Iossif, de verdad —pongo mi mano sobre la copa.

—*Bebe* —me dice—. *Bebe* —repite.

Quito la mano. Alzo mi copa y el vodka me perfora.

—*De nuevo.*

—*Iossif, por favor...*

Luego, se escucha una voz: «Sería un placer» y de pronto el aire se enrarece y Beria viene hacia mí, con una botella en la mano. Lo noto rodeando mi silla. Se inclina, su barriga me oprime. Me pone una mano en la nuca, como si fuera un gesto amigable. La presión de sus dedos es como una soga. Con la otra mano sirve el claro líquido en el vaso. Beria aumenta la presión de sus dedos. No tengo elección. Todas las miradas de la mesa se dirigen hacia mí. Alzo mi copa y la apuro. *Otra vez.* Beria insiste. Se repite el procedimiento. Luego, me quita la mano y se desliza de nuevo a su lugar. Nos quedamos mirando el uno al otro un buen rato. Cierro los ojos y me levanto. El alcohol se apodera de mí y todo desaparece. Pego en la mesa con los nudillos para atraer la atención. Los quevedos de Beria brillan como una luna llena.

Todo desaparece.

—A la memoria de Octubre —digo—. Lamentamos su muerte.

Los miembros del Politburó se quedan en silencio.

Vuelven sus cabezas hacia mi marido.

Stalin se levanta.

—Caballeros, creo que mi querida esposa se encuentra un poco confundida esta noche. Esto es una *celebración.* ¡Alcen sus copas!

Hay un alivio que se hace evidente en el pisoteo, en los aplausos y en los espaldarazos que se dan.

Echo hacia atrás la cabeza y engullo otro trago de vodka y luego otro y cuando termino, bajo el vaso con tal fuerza que se rompe en mi mano. Mientras mi amiga Polina me conduce fuera del salón tapizado en rojo, me giro con una voz lastimera y digo:

—Lamentamos su muerte. —Stalin ni se gira.

—Como ya dije, mi camarada esposa bebe como un cosaco —dice dirigiéndose a la audiencia.

Polina Zhemzuchina me saca del salón al tiempo que las carcajadas caen sobre mí.

Es una fría noche de noviembre. Polina camina conmigo en círculos por los jardines del Kremlin, hasta que mi respiración se normaliza. Siento los brazos pesados. Pronto, llegarán los días de sangrar y esta afilada ansiedad se aligerará. Siento cómo fluye el vodka por mis brazos. No los puedo mover.

Polina me acuesta en la cama. Tal como lo había hecho mi marido, meses antes.

—*¿Me ama?* —Lloro sobre el hombro de mi amiga.

—Él vive para la Revolución —me dice simplemente—. Tú también deberías aprender a vivir para la Revolución. A amar la Revolución. No hay otro camino.

—*La Revolución es una amante cruel.* —Polina se queda estupefacta. Para liberarla, le digo—: *Perdóname, Polina. Gracias.*

Ahora vuelve con ellos. Pide disculpas por mí. —Polina se me queda mirando con ojos de ansiedad—. *De verdad. Ahora vete. Yo dormiré.*

—Buenas noches, Nadiushka.

Escucho las suaves pisadas preocupadas de mi amiga, allí donde me he acostumbrado al ruido de los pesados pasos de mi marido.

Él no vendrá esta noche.

Esta noche, deslizaré mi mano dentro del estuche de terciopelo que guardo en el segundo cajón; mis dedos empuñarán el regalo que me dio mi hermano. Sentiré el frío de las incrustaciones de marfil en la palma de mi mano. Esperaré a ver la sonrisa de Maiakovski. Juntos, mancharemos de rojo las paredes con palabras.

Iossif Vissarionovich duerme hasta tarde y por intervalos. El comportamiento de su mujer durante la cena del aniversario lo ha molestado profundamente. Pasa ya del mediodía cuando despierta, conduce su coche desde la dacha en Kuntsevo hasta el apartamento del Kremlin y encuentra a Polina Zhemzuchina Molotova y su antigua criada, llorando en la sala de estar. Observa que la lámpara votiva debajo del retrato de Lenin se ha quedado sin aceite.

Saluda con la cabeza. Tiene la cabeza pesada por la bebida de la noche anterior.

—Camarada Stalin, tenemos que informarle de algo... —empieza diciendo la sirvienta.

Stalin la mira, sin escucharla.

—Llamen a Nadezhda —dice—, díganle que la lámpara se ha quedado sin aceite.

—Iossif, ha habido un accidente... por eso estoy aquí —dice Polina Zhemzuchina dando un paso al frente.

—¿Un accidente? —Stalin la mira, receloso.

—Iossif... Nadezhda se pegó un tiro anoche... —le falla la voz a Polina Zhemzuchina, y se calla.

—¿Y lo logró?

Polina Zhemzuchina asiente, con lágrimas derramándose sobre su cara. La sirvienta se echa al suelo, llorando, cubriéndose la cara con las manos.

Stalin les da la espalda, por su mente pasa la lista de aquellos a los que se les podría achacar alguna responsabilidad. ¡Que una cosa así pudiera suceder en su casa! Se queda mirando fijamente a Polina Zhemzuchina:

—Pero tú fuiste la última en verla...

Lo conducen a la habitación de Nadezhda. Un libro de versos de Maiakovski reposa abierto sobre el armario; está abierto el segundo cajón y el estuche de tercipelo permanece vacío. Las cortinas siguen cerradas. Hay una carta para él con la letra de su esposa. Su esposa está elegantemente torcida sobre el suelo, con un brazo extendido, la pequeña pistola bajo sus dedos, las uñas carmesí hundidas en el tapete georgiano, ahora oscurecido y pegajoso.

Se queda mirando el cuerpo tendido de su mujer. Se mueve para recoger el sobre con su nombre que está en la mesa camilla. Le duele la cabeza al sentir la deshidratación del alcohol y cómo se va apoderando lentamente de él la soledad.

No se puede confiar en Polina Zhemzuchina, se dice a sí mismo.

—Limpien todo esto —ordena mientras se gira.

Iossif Vissarionovich Stalin está sentado en su sala sin moverse, con la mirada fija en el samovar y con la carta en la mano. La carta es breve y llena de recriminaciones. Lo culpa de todo: de no haberla amado lo suficiente, del hambre en Ucrania. El hambre en Moscú. Incluso, la muerte de Maiakovski. Bebe una taza de té, arruga la carta y nota que lo invade la ira por esta traición.

¿Así que la química se cree poeta? Stalin mueve la cabeza y destroza la carta. ¡Pensar que compartió la cama durante tantos años con esta Judas! Esta era la mayor traición de su vida.

En el *Pravda* la muerte de su esposa se publica dos días después; la causa, una enfermedad repentina. Despide a la sirvienta, junto con el resto de los empleados de los apartamentos del Kremlin.

Stalin, junto con el Politburó y los miembros de la familia, se acercan al féretro antes del entierro. Stalin se dirige a la caja, se detiene a mitad de camino, para luego volverse abruptamente sobre sus talones e irse. Al pasar, se queda mirando los grandes ojos grises de la madre de ella. Ve cómo cae una niña en el caudal de un río gris, años atrás, en Bakú. Se ve a sí mismo, nadando para ayudarla. No se detiene. No asiste al entierro. No visita su tumba en el cementerio Novodevchi.

Durante semanas enteras se queda solo en su estudio. Manda llamar a su cuñado y le grita, a través de la bebida:

—¿Es que no fui un buen marido? —Abre los cajones de su escritorio y Pavel Alliluyev ve los sobres abultados por los billetes. Stalin señala el dinero—. Yo no gasto en nada. Ella podía haber tenido todo lo que hubiera querido. —Stalin arranca el cajón del escritorio y montones de rublos revolotean hacia el tapete—. ¿No fui un buen esposo?

—No había nada más que pudieras hacer —le dice Pavel Alliluyev con la mirada fija en los billetes sobre la alfombra.

—Estaba hechizada. Lo llevaba en la sangre.

—Como usted diga, camarada.

—Antes de que te vayas, tengo un regalo para ti. —Le extiende a Pavel Alliluyev la pistola envuelta en una toalla bañada en sangre—. Hay que limpiarla —le dice, y Pavel Alliluyev sale de la habitación, abrazado a la toalla empapada en sangre.

La última imagen que le queda de Iossif Vissarionovich Stalin es pateando rublos en su estudio como si fueran hojas de otoño.

EL DIARIO DE LEÓN TROTSKI
EN EL EXILIO
Coyoacán, junio de 1940

LA AVENIDA VIENA
Coyoacán, junio de 1940

Esta mañana vi cómo trabajaba Jordi con la vieja camioneta. Metódico, como siempre, deslizando la llanta de repuesto por debajo, reuniendo las herramientas a su espalda; el gato, la llave inglesa. Lo observé arreglar los viejos tapacubos, pateándolos con las botas para devolverles su forma. Por primera vez en meses, había tranquilidad entre nosotros, y hablamos de nuestra afición común por la mecánica, las visitas que hacía de niño a los talleres de su padre en Massachusetts, cómo jugaba con las llaves y amaba el olor a gasolina, los motores calentándose. Y le cuento mis propios recuerdos infantiles en otro taller, muy distinto, en la granja, en Yanovka; de los caballos y de las carretas, de los inicios de la electricidad; de un tiempo anterior al tiempo.

En la choza del mecánico había risas y gritos. Después de la jornada laboral, atraía a todos los jornaleros de la granja. Yo era joven, el joven Lyova, y amaba la camaradería y el áspero olor del vodka que salía humeando de sus cansados poros. El mecánico, Nikolai Pavlovich, me enseñó cómo girar un torno, cómo bailar, cómo decir groserías y subirme las mangas. Me enseñó cómo se cortan los hilos de los tornillos y tuercas, cómo moldear un tornillo. Incluso, me permitía hacer la mezcla del material de pintura, enrollándolo con una pieda lisa y redonda con miles de partículas de colores, como el huevo de una gallina. Nicolai Pavlovich me miraba detenidamente mientras yo trituraba, acariciándose la roja barba y luego, me alzaba del banco para revolver la blanca mezcla con un palo, como si fuese el cocinero de la familia.

Me encantaba el taller mecánico. Un mundo diferente. Más fácil. Quería comprenderlo. Pues presentía que allí, en ese lugar, rodeado de tuercas, tornillos y herramientas estaba el modelo del futuro.

El taller mecánico estaba repleto de cosas maravillosas. Había jarrones con canicas y mariposas pegadas con un alfiler, tras un cristal. Cubetas llenas de clavos y chinchetas. Sierras y martillos. Había arena de colores dentro de pequeños cilindros. Objetos brillantes y extraños que Nikolai Pavlovich había ido rescatado y coleccionado. El taller mecánico contenía el mundo. Era tan diferente del mundo de mis padres.

Me pasaba horas escalando los embalajes de tablas partidas, los respaldos de las sillas y los ejes de las ruedas apiladas en un rincón. Me hacía lanchas y cabinas para transportarme hacia lugares imaginarios. Desde temprana edad, mis sueños me llevaban a otros lugares.

Pero le digo a Jordi que la cosa más hermosa era un bloque de piedra caliza que se hallaba en un rincón. Nikolai Pavlovich había heredado esa piedra de su tío, un litógrafo. Amaba esa piedra. Me subía al banco de trabajo para poder observarla. Juntos, nos maravillábamos ante la memoria de esa piedra caliza. Pues era suave, porosa y absorbía tinta. Una impresión de cada dibujo penetraba bajo la superficie de aquella piedra. Después de cada impresión, se tallaba la piedra para quitarle el dibujo y prepararla para el siguiente. Pero, a veces, algunas partes del dibujo asomaban nuevamente a la superficie, después de haber tallado la piedra. «Lo de abajo es lo importante —me decía Nikolai Pavlovich— no todos tienen la suerte de tener una memoria de piedra caliza.»

Nos quedábamos viendo la piedra-memoria e inventábamos historias con las figuras que allí aparecían. Los fragmentos de dibujos que empujaban hacia arriba a través de otros dibujos.

Cuando yo era niño, mis padres siempre estaban ocupados supervisando los campos o negociando con *mujiks* el precio del grano en los molinos, me pasaba la mayoría de los días siguiendo la barba roja de Nikolai Pavlovich que me amaba y podía recordar la noche en que nací. A menudo, cuando no estaba ocupado con sus herramientas, el mecánico se ocupaba de su piedra caliza, pintando sus propios dibujos de partes mecánicas, de ruedas, de utensilios para la cosecha sobre la piedra y luego sobando la impresión que había realizado en busca de la revelación que había debajo.

Años después, atravesando el país en un tren blindado, miré hacia las estepas de Kherson, que corrían bajo las vías. Sentí que había partes de mí que volvían a salir a la superficie, como la tinta vieja sobre la piedra caliza. Era el taller mecánico: la mezcla de pintura; el serrín del piso; las telarañas que colgaban atravesando el techo; la piedra litográfica y todos sus recuerdos que volvían a mí.

Hay más cosas que suben a la superficie de aquellos tiempos. Recuerdo una noche en que no había bailes ni risas. Era cuando hubo la ceguera nocturna y el inicio de mi educación política. Recuerdo haber caminado hacia la choza del mecánico y, desde el rincón, tres hombres me miraron con ojos tan secos como el grano. Parpadearon. Con el fulgor de la luz de la lámpara apenas podían ver mi silueta, la camisa azul, el cabello bien peinado. Los tres hombres se hallaban en distintos estados de ceguera. Estaban maldiciendo a David Bronstein, el granjero, mi padre, por gastar menos en la comida de sus segadores durante la cosecha que cualquier otro granjero de la estepa de Kherson.

Escuché atónito. Aunque ya había escuchado que a mi padre lo acusaban de eso, no estaba seguro. Ahora, me sentí roto. Quería proteger a mi padre. Le dije al joven de ojos opacos y espumosos; ojos como leche que sale de la ubre de la vaca, que no era cierto: *Mi padre es un hombre justo. Da lo que dan los otros granjeros.*

El tercer hombre, mayor, se había puesto en pie con dificultad. Sus ojos eran demasiado terribles como para verlos. Una membrana blanca permanecía donde antes había habido azul. Se giró hacia mí: «Hace tres años llegamos aquí para trabajar con tu padre. Durante cuatro meses trabajamos con nuestras guadañas para él, durante doce y trece horas al día. Nos dio grano para comer. Tus caballos comían mejor que nosotros. Después de varios meses, la luz de mis ojos se fue extinguiendo. Le suplicamos. Alguna patata roja. Alguna lechuga. Algunas frutas o una pequeña porción de carne. Luego, la noche se volvió el día. Nosotros tres nos sentamos aquí en la oscuridad. Es verdad que tu padre alimenta a sus jornaleros igual que cualquier otro de los granjeros del distrito. Pero tampoco mejor. Y el resultado, después de tres años, es que todos nosotros nos estamos lentamente acercando hacia la oscuridad. Andamos a tientas, con el filo de nuestras guadañas, como animales de tiro».

Miré las caras de aquellos hombres. Todavía me estaba peleando con la carga que representaba para mí que mi padre hubiera causado todo ese sufrimiento. Argumenté, apasionadamente, que así eran las cosas. Intenté hacerme eco de los puntos de vista de mi padre: *Mi padre debe manejar esta granja con cuidado o el año que viene ya no habrá trabajo*. Mi amigo, el mecánico, me dio la espalda en silencio y levantó el jarrón con las canicas hacia el foco que pendía del techo, girándolo lentamente. Tenía tres pares de ojos encima de mí; sus retinas lechosas derritiéndose y acusándome. Los miré y me di cuenta de que ya no podría defender el nombre de mi padre. Me giré hacia ellos. Avergonzado.

El mayor de los tres se incorporó: «Debemos demostrarle a tu padre que esto no puede continuar. Mañana no vamos a trabajar. Despertaremos a los otros segadores antes del amanecer y nos quedaremos sentados fuera de nuestras chozas hasta que obtengamos mejor comida. Comida que nos permita ver en la oscuridad. Comida que nos ayude a continuar».

La presión de sus ojos sobre mí y la presión que sentía en mi cabeza era demasiado grande. Brinqué y salí de allí corriendo.

Luego, Nikolai Pavlovich me contó que los hombres temían que yo fuera a avisar a mi padre. Temían que ninguno de ellos volviera a trabajar jamás.

Pero Nikolai Pavlovich les aseguró: «No, ahora le ha quedado claro. Se irá a la cama y pensará en lo que le hemos dicho. No dirá nada», dijo el mecánico que me conocía mejor que nadie.

Recuerdo que esa noche soñé con hombres sin ojos y guadañas que se convertían en animales. Por la mañana, me levanté con el gallo. Mi padre ya estaba despierto. Recuerdo los listones de luz en el cielo y el duro silencio que había por todas partes. Fuera, filas y filas de hombres, con los pies destrozados, descalzos mirando hacia arriba, sentados con sus oxidadas guadañas sobre las rodillas.

—Pónganse a trabajar —gritaba mi padre—, tengo que mantener una granja.

—Necesitamos más comida. Y mejor comida. —Reconocí la voz del viejo de la membrana en los ojos de la noche anterior.

Mi padre se quedó quieto. No podía comprender tal desafío. Se quería quedar ahí parado hasta que todos se murieran de hambre. Pero tenía que cosechar el grano. Tenía planes para alquilar más tierras. Quería expandirse aun bajo las mismas narices de los *ukase* del zar que decían que ningún judío podía adquirir más tierras, incluso en la estepa. Doscientos pares de ojos, cegados en la noche, lo contemplaban. Y los ojos enfurecidos de su hijo.

—No soy un hombre rico —les suplicó mi padre. Cortó el aire con sus manos y miró hacia los trigales que se doblaban con la luz del amanecer.

Se giró y caminó en dirección a la casa. Volvió con mi madre, cargando bolsas de pescado seco, inmensas sandías y patatas tan rojas como el sol. Los segadores se levantaron, formando filas y mi padre distribuyó calladamente el pescado seco y las sandías en una inmensa olla, mi madre puso un caldero de sopa de verdura con un poco de tocino. Nadie dijo una palabra y los hombres con los ojos blancos y los pies destrozados llenaron sus barrigas y volvieron al trabajo, canturreando bajo el claro aire de la mañana.

La escena se repitió todas las mañanas durante toda la cosecha.

Una semana después, el obeso inspector *zemstvo* de Odessa llegó hasta la puerta de nuestra casa. Alarmado por lo que había acontecido en nuestra granja. *La ceguera fue provocada por no haber suficiente grasa en la comida*, dijo retador.

Se fue un poco más tarde aquel día, con los bolsillos un poco más llenos de rublos. En su informe a los supervisores escribió: *Los segadores de la propiedad Bronstein sufrieron ceguera nocturna ocasionada por el excesivo consumo de vodka.*

Mi padre sintió alivio hasta en las puntas de sus dedos.

Fue el inicio de mi educación política.

Sentí cómo el coraje zumbaba a través de mi cuerpo al mirar hacia la mañana segada por la oxidación.

3

LA PIEDRA DE LA MEMORIA

DAVID LEONTEVICH BRONSTEIN
Guerra Civil: la ruta a Odessa
1920

«Su hijo tiene un gran corazón.»

Otro hombre de edad que también lo ha perdido todo camina al lado del alto granjero de la estepa de Kherson.

«Su corazón no llega hasta su familia.»

Le queda una larga marcha por delante a David Leontevich Bronstein. No desea hablar sobre su famoso hijo, por quien lo sacrificó todo a cambio de nada. Piensa que es una locura que los padres crean que serán recompensados por todos los sacrificios que hacen por sus hijos.

Mi hijo.

Le puse el nombre de mi propio padre, León, que había salido del pueblo de Polatva para poblar la estepa. Uno entre un puñado de judíos que astillaron la estepa con su arduo trabajo. Los judíos urbanos se sentían superiores a él. Lo llamaban *Am Haaretz*, un hombre de la tierra, *¡Sí, soy un hombre de la tierra!* Recuerdo la voz de mi padre, resonando por todo el pueblo el día que nos fuimos. Mi padre ignoraba el verdadero significado de *Am Haaretz*, inculto, aburrido, un ignorante de las Escrituras. Para él no quería decir nada.

Para mí, no quería decir nada. Me hice a mí mismo y superé a mi padre, incluso le sorprendía lo duro que trabajaba. Trabajando duro y con Anna a mi lado, éramos felices. El niño heredó nuestra dedicación al trabajo y nuestra perseverancia. Nadie podía llamarlo un *Am Haaretz*. No, mi hijo se volvió un hombre de la ciudad. Le dio la espalda a la tierra, a los lugares que había dejado su abuelo.

Mi hijo saltó del vientre de su madre, moreno y perfectamente formado, el 26 de octubre de 1879. Yo estuve allí. Vi cómo el niño se lanzó hacia fuera, agitando las manos, intentando tomar aire con la boca abierta. Treinta y ocho años después, al día de hoy, escucho noticias de mi hijo en Petrogrado, agitando las manos con la boca abierta ante millones de personas que vuelan con sus palabras. La noche que nació había luna llena. Las vacas andaban en círculos. Los viejos jornaleros gritaban y caminaban hacia sus guadañas, cortando el suelo, dormidos. A todo el mundo le afectó. Mi esposa recitó versos de las Escrituras: *hueso de mis huesos, carne de mi carne*, una y otra vez las recitaba, intentando aliviar los dolores con las palabras. Cuando nació, salí a ver mis tierras, bañadas por el halo blanco de la luna; las pequeñas caballerizas, el molino, la choza donde vivía y trabajaba el joven mecánico, Nikolai Pavlovich. Escuché a mi hijo chillar en la quietud de la noche y me sentí orgulloso.

Fui a despertar a Nikolai Pavlovich, pero cuando llegué a su choza, ya estaba despierto, abotonándose la camisa, sonriéndome. «*Sí* —me dijo, mientras abría la puerta y me abrazaba, sin que yo hubiera dicho una palabra—. *Su hijo hará que la luna se vuelva del revés.*»

Aquella mañana, la mañana en que nació Lyova, Nikolai Pavlovich casi se cercena un pulgar mientras cortaba las piedras del molino. Recuerdo cómo le colgaba el pulgar, apenas sujetado por unos cuantos tendones.

Nikolai, el que sabía todo sobre tuercas y tornillos, el que podía reconstruir motores y rebobinar la espineta, a quien le fascinaba la mecánica, sabía poco de la naturaleza y del funcionamiento de los cuerpos. Para mí, era lo contrario. Sabía poco de máquinas y más acerca de la naturaleza por los años que había estado trabajando con los animales y los hombres de la granja. Así que le vendé el dedo con una tela, llamé al médico para que lo atendiera y pude escuchar las preguntas que este le hacía.

—¿De verdad, cree que el dedo volverá a crecer?

En años posteriores, a Nikolai Pavlovich le gustaba confundir esos dos acontecimientos. «En el momento exacto de tu nacimiento —le diría a Lyova—, me corté el pulgar y cuando diste el primer chillido en el mundo, me volvió a crecer.»

No hay duda de por qué mi hijo lo consideraba especial.

El niño era brillante y fuerte. Pudo haberse quedado con la tierra. Pudo haberse convertido en ingeniero y ser útil. Ahora la tierra le pertenece al Estado. ¿Pero quién es el Estado? ¿Qué sabe el Estado de la tierra? ¿Cuáles son sus intenciones?

Pienso en mi apuesto y alto hijo que llegaba a casa desde Odessa para pasar las vacaciones escolares. Su cabeza llena de libros, llena de ciudad. Los cambios que había en él.

Recuerdo el verano en que cambió Lyova. En aquél entonces no había nada que lo detuviera. Llegó de la escuela de Odessa usando gafas. Le dije:

—No hay necesidad de utilizar lentes. No hay nadie en la granja que utilice gafas. —Me consternaba el hecho de que mi hijo, de la noche a la mañana, hubiera adoptado la debilidad de la gente de la ciudad.

—Papá —me dijo—, soy miope.

—Eso es por los libros. Así que solo necesitas esos lentes con los libros. Ahora acompáñame al molino y ayúdame a discutir con esos *mujiks*.

Lyova estaba furioso y me siguió al molino con sus nuevas gafas en el bolsillo. Cuando llegó el momento de pesar el grano y hacer las cuentas, como lo había hecho durante todos los veranos desde que había sido niño, vi el destello que salía de su bolsillo cuando extrajo las gafas, las ajustó sobre la nariz, y de pronto mi hijo se veía mayor, sentí que se alejaba de mí.

Pesó el grano y calculó los sueldos de los jornaleros. Por primera vez, con aquellas gafas sobre su nariz que le hacían más grandes los ojos, y al mismo tiempo más pequeños, calculó muy por encima de lo esperado.

—No podemos pagarlo —dije—, ¿quieres que lo pierda todo? ¡Las cosas que me dijo!

—*Papá* —decía—, *los jornaleros no tienen nada. Tú tienes suficiente dinero.*

¡Como si nunca hubiese tenido una guadaña en mi mano! Como si no trabajara de sol a sol. Siempre me preocupé por que tuvieran lo suficiente. Pero para Lyova no era suficiente.

Con aquellos lentes nos veía diferente a todos. Ese fue el comienzo. Pero hay una cosa que sobresale sobre las demás: la época de la ceguera nocturna.

En la época de la ceguera nocturna, Lyova estaba de vacaciones, y se quedó fuera mirando. Miraba cómo desfilaban los segadores tan delgados como espigas, ondulándose como el trigo en la penumbra, con las manos estiradas, tocando el hombro de quien iba delante, algunos con los ojos abiertos, otros con los ojos cerrados, pero todos ciegos.

—Ya pasará —le dije.

Mi hijo, llegado de la ciudad, me miró acusadoramente.

—Haz algo —me dijo en ruso.

—No te entiendo —le dije.

Me habló despacio, mezclando el ucraniano y el ruso, como si yo fuera un niño, como si fuera un idiota. Lleno de coraje.

—Ellos trabajan todo el día y tú los recompensas con avena. ¡Ahora, no pueden encontrar el camino que los lleva de vuelta a sus camas!

Le contesté despacio. Mezclando el ruso con mi lengua, como la paja con el grano.

—Te digo que no soy mejor ni peor que cualquier otro granjero en Yanovka. Si los engordara con carne, pan y las mejores frutas, ¿me quedaría dinero para tu educación? ¿Podría entonces mi hijo volver de Odessa, hablando una lengua mejor que la de su padre? ¿Llevaría mi hijo gafas por leer tantos libros?

Mi hijo escupió en el suelo delante de mí y corrió hacia la choza del mecánico. A veces, sentía envidia de Nikolai Pavlovich. Lyova se sentía más cercano a él que a mí, su propio padre. Me senté, calmadamente y Anna calentó el samovar y me quedé mirando a los segadores, en fila, regresando a sus chozas, tropezándose como los sonámbulos de la noche en que nació mi hijo, y pensé para mí, si existe algún Dios, a sus ojos, yo no he hecho nada malo. Me he preocupado de mi familia. Le he dado a mi hijo una buena educación.

Yo no era culpable. Entonces, ¿por qué mi brillante hijo, que con sus cuatro ojos puede hacer cálculos a la velocidad de un cometa, me quiere echar a mí la culpa? Había un orden y un flujo natural para la vida. Había quienes tenían más y quienes tenían menos. Por haber trabajado duro, por tener más, de pronto me había convertido en un criminal. Luego, me llamarían *kulak*.

Desde que lo mandamos fuera, a la escuela, perdió el ritmo de las estaciones y de la tierra. Se adaptó al ritmo de pasar páginas, de los horarios y del tráfico que fluye por las sucias calles y al blanco pulso de la luz eléctrica. Un paso diferente de las cosas. En la estepa, me movía al ritmo de la siembra y de la cosecha y me refugiaba en el interior de la casa, donde había fuego, durante los inviernos. Allí, todo seguía como siempre había sido. El *mujik* pone su cabeza sobre la sucia almohada, penetra a su mujer noche tras noche y se levanta por la mañana, sigue siendo un *mujik*, con una boca más que alimentar.

Así eran las cosas.

Lyova comprendía estas cosas cuando era niño. Pero, cuando lo mandamos fuera, se volvió demasiado astuto. La culpa la tenía Anna con sus lecturas de la Biblia, noche tras noche del invierno, y Lyova escuchándola susurrar y observando cómo subrayaba con sus largos dedos las palabras conforme avanzaba. Ahora sabe, ¿cuántas palabras debe de saber mi hijo?

Pero ¿sabrá lo que significa una temporada sin grano? ¿Sabrá lo que es no tener comida que llevarse a la boca? ¿Sabrá el significado de perder todo por lo que uno trabajó para construir?

Ahora todos están perdidos y vagan por los caminos.

Ahora, nadie tiene nada. Compartimos el infortunio. Algunos llaman a esto comunismo.

Hay un orden para todo. No depende de nosotros interrumpir el orden. Lyova volvió un verano, aún más enojado que cuando el verano de la ceguera nocturna. Había caído en manos de una pandilla. Maleantes. Durante aquel verano, en el pueblo vio a un *mujik* que golpeaba a su hijo, la sangre le caía por la cara. El hijo estaba siendo golpeado por una ofensa que había cometido el padre. A Lyova le repugnaba esta violencia. No le parecía correcto. Pero le dije que, para esta gente, había sido lo correcto durante siglos. Tenían su propio sistema de justicia. ¿Quién era él para interferir con ello?

Mi hijo se giró con repugnancia.

—¿Qué clase de país es este? El zarismo cultiva el salvajismo. El zar debe irse. Se largará antes de que yo muera.

—Eso jamás sucederá. No mientras yo viva. Ni en el transcurso de tu vida. *Ni en trescientos años* —le dije.

Desde entonces, temía por mi hijo.

LEV DAVIDOVICH BRONSTEIN (TROTSKI)
Coyoacán, julio de 1940

Es casi mediodía y Trotski oye los ruidos de la calle. Oye cómo, en la cocina, Natalia coloca cuidadosamente ollas y peroles para la comida, intentando no molestarlo. Es domingo. Consulta el almanaque de letras rojas sobre su escritorio. Los ecos de gritos de unos niños le llegan desde más allá de los muros. Domingo, el significado que tiene en México. Día para las familias y para descansar del trabajo. Día en que los niños visten su mejor ropa y levantan sus caritas limpias para recibir la comunión. Había visto domingos, desde la parte trasera de un viejo Chevrolet, él y Natalia escondidos bajo una manta. Atravesando Coyoacán, había visto a las familias en los cafés y en los restaurantes, el espíritu de convivencia que se respiraba. Lo habitual que era. En ocasiones pensaba y anhelaba esas costumbres. Pero luego, la sola idea de ser padre un domingo, cortar la carne, pedir la comida para toda la familia, la sola idea, le parecía imposible. Nunca estuvo destinado a ser un padre así, con la barriga oprimida por la mesa del restaurante. Lleno, satisfecho. Nunca estuvo destinado a estar rodeado de una familia así. Se le cortaba la respiración ante la idea de la vida que había llevado y de las vidas que jamás llevaría. Levantó el cartucho vacío del dictáfono y miró a través de él, un cilindro vacío, y contempló su estudio a través del prisma del cilindro, con un ojo cerrado, como un marinero con su telescopio; un fotógrafo tras la lente. Se puso el cilindro en la boca y sopló a través de él, como un niño. Se lo colocó en la oreja y escuchó a través de él. Jugaba con el cilindro y su juego lo hacía olvidarse de él mismo en este escritorio, en este lugar. Los sonidos de los niños, discutiendo por una lata aplastada, se filtraban hasta él, llenándolo de energía. Sintió un deseo, sabía que descabellado, de romper los cristales emplomados de la puerta, tirando diamantes de luz encima del escritorio, lanzarse corriendo hacia el jardín y seguir corriendo.

Se arrellana nuevamente en su silla. El negro cilindro del dictáfono en su mano. Gira la silla y observa al gran mapa que tiene detrás, poniéndose de nuevo el cartucho sobre un ojo. Viendo a través de él. Intentando ver las cosas de una manera diferente. REPÚBLICA MEXICANA. El azul del golfo de México. Los verdes colores de la tierra. Observa al mapa con el ojo de explorador. O con el ojo de un director de cine. Quizá Eisenstein. Deja el cartucho y se pone de pie para inspeccionar el mapa de cerca, la forma en que se curva hacia abajo y se aleja de su vecino del norte. Cómo le gustaba este mapa a Eisenstein. Le viene de nuevo a la memoria la visita del director. Todavía la recordaba con placer. Mira en el mapa los lugares que visitó con Eisenstein en aquella ocasión: los cerros que rodean Taxco, las columnas de cactus como centinelas del paisaje. Recuerda el polvo sobre sus hombros al cargar unos cactus enormes como troncos de leña; el polvo que le cubría las botas. Eisenstein enmarcándolo con las manos. Eisenstein queriendo captarlos a ambos, rascando las raíces de las plantas desérticas. Había sido un claro y caluroso día. Se sentía feliz con el recuerdo de aquel día. Un momento fuera del tiempo. Ambos, en aquel momento. La historia no lo registraría. Había muchas visitas a Coyoacán que permanecían sin registrar, unas firmas demasiado peligrosas para el libro de visitas. Pero tenía el recuerdo de Eisenstein rascando entre el polvo, maravillado ante la variedad de cactus. Él le había señalado su favorito a Eisenstein, un cactus alargado coronado con algunos hilillos de pelo nevado: *El Viejito*. El nombre le atravesaba el corazón. Todo se hallaba en su memoria: *El Viejo*, diría Frida, juguetonamente desarreglándole el pelo y la barba blancos. Los archivos de la memoria. El registro extraoficial —Frida, Eisenstein—, todos allí guardados. Al igual que los antiguos herméticos, había construido un palacio de la memoria en su mente; guardando gente, lugares y cosas. Se imaginó la iluminación de su palacio de la memoria. Cómo la luz se filtraba a través de los techos; todas esas espirales y arcos de luz, ningún rincón tenía polvo.

Sus amigos y familiares, todos los que había dejado atrás en la Unión Soviética, todos habían quemado sus archivos. Toda una generación se había quedado con cenizas como memoria. Se decía que aún se podían observar pequeñas hogueras durante las noches claras en los alrededores de Moscú y Leningrado. Pequeñas hogueras sin explicación. Fotografías del pasado. Viejas cartas. Telegramas de felicitación enviados por Trotski, quizá, o por cualquiera de los viejos bolcheviques. Aunque intentaran hacer desaparecer todos los recuerdos con esas pequeñas hogueras, los archivos de la memoria era los más difíciles de destruir. Mientras pudiera rescatar, guardar y organizar esas imágenes, construyendo su palacio de la memoria, sabía que estaba vivo. Mientras pudiera seguir haciendo eso, tenía un objetivo.

Miraba la superficie de la mesa rústica. Tantas mesas rústicas. Su exilio era un recorrido por este tipo de superficies de trabajo. Las plumas y los lápices en una jarra. El secante de márfil. La lámpara de cuello de ganso. El dictáfono. La Colt 38 que guardaba en el cajón siempre engrasada y cargada; siempre, dondequiera que se encontrara. Bajo el escritorio encontró el botón que dispararía el sistema de alarma, instalado tras el ataque de mayo. El sofá de la esquina cubierto con la manta a rayas verdes, doblada, para sus siestas de todos los días. Cómo se expandía la vida para luego contraerse y posarse en una habitación con una mesa rústica y entrándole la luz.

Deja el cartucho del dictáfono, se levanta y se estira. Casi están completas las fortificaciones. Deja su escritorio al mediodía para inspeccionar las excavaciones, el ruido. Se para con la cabeza descubierta bajo la intensa luz, inhalando el aroma de los eucaliptos que están tras el muro. Natalia se le acerca y sin palabras le extiende una blanca gorra de algodón para protegerlo del sol. La sostiene en sus manos un minuto más de lo necesario y le cruza por la cara una mirada —¿se pondrá la gorra?— y luego, cuando él decide ponérsela, ella le sonríe con una de sus escasas sonrisas, perfecta, y desaparece en la cocina.

Desde el ataque de mayo la casa se ha convertido en una fortaleza. Se construyen muros de siete metros. Puertas con doble hoja de hierro con cerraduras electrónicas sustituyen la vieja entrada de madera, se erigen tres nuevas torres a prueba de balas para dominar el jardín y controlar el vecindario. Los alambres de púas se enroscan en la parte de arriba de los muros, con vidrios rotos incrustados en el cemento. El gobierno de México ha triplicado la vigilancia. La Unión de los Teamsters Americanos también ha enviado guardias especiales.

Trotski los maldice a todos. Desde un principio se había opuesto a una inspección de armas obligatoria a todo visitante. Ahora se opone a la propuesta de Jordi Marr de que nunca debe hablar a solas con nadie en su estudio. *Esto no es una prisión*, dice él, molesto por tantas precauciones. *Este es mi hogar. El hogar de Natalia. O confiamos en las personas que dejamos entrar, y las admitimos sin cachearlas o no las admitimos.* Algunos camaradas protestan por el peligro, pues nunca es realmente posible confiar en todo el mundo, ni conocer a todo el mundo. Pero el Viejo está confiado, piensa que cualquier agente de Stalin podría ser fácilmente convencido, alejándolo fácilmente de los pobres argumentos del socialismo. En medio de toda esa actividad, ese domingo, él se pierde por el patio, supervisando los cambios, proponiendo mejoras. Camina solo por los senderos, mantiene en su cabeza conversaciones con personas que ya no pueden contestarle.

La pequeña fortaleza de Coyoacán le recuerda su primera prisión. La época en que lo había ido a visitar su padre y lo vio encerrado. El terror en los ojos del padre. Ahora parecía aquello tan lejano. ¿Qué habría pensado de todo aquello su padre? Ahora, aquí en un pueblo de México, con los ruidos de perforadoras y martillos y los improperios en español. El laberinto de la vida.

Mira a Jacson, el novio de Silvia, que la espera en la reja para llevarla a pasear, charlando e intercambiando cigarrillos con uno de los guardias. Se mueve en dirección a la reja, saluda a Jacson y le pide su opinión sobre la fortificación.

Jacson hace una pausa, observando por encima del hombro de Trotski... Sí... muy impresionante... ¿pero cree usted que será suficiente?

—Más que suficiente —contesta obstinado Trotski—. Si hemos podido sobrevivir a un ataque como el que tuvimos, podemos sobrevivir a cualquier cosa.

—Sí... —dice Jacson aunque suena poco convencido—. Como usted diga —Jacson observa a Trotski y luego mira sus pies mientras pisa una colilla—. Suerte con todo esto —le dice inseguro, en un inglés con acento español, y sonríe al tiempo que sale Silvia y lo besa en ambas mejillas—. Saludos a la señora Natalia —dice Jacson, y se dirige con la enamorada Silvia colgada de su brazo hacia su coche, estacionado delante de la casa. Trotski los mira alejarse, pensando que forman una extraña pareja.

DAVID LEONTEVICH BRONSTEIN
Guerra Civil: la ruta a Odessa
1920

«¿Podría decirme alguién cómo hemos llegado a esto», pregunta David Bronstein, acercando las manos al fuego. A su alrededor ve a la gente enfilar a través de la estepa de la misma manera que los *mujiks* se apilaron fuera de su molino durante semanas, esperando su grano.

—Pregúntele a su hijo.

—Sí, a ese hijo suyo, pregúntele. Él tiene respuestas para todo.

Se levantan voces fatigadas y de indignación. Mira a su alrededor. Allá en el rincón, Zaslavsky y su familia. Vecinos. Ahora ellos también se han quedado sin nada. Huyendo. De los blancos. De los rojos. La política les resulta incomprensible, incluso para aquellos pocos que pueden leer algo sobre ella. En cuanto a él, David Leontevich Bronstein se siente orgulloso porque ahora, puede trazar letras con el dedo índice y puede pronunciar los títulos de los libros de su hijo.

Si está orgulloso de su hijo es otra cuestión.

Su hijo. Suspira y piensa en su joven Lev Davidovich, su Lyova, el famoso Trotski, en estos momentos al otro lado del país con una gorra militar sobre la cabeza. Su hijo, persiguiendo la victoria, viajando en un tren blindado; disparando palabras con su boca como si fueran estrellas.

Mientras tanto, piensa para sí, soy un hombre viejo caminando hacia Odessa en busca de refugio. Le diré a mi hijo que ya soy demasiado viejo para preocuparme. Soy demasiado viejo para volver a empezar.

LEÓN TROTSKI
Guerra Civil: el tren
Unión Soviética, 1920

Más allá de los hechos, siempre busqué las leyes. Estas palabras, estos fragmentos de sueños, amanecen en mi cabeza esta mañana mientras miro por la ventanilla del tren, las vías alejándose de nosotros.Voy en el compartimento editorial, cotejando el último número de *V Puti*, el periódico diario que se produce en el tren y se distribuye entre los soldados del frente. El titular dice: SEAN DESPIADADOS. Estoy contento con este titular. Llevamos tres años atravesando al país así, agitando, educando, organizando. Repartiendo apoyo y noticias. En tres años, con estas distancias, habríamos ya dado la vuelta cinco veces al planeta. Mi amigo Joffe hizo ese cálculo. Durante un tiempo nos acompañó en el tren. Junto con los bibliotecarios, archivistas, los artistas, el equipo editorial, los mecánicos, los cocineros, los médicos y los destacamentos de voluntarios. Todos juntos, dando cinco vueltas al mundo. Nos hemos quedado empantanados en lodo. Hemos sido atacados por bandas de Cosacos. En mi compartimento azul hay un gran mapa que cubre toda una pared. Pequeñas banderas rojas demarcan el territorio... Samara, Chelianbinsk, Viatka, Petrogrado, Kiev, Smolensk... hemos pasado por estos toponímicos con nuestras ruedas deslizándose suavemente encima de sus sílabas.

En el compartimento editorial hay repiqueteo de teclas, codificaciones incesantes y el quejido disparejo del cable telegráfico. Un aparato inalámbrico está zumbando como un insecto desde el rincón. La antena que sale de este compartimento recibe transmisiones desde Moscú, desde Petrogrado, incluso desde París, de la *Tour Eiffel*. Es una operación muy sofisticada. *El tren*. Su sola mención siembra el terror entre nuestros oponentes. Somos una metrópolis sobre ruedas. Tenemos un garaje. Repleto de carros blindados, municiones y tanques de gasolina. En cada parada, los voluntarios llenan los carros y nos abastecen de periódicos, víveres y fuerza moral. La Comisión Roja de Regalos nos entrega cajas repletas de obsequios para los camaradas de todos los frentes. Cada compartimento está lleno de estos regalos para los soldados. Estos son sus premios: bufandas, botas de fieltro, cigarrillos, navajas para afeitar, correas para relojes, lápices, mecheros de bolsillo, prismáticos, impermeables. Pero los objetos más valiosos, los más buscados entre la tropa, son las gorras de cuero de los camaradas del ferrocarril y las estrellas rojas de metal que llevan como insignias nuestros soldados, que han sido especialmente encargadas a la casa de la moneda de Petrogrado. Son estrellas grandes y con puntas de oro. Nunca son suficientes estas insignias.

Nuestros destacamentos viajan a muchas verstas del tren. Siempre nos mantenemos en contacto por teléfono y telégrafo. A los camaradas del frente les basta con saber que el tren ya viene de camino. En cada parada, aparezco en la puerta de mi carro azul. Los soldados se forman en masa debajo de mí. Los exhorto, los inspiro y los amenazo. Siempre me reciben con entusiasmo. Cada intervención me deja regocijado y exhausto.

Los que viajamos en tren llevamos uniformes completos de cuero negro, con cinturón, confeccionados por el mejor sastre de Moscú. Cada semana, los camaradas pulen sus chaquetas y pantalones hasta que brillan como el metal. Todo esto es importante. El cuidado que le tengo a este tren. Su aspecto. El aspecto de sus ocupantes. Esos detalles son un mensaje al enemigo. También es un mensaje para los camaradas. Para los que son partidarios fieles y decididos, pero también para los indecisos. Pues llevamos regalos y coronas funerarias. Premios y castigos, en su justa medida. Nadie sabe realmente qué le espera cuando se abren las compuertas. Incluso los camaradas más leales tiemblan. Todo brilla, todo está listo. No nos vencerán.

En su momento el tren perteneció al ministro de Comunicaciones del Zar. Bajo mis órdenes, se cambiaron la tenue iluminación y los opulentos muebles. Quería que el tren fuese espartano, pero confortable. Las tropas duermen sobre colchonetas de cuero verde, con focos que cuelgan de los techos. Me encargo de que todos estén bien alimentados. Los hombres no pueden pelear con el estómago vacío.

La única extravagancia está en el interior de mi vagón. El color que se mezcló según mis órdenes. Fui inflexible. Azul. Índigo oscuro. Un hondo azul relajante que me permitiese afrontar los grisáceos días de sangre. Con la mente tranquila puedo imponer disciplina. Puedo actuar con decisión. Puedo dictar sentencias de muerte. Es imposible dirigir un ejército sin la pena de muerte. El tren es una máquina vengativa. Eso lo saben los que han desertado del tren, los que han desertado de nuestros destacamentos. Nuestra vida aquí, deslizándose por encima de las vías, es un microcosmos de la Unión Soviética. No nos podemos permitir flaquezas. Lo arriesgamos todo. Hay pocos desertores, pero aquellos que huyen, no llegan muy lejos. Una bala en la cabeza y quedan tendidos en el lodo. Cuando nuestros enemigos topan con estos antiguos camaradas y contemplan cuál fue su final, descubren lo que es el miedo. Cuando ven que se abren las compuertas metálicas y contemplan una falange negra y mortífera, saben que queremos la victoria. Estamos orgullosos de nuestros uniformes. Orgullosos del tren, de esta máquina bien engrasada: la Unión Soviética en microcosmos.

Muchas veces nuestros enemigos han intentado cambiar las señales de las vías, para hacer descarrilar el tren. Hemos sobrevivido a tiroteos y ataques aéreos. Solo una vez tuvieron éxito los blancos. El vagón de delante volcó y un joven guardia quedó apresado en las ruedas. Tuvimos que amputarle la pierna. Aún recuerdo la bota de cuero negro, que llegaba hasta la rodilla, tirada al lado de la vía con el carnoso muñón de su pierna metido dentro. Tuvimos suerte, sí. Pero también éramos disciplinados. A las puertas de Petrogrado peleé junto a mis hombres. Yo iba a caballo. Estaba herido en ambas piernas. De noche, me duelen aún. Pero siempre dirigí desde el frente, eso es lo que esperan los camaradas. Nuestros soldados necesitan este ejemplo: nuestros uniformes de cuero y los brazos cargados de periódicos, rifles y paquetes de cigarrillos. Es una educación para todo el país. El enemigo no puede vencer a nuestro tren. Eso es un hecho. Pues las ideas que esparcimos son como una ráfaga de balas, ancladas en la memoria para siempre. Es una guerra de ideas. Podemos volver a caer en la servidumbre y la ignorancia o continuar adelante con nuestro gran experimento proletario, una inspiración para el mundo.

«*Hacia delante o hacia atrás* —digo yo—. *Estas son nuestras opciones.*»

Al final de cada día, me recuesto en mi compartimento azul con el traje de cuero puesto. Levanto las piernas sobre unos cojines para mitigar el dolor. Me rodeo de literatura. Me hundo en el París de Céline, el mundo de Jack London. Me siento como nuevo. Este cuero es mi nueva piel. Me he deshecho de Lyova, hijo de *kulak*. Me he despojado de mis raíces mencheviques; de ese blando intelectualismo, de esa indecisión. Me he probado que soy un hombre. Un verdadero bolchevique. Eso nadie me lo puede quitar. Los hombres se descubren a sí mismos en la guerra. Es una lección importante. Uno pone a prueba sus límites y ve si soportan una guerra revolucionaria.

Si no, uno se encuentra tirado y sangrando en el lodo, ahí enterrado. Hay pocas opciones.

El tifus está asolando el país. Distribuimos medicinas; transportamos equipos de médicos y enfermeras. Oigo noticias de miles de camaradas desplazados, mi padre entre ellos, que van caminando rumbo a Odessa. Dentro de dos días comenzamos el asalto al cuartel del general Wrangel en Crimea. Crimea es el último frente. Silbamos la Internacional y un joven camarada que está engrasando su arma se gira hacia mí y me dice en voz baja:

—*Cuando hayamos derrotado a Wrangel y a los franceses, te prepararás para tu nueva batalla.*

—¿Dónde? —le pregunto sorprendido—, ¿con quién?

—*Con el camarada Stalin.* —El camarada me mira detenidamente.

Me río. Le aseguro que será más una leve escaramuza que una batalla. Admito que a lo largo de la Guerra Civil me he hecho enemigos. En la guerra, se toman decisiones, no se hacen amistades. Me había quejado a Lenin de cómo se ocupó Stalin de los *tsaritsyn*. Le dije a Lenin que Stalin no era nada táctico. Ya conozco los rumores: Stalin está utilizando a mis enemigos, aquellos a quienes he discutido sus decisiones, para ponerlos ahora en mi contra. Pero tengo confianza en mí mismo. Soy Trotski, presidente del Consejo Revolucionario, victorioso. Inexpugnable con mi uniforme de cuero negro en un tren blindado. He dado la vuelta a la Tierra cinco veces en tres años. He puesto a prueba mis límites, y he ido más allá de lo posible.

No habrá futuro sin mí.

DAVID LEONTEVICH BRONSTEIN
Guerra Civil: la ruta a Odessa
1920

El padre del presidente del Consejo Revolucionario se sienta en el borde del camino. Lleva puestos unos zapatos viejos, demasiado pequeños para sus pies, que ya están hinchados de tanto caminar. Aún le quedan muchas verstas de camino para llegar a Odessa. Se pregunta qué pensaría de él su hijo, si lo viera con esos zapatos. Desde pequeño, su hijo siempre cuidaba su aspecto.

Junto a él, un viejo, un hombre de su misma edad también se ha sentado para descansar. El viejo le pregunta si es cierto, que si de verdad es el padre del gran Trotski. Le gustaría saber más acerca de ese Trotski. ¿Qué tipo de hombre es? David Bronstein le dice que no puede hablarle del hombre, solo puede hablar del niño que él conoció. Le dice que el niño era muy remilgado.

Recuerdo al hermano de mi esposa, Moissei Filopovich, cuando venía de visita a Yanovka. Mi hijo, aún muy pequeño, era muy consciente de su aspecto. Sus zapatos tenían dos enormes agujeros en la punta por donde asomaban los pequeños dedos rosados de sus pies, brillantes después del baño. Miraba hacia arriba al hombre que había venido desde la ciudad e intentaba esconder los pies debajo de la silla y no se acercaba a saludarlo.

—Moissei Filopovich —le dije—, mi hijo está incómodo por el estado de sus zapatos. ¡Y apenas tiene cinco años!

El hermano de mi esposa se rió y cogió a mi hijo, ahora sonrojado. Allá en la estepa nunca teníamos problemas por esas cosas. Desde que nació me preocupaba que mi hijo tuviese la sensibilidad de una mujer. Lo mandé a vivir con Moissei y con su esposa a Odessa. Mi hijo era brillante. Los mejores colegios de

Odessa. Allí tendría más oportunidades, era lo mejor para Lyova. Para mí, fue el día más triste.

La segunda vez que lo vi sonrojarse como una niña fue con la guadaña.

Diga lo que diga mi hijo, nunca le tuve miedo al trabajo duro. Tenía habilidad para las cosas de la granja y era mi deber dar ejemplo. Mi hijo llegó para las vacaciones. Era un caluroso día de finales del verano.

Salimos en la carreta hacia los campos un día de cosecha.

Mi hijo llevaba un traje color crema, recién lavado, con un cinturón con hebilla de cobre que brillaba bajo el sol. Llevaba una gorra blanca con un ribete de color mantequilla. Sus zapatos eran color café, bien lustrados.

Paramos frente al jefe de los segadores, Yuri. Levantó la vista para mirarme, luego miró a mi hijo. Mi hijo con su ropa de ciudad. Yuri con sus gastados pantalones grises, sus zapatos de tela con botones grises. Pude adivinar lo que estaba pensando. El entusiasmo que había en su rostro. Yuri decidió poner a prueba a mi hijo.

—¿Sabe segar?

—Desde luego —le dije a Yuri—. Se ha criado en la granja. Puede parecer un niño de ciudad, pero no lo es.

Lyova se movió incómodo a mi lado.

—Bájate —le dije—. Enséñales a los segadores cómo se hace.

—Confieso —dijo David Bronstein con tristeza, mirando al viejo que estaba sentado a su lado—, confieso que en ese momento, quise poner a prueba a mi hijo con su ropa nueva y sus modales rusos, pero ¿por qué lo hacía? ¿Para ver cuánto se había alejado de mí? ¿Para alejarlo aún más?

—Esas cosas solo se llegan a saber después —el viejo que tenía al lado se rasca los brazos y encoge los hombros.

Lyova bajó de la carreta y se paró en el camino. Sus zapatos se cubrieron con el polvo del trigo. Caminó hacia Yuri y recogió la guadaña tal como lo había visto levantar una pluma para escribir. Me acerqué, queriéndolo ayudar. Sabiendo que solo se podía ayudar a sí mismo.

Lyova miraba desesperadamente hacia Yuri, y luego a mí, y de nuevo a Yuri. Su gorra se doblada ante la tarea. Al principio, delicadamente y, luego, con creciente desesperación, intentó bieldar los tallos y quitarse así de encima el desprecio del segador. Cortó poco grano y demasiado arriba. Luego, paró.

—Los talones —insistí—, apóyalos con cuidado.

Vi cómo sus talones se hundían, sin gracia, y cómo el muchacho caía lentamente a tierra, como un becerro que ha nacido muerto. Había perdido el equilibrio por hundir demasiado los talones. Había sudor en su frente. Aún lo puedo ver, la mirada con la que le devolvió la guadaña a Yuri, y este sin una palabra, me la pasó a mí.

Me eché al hombro la guadaña y me incliné hacia delante con los talones ligeramente apoyados sobre la tierra, los dedos de los pies abiertos, y levanté la cara hacia el sol respirando hondo antes de doblarme y moverme como la brisa entre los tallos del trigo, haciéndome uno con el ritmo hasta que me giré y vi la risa desdentada de Yuri y las lágrimas azules de mi hijo. Aquel día nos endurecimos, mi hijo de la ciudad y yo.

—Los hijos tienen mucho que aprender de los padres —dijo Yuri.

Lyova se dio la vuelta y caminó de regreso a la carreta, ajustándose la hebilla del cinturón y secándose los ojos.

—Menuda historia —el viejo de al lado asiente—. El joven Trotski, ¿eh?

David Leontevich Bronstein piensa en los ojos de su hijo. Piensa en el niño que le perteneció antes de que se convirtiera en Trotski. Las cosas que llega a saber un padre.

—Mi hijo tiene unos ojos muy hermosos —inesperadamente, se descubre compartiendo esto con el viejo. Piensa para sí: *los ojos de mi hijo reflejan todos los matices del azul. La luz del verano; el frío del invierno; el tono pizarra de la nieve en la penumbra*—. Tengo otra historia —continúa David Bronstein—. De cuando estuvo por primera vez en prisión. —El viejo que tiene al lado asiente, animándolo a seguir, David Bronstein continúa:

Recuerdo su primera estancia en prisión, cuando lo cambiaron de la prisión de Nikolaiev a la de Odessa. Pasados algunos meses, pude visitarlo. Viajé en vapor hasta Odessa. Por aquel entonces ya tenía él veinte años y llevaba más de un año en prisión. Entré a verlo, con los guardias parados detrás como si fueran postes clavados en un campo. Intenté buscar qué tono de azul tenían los ojos de mi hijo, pero no estaba preparado para lo que vi.

Lyova en una jaula de madera. Lyova hablándome a través de los dobles barrotes de metal. Cogí su ennegrecida y sucia mano. Mi hijo se rascaba los brazos todo el tiempo. Había más muchachos en otras jaulas. Apenas pude hablar. Se fijó en mi reacción.

—Papá. No siempre estoy aquí. Es solo para las visitas.

—Tienen más espacio los animales en el corral —recuerdo haberle dicho. No podía creer que todo lo que le había dado a mi hijo se resumía en eso, una vida que cabía en una caja de madera.

No podía creer que mi hijo, que había crecido corriendo por la estepa como si fuera un caballo, estuviese ahora confinado así. Me avergoncé de la distancia que había entre nosotros y esos barrotes de metal que tenía delante de él.

—¿Por qué estás tan pálido? —me preguntó preocupado—. ¿Estás enfermo?

Bajé la cabeza. Contuve las lágrimas. Soy un hombre sencillo que solo quería que su hijo estuviese cerca de él. Cuando se alejó de mí, quise darle una lección. Ahora, quería tenerlo en mis brazos.

Pero el tiempo había pasado.

—Tu madre y tus hermanas se preocupan por ti. Te mandan un beso. Nikolai Pavlovich tiene otro hijo —le dije.

—Me alegra saberlo —dijo—. Le mando mis mejores deseos —extendió un delgado brazo a través de los barrotes. Hablaba educadamente, parecía ausente.

Después, acabó la hora de las visitas. Me pregunté si lo volvería a ver. El guardia me condujo hacia fuera. Me giré una última vez para despedirme de él. Vi el azul de los ojos de mi hijo a través de los barrotes metálicos; eran del color de una tormenta que pasa sobre un día tranquilo.

Termino mis historias y caminamos en silencio. Aún quedan muchas verstas para Odessa. Junto a mí, Sofía, la vieja niñera de Lyova estira su mano llena de manchas negras. Como pequeñas piedras sobre la arena. Me pide agua. Tiene calor, dice, aunque todos a su alrededor están temblando de frío.

—Tifus, la fiebre de la guerra —dice alguien—. El país entero se está muriendo de la fiebre de la guerra.

Cierro los ojos y acerco mis manos al fuego que ha encendido alguien de nuestro grupo de Yanovka. Espero que nadie mencione el nombre de mi hijo.

Por la mañana, Sofía tiene fiebre. Sigue así durante dos semanas. A mi alrededor, la gente se rasca, abriendo canales de sangre sobre su piel. El viejo, el hombre de mi misma edad, que nos ha acompañado todo este tiempo, el que me pidió historias sobre mi hijo, ha perdido la razón de tanto rascarse. Lo enterramos a un lado del camino.

Después de seis días, Sofía está cubierta de ronchas rojas. Nuestro pequeño grupo de Yanovka intenta confortarla sobre el camino. De noche vemos cómo las ronchas rojas de sus pies cobran vida a la luz de la fogata; Nikolai Pavlovich asegura haber visto pulgas que bailaban sobre su piel. Él también ha empezado a alucinar. La mujer se queja dormida. Espera la llegada del cuervo. El cuervo de los cuentos infantiles. El cuervo que socorre al héroe. El cuervo que nos salva de la muerte; el ennegrecido abanico de un ala.

Éramos muchos cuando iniciamos el camino. Yuri, el jefe de los jornaleros, Tatiana la cocinera y su marido, el mayordomo. Nikolai Pavlovich, su esposa y su hijo. Ahora, semanas después, cuando ya se avista el puerto y cojeamos hacia él, solo quedamos unos pocos. Llevo conmigo lo último que queda de Yanovka. Tengo la fuerza y la testarudez de las mulas de los *kulak*, como diría mi hijo. Eso me ha mantenido. Tengo algunos dolores de cabeza y estoy algo confuso, pero tengo la fortaleza del granjero. No puedo morir hasta que vuelva a ver a mi hijo. Lo he perdido todo, menos a mi hijo.

La fiebre de la guerra. La gente que se rasca, infectándose de la mañana a la noche. Introduciendo las heces del insecto en su piel; hundiéndolas más y más en sus venas, todos con las uñas enrojecidas; rascándose hasta la tumba.

Fui el único de Yanovka que acabó la larga caminata. En ese momento, mi hijo que no cree en los milagros, pensó que había sido un milagro el que yo hubiera sobrevivido.

LEV DAVIDOVICH BRONSTEIN (TROTSKI)
Odessa, 1898

El joven Lev Davidovich da pasos en su celda, tocando las paredes para ver si en algún lugar de las entrañas de la prisión encuentra la respuesta. Para alejarse de la soledad. Por primera vez, es realmente consciente de lo lejos que se encuentra de la granja de Yanovka.

Está en prisión por sus actividades revolucionarias. Espera la visita de su padre. La última vez que vio a su padre... pero ¿cuándo fue la última vez? ¿Cuando su padre entró bruscamente en la choza? Su padre oliendo a estiércol, riéndose de los limpios y jóvenes hombres en su cuartucho sucio.

Su padre había paseado la mirada por el cuarto donde todos dormían, vivían, comían insulsos caldos y juntaban algunos rublos para poder beber por las noches. Sobre los respaldos de las sillas vio los guardapolvos azules y detrás de las puertas los redondos sombreros de paja que colgaban de ganchos. Alrededor de las paredes, se alineaban los bastones negros y las delgadas botas de los obreros de la fábrica. En el pueblo había oído rumores de que su hijo pertenecía a una *sociedad secreta*.

—¿Jugando a la revolución? —espetó—. ¿También huyendo de sus padres? —dirigiéndose a otro muchacho que se encontraba en el cuarto. Con sus inmensas botas de granja pisaba los periódicos y panfletos, buscando bajo las mantas a su hijo.

—¿Piensas regresar a Yanovka?

—*No.*

—No aceptas el dinero que te doy, te mudas a esta cochina choza y le haces caso a un viejo jardinero que odia al zar, ¿estás loco?

—*No.*

—¿Qué estás haciendo con tu vida?

—*Luchando contra el zar.*

—Te lo he dicho antes. Las cosas van despacio. El zar no se irá. *Ni en trescientos años.* ¿Qué tiene de malo el zar y haber podido enviarte a Odessa, ir a la universidad, llegar mucho más lejos que tu padre, acaso el olor del grano ya solo es un vago recuerdo?

—*Sabes perfectamente que hay muchas cosas que no funcionan.*

David Leontevich Bronstein observa los ojos jóvenes y hostiles que se asoman detrás de la pila de papeles y panfletos. Ya no entiende nada. Este es el último intento para salvar a su hijo, para llevárselo de vuelta.

—¿Debo entonces decirle a tu madre que no ponga a calentar un samovar para ti, que no ponga un cubierto a la mesa para ti este verano? ¿Debo decirle que estás echando a perder tu vida?

El joven Lev Davidovich se coge las rodillas. Malhumorado, mira al suelo y no levanta la vista hasta que escucha las botas de su padre y se aleja del cuarto el olor a estiércol. Se gira a mirar a los demás. Todos se ríen del hedor de las botas de su padre y de su acento ucraniano.

La última vez que vio a su padre.

No había vuelto a Yanovka aquel verano. A ese lugar donde nadie leía, excepto su madre, que leía un poco la Biblia por las noches. A ese lugar donde la principal preocupación era el precio del grano en el mercado. A la obsesión del padre por el trabajo y el dinero. *No me gusta el dinero* —le había dicho alguna vez su padre—, *pero es peor necesitar dinero y no tenerlo.* El continuo paso de las estaciones y del desgaste. Contar los rublos, pesar el grano, discutir con los *mujiks*, los jornaleros medio muertos de hambre. El cabello de su madre espolvoreado con la harina del molino; su madre dejando nubecillas blancas en el aire al caminar. Lev Davidovich se alegraba de dejar atrás todo aquello.

No, no había vuelto a la granja Yanovka aquel verano. A cambio, había ayudado a formar la Unión de Obreros del Sur de Rusia, había distribuido propaganda antizarista y luego, había caído preso por sus esfuerzos. Su verdadera vida apenas estaba comenzando.

La biblioteca de la cárcel de Odessa estaba llena de Biblias y de literatura religiosa en todos los idiomas. Lev Davidovich los lee todos. En ruso, en italiano, en alemán y en francés. Lee los ataques de los escritores ortodoxos contra Voltaire, contra Darwin, contra el ateísmo. Aprende de ellos la importancia de la exactitud; de apuntar con las palabras como si fuesen flechas. Se ríe de sus intentos por definir el Paraíso, de fijar sus dimensiones: *las coordenadas para encontrar el Paraíso no están disponibles.* Se repite esto a sí mismo, moviendo su cabeza una y otra vez ante el absurdo. Mientras da golpecitos en las paredes de su celda piensa en la locura de buscar un Paraíso que esté fuera del hombre. La sangre y el sudor de los obreros podría crear un Paraíso. Un Paraíso al que se podría llegar por medio de la organización y la disciplina. ¿Pero encontrar el Paraíso?

Había visto el Paraíso en su mente. Una parte de él sabía la ubicación exacta. Era un lugar sólido y material. Un lugar del futuro. Un lugar de la humanidad.

> *... mientras el planeta ha seguido sus ciclos de acuerdo con las leyes fijas de la gravedad, de tan simple inicio han surgido, surgen y evolucionan formas interminables, de lo más bellas y maravillosas...*

Tras leer a Darwin por primera vez, supo que los sibilantes rezos de su madre habían sido un desperdicio. Supo que no había dios, sino el dios de la fe en el progreso humano y en la humanidad misma. En prisión, lee los argumentos religiosos en contra de Darwin. Se siente atraído por ese Darwin que es atacado por los teólogos.

> *Todos los seres orgánicos que han vivido sobre esta Tierra, descienden de una forma primordial, sobre la cual la vida fue originariamente insuflada... Estas formas elaboradamente construidas, tan diferentes entre sí, interdependientes en su complejidad, han sido producidas todas por leyes que actúan a nuestro alrededor.*

Las leyes de la Naturaleza. Estaba embelesado por la interpretación de Darwin de las plumas de los pavos reales: una visión racional en morado y verde. Un plumaje de prisma espectral, de capas delicadas, obedeciendo a la leyes de la Naturaleza. Recor-

daba haber visto pavos reales en la granja de un arruinado aristó-
crata cerca de Yanovka. Recuerda que se subía a un muro para ver
del otro lado las colas color turquesa que se escapaban ondulándose. Recuerda su belleza.

Evolución y Revolución.

La interdependencia de todas las cosas vivas.

El orden dentro de la belleza. Las leyes de la Naturaleza. Las
leyes de la Historia.

Tenía mucho que agradecerle a los detractores de Darwin.
Los plumados sueños de la cárcel de Odessa se quedaron con él
durante muchos años.

DAVID LEONTEVICH BRONSTEIN
Moscú, 1921

Doce meses después, en Moscú, tengo un trabajo en las afueras de la ciudad. Soy administrador en un pequeño molino del Estado. Es muy diferente a mi vida anterior. Aquí no hay astutos *mujiks* que regateen el grano. En cambio, hay obreros de gorras azules que ocultan vodka en los bolsillos. El comisario de la Comida, Tzyurupa, un amigable tipo grandote viene a hablarme de cuestiones agrícolas. Sé que mi hijo lo ha enviado. Intenta hacerme sentir útil. Le hablo de los días en Yanovka, de cómo los *mujiks* andaban durante semanas para que se moliera su grano en mi molino. Le hablo de la tierra que alquilé a los señores de los alrededores, de cómo se hundieron porque no sabían qué era trabajar duro. Le hablo de ese mundo diferente, anterior a la Revolución.

Tzyurupa me escucha como cualquier joven que escucha hablar a una persona mayor. Nuestras conversaciones siempre terminan de la misma manera.

—Debe de sentirse orgulloso de ser el padre del camarada Trotski.

—Sí —asiento con la cabeza. Veo los campos de trigo y el joven y brillante Lyova, pesando el grano, está en mi corazón—. Cualquier padre estaría orgulloso con un hijo como él.

Pero no soy cualquier padre y Lyova no es un hijo cualquiera.

Camino hacia el Kremlin. Mi hijo recibirá la Orden de la Bandera Roja por sus servicios durante la Guerra Civil. Su famoso tren y todos los soldados que iban en él, también serán condecorados. La gente se me acerca y me coge del brazo. Toda la gente a mi alrededor está lanzando vítores a mi hijo.

172

Lo confieso. En ese momento, me sentí orgulloso. Mi hijo, el que se había escabullido de nosotros en Yanovka, el que se había escabullido por entre los barrotes de las cárceles zaristas, ahora mandaba un ejército. Cómo el niño se convierte en un hombre.

Hay otro nombre que se lee en voz alta. Iossif Vissarionovich Stalin. Se hace silencio. Detrás de mí, escucho voces.

—¿Pero Stalin? ¿La Orden de la Bandera Roja?

—*Tzaritsyn* —contesta alguien en voz baja—. Dicen que él salvó a los *tzaritsyn* de los blancos.

Estoy rodeado de susurros. Otro hombre se acerca al estrado, aceptando la condecoración en nombre del camarada Stalin. Veo a mi hijo, camarada Trotski, que pasea la mirada sobre la gente esbozando una sonrisa.

Yo no entiendo de estas cosas.

Luego, me acerco hacia mi hijo y nos abrazamos. Huele a limpio y a nuevo y sus ojos han visto ya muchas cosas. Siento deseos de avisarlo. De qué, no puedo exactamente precisarlo. Pero siento temor por él. Qué rápido cambian las cosas, como las estaciones.

Posteriormente, hablamos de mi trabajo en el molino. Mi hijo está lleno de su victoria en la Guerra Civil. Sus ojos están radiantes, del azul de un cielo de verano. Es feliz.

—Recuerda, papá —me dice riendo—, decías que esto jamás sucedería. Ni en trescientos años. Y ahora, mira a tu alrededor...

—Por ahora, muchacho, hay cambio. Si será para bien o no, ya lo veremos —le digo, a mi manera, despacio y en ucraniano.

Veo que mi hijo da un respingo. No estoy seguro si por el idioma o por el significado.

—*La Guerra Civil* —dice—. *Estuvimos rodeados por fuerzas imperialistas hostiles. Pudimos haber perdido todo por lo que habíamos luchado.*

Sus palabras me golpean. Estoy molesto.

—Todo por lo que *tú* habías peleado —le recuerdo—. Todo por lo que *yo* había peleado ya estaba perdido. Los blancos habían quemado la granja. Antes de que se enfriaran las cenizas, llegaron los rojos y se llevaron todo el grano. No me vengas con tus grandes palabras.

Mi hijo, líder revolucionario, héroe de la Guerra Civil, me mira con la gélida mirada de un animal que ha quedado atrapado.

—*Tenías mucho que perder.*

Dice esto y se va caminando sobre la roja alfombra del Kremlin. El brillo de sus botas de cuero se queda conmigo.

Allá en las estepas, nadie lleva botas que brillen.

EL DIARIO DE LEÓN TROTSKI
EN EL EXILIO
Coyoacán, julio de 1940

LA AVENIDA VIENA
Julio de 1940

La vida... no es fácil... no se puede sobrellevar sin caer en la postración o el cinismo, a menos que tengas ante ti una gran idea que te eleve por encima de la miseria personal, por encima de la debilidad, por encima de todo tipo de perfidia y bajeza...

Escribí esas líneas en 1934. Antes de la muerte de todos mis hijos y de todos mis viejos camaradas. A menudo, vuelvo a leerlas.

A veces, lo confieso, es difícil continuar. No puedo dormir. Las noches se alargan, el único remedio es químico y se encuentra en las balas amarillas del Nembutal, las pastillas secando la actividad mental, relajándome lo suficiente para algunas horas de reposo. Hay tanto por hacer y cada día es un aplazamiento, se lo digo a Natalia, pero su boca calla tristemente, porque esto todavía no ha terminado.

La guerra. Han pasado nueve meses desde que nos sentamos con la oreja pegada a la radio de onda corta, escuchando las noticias de los torpedos alemanes que hundieron un submarino inglés. Lo escribo en voz alta, esta guerra, un toque de diana para el mundo, con todo el horror y todos los riesgos que representa. En la primavera de 1939, escribí en el *Boletín de la Oposición*:

Habiendo destruido al Partido y decapitado al ejército, Stalin presenta abiertamente su candidatura como principal agente de Hitler.

Cómo llegó a suceder esto. Cómo compró Stalin una paz inestable con Hitler, una tregua que no se puede sostener. El proletariado mundial abandonado al fascismo mientras la Rusia Soviética se proteje a sí misma, la lógica del socialismo en un solo país. Y sé bien que pagaré por esa presciencia. Con Europa en guerra, ¿se terminará la espera? ¿Cuánto tiempo me dejará estar aquí el Kremlin, con mis panfletos y mis acusaciones que vuelan directamente hacia ellos atravesando el globo, desde esta habitación repleta de luz y sombras de jacarandáes?

Me hace gracia pensar que la vista desde esta ventana, ahora, más limitada y pequeña, sigue pareciéndome una vista con sol, luz y libertad, sí, la libertad de la anterior casa.

La Casa Azul. La casa anterior. El patio, los dos patios interiores y los edificios exteriores formaban un perfecto rectángulo azul a lo largo de la avenida Londres y la avenida Berlín. Las ventanas que daban a la calle, bloqueadas por ladrillos de adobe. El rectángulo azul que me cubrió durante un tiempo y me hizo sentir seguro. El abrazo azul.

El tiempo que pasé en la anterior casa me parece como el último tiempo de mi juventud y *ella* fue la responsable. Durante seis semanas, a la edad de cincuenta y nueve años, un último baile con la juventud.

Egoísta, sí.

Dejar todo por una mujer que no es tu esposa, a la que le doblas la edad, una mujer capaz de hacer que un viejo olvide la Revolución y todo por lo que ha luchado. Una mujer tan diferente de cualquier otra antes y después.

Se queda conmigo su memoria, y la vista de aquella habitación en su casa. A veces, de noche, cuando no puedo dormir pienso en Frida, aunque hayan pasado dos años y no hayamos hablado, y Natalia, la dulce y querida Natalia, vela por mí, más protectora que un guardaespaldas.

Frida. Me gustaría volver a verla, aquellos colores que venían en remolinos hacia mí, sus graciosas cejas arqueadas, sus labios carnosos y salidos. La generosidad de su cuerpo, de su movimiento y de su personalidad. Me gustaría poder volver a verla, ver cómo se deslizaban los pesados anillos en sus dedos, cómo se pegaban las flores a su cabello, cómo serpenteaban las cintas de sus trenzas y ver sus manos trabajando. Verla preparándose para el baño, su pierna mala oculta detrás de la otra, la piel erizada, matizada, perfecta.

Sueño despierto. No estoy libre de culpa. Me pregunto si Natalia puede ver dentro de mí o a través mío. El ser que le ofrezco, tan transparente como una celda de cristal, y mi otro ser enjaulado tras el anhelo.

Natalia tiene una manera de verme, feroz, determinada y leal. En mayo, después del ataque, con las ráfagas de las ametralladoras disparando a la noche, me empujó al suelo, contra la pared detrás de nuestra cama, y me cubrió con su cuerpo, ofreciéndose ella a cambio de mí. En ese momento supe que jamás podría pagar ese amor ante el que me sentía disminuido.

Aún continúo fantaseando sobre esa otra mujer, ahora mi enemiga.

Es normal obsesionarse con el enemigo.

Niego con la cabeza al pensar en mi traición a Natalia.

Después de todos estos años, solo puedo trabajar bien durante el día si sé que Natalia está cerca. La oigo abrir la ventana para dejar que circule más libremente el aire. Ella lo es todo para mí. Aún persiste un anhelo, irracional, al final de mis días. Pues sé que estos días tendrán que terminar.

Le escribí a Frida a París, hablándole de mi ruptura con Diego, quejándome a ella. Predecía la muerte moral de Diego por no haberse afiliado a la Cuarta Internacional. La ruptura con Diego. Digamos que fue una ruptura política. Diego prestó su apoyo a Almazán, el candidato burgués de las elecciones mejicanas, un político respaldado por los intereses petrolíferos de los norteamericanos. ¿Cómo podía yo aprobar a un candidato así? Diego, siempre contradictorio. Tan extremadamente individualista. Nos peleamos sobre este tema. Nos distanciamos, como una embarcación demasiado frágil para soportar las olas. ¿Era de verdad tan frágil nuestra amistad?

Digamos que fue una ruptura política.

Como siempre en estos asuntos, Frida apoyó a Diego.

Nunca contestó mi carta.

Mi amiga, el enemigo. En política, aquellos que no están con nosotros, están contra nosotros.

Le devolví la pluma que me había regalado, grabada con mi nombre. Me la envió de nuevo.

Aún escribo con ella. Trabajo en mi biografía de Stalin con esa pluma, la pluma de mi enemiga, que lleva mi nombre grabado.

Me siento aquí, manchando la página con esa pluma, pensando en la última vez que la vi.

Las faldas de Frida barren las calles formando arcos de polvo multicolores. Al caminar, la gente se aparta y, hoy el día de los Muertos, Frida cojea graciosamente hacia mí por las calles cubiertas de cráneos y ataúdes en miniatura. Levanto la vista para ver cómo se acercan a mí sus ondulantes colores, y en ese instante, desaparece mi pasado por completo: la abombada cabeza de Lenin; todas mis esperanzas por la *Internacional*. Por un momento me olvido del bigotudo de Georgia, *el hombre de hierro*, que me persigue en sueños como un perro y me ha forzado al exilio. En ese instante viendo la joven mujer que cojea hacia mí por la polvorienta calle mejicana, puedo fingir que esto es todo lo que hay en el mundo y lo que ha habido desde siempre. Me giro para ajustar mis redondeados quevedos, para prepararme a la maravilla que ella representa.

—Frida —le digo—, con solo mirarte haces que un viejo se olvide de todo.

Ella se ríe y me palmea la mano, me toma del brazo y la gente se nos queda mirando: el ruso y la mujer vestida de tehuana, las cintas rosas sobre la oscuridad de su cabello, nos paramos a mirar las calaveras. Nos detenemos en el puesto de la señora Rosita, la mejor fabricante de Judas de Ciudad de México. Su puesto: pirámides de cráneos hechos con azúcar, de frutas, de figuras de Judas y *piñatas* para los niños. El puesto es todo color, papel maché y sandías partidas por la mitad. La señora Rosita me leyó una vez la mano y se maravilló ante la vida que vio. En esta visita a su puesto, la señora Rosita me entrega un pequeño *milagro* en forma de corazón.

—*Para que lo proteja* —me dice.

Es mi última visita al mercado con Frida.

Esa mañana, según las costumbres locales, habíamos intercambiado calaveras de azúcar. Diego, por entonces marido de Frida, había entrado corriendo a la Casa Azul para darme un regalo. Diego y Frida como se veían entonces, *el elefante y la paloma*. El Diego de aquella mañana, feliz y excitado, con su inmenso cuerpo esforzándose como un rechoncho niño de escuela. Aquella mañana yo no estaba de humor, pues Diego, riéndose, me había regalado una calavera de chocolate en la que estaba escrito con azúcar rosa: STALIN.

Todos los días escribo sobre mi enemigo y todos los días, como aves de rapiña sobre un cadáver en el desierto, vuelan sobre mí mis enemigos con acusaciones y calumnias. Algunos dicen que el Terror comenzó mucho antes, que había señales de ello desde el principio. Tales acusaciones invariablemente caen sobre un solo episodio: *Kronstadt*.

Pero, permítaseme decirlo claramente: *No hubo ningún Kronstadt*.

Déjenme decir: *Yo soy aquello que mi enemigo no es.*

Nunca dije que una revolución se podría llevar a cabo sin derramar sangre. No se trata de una clase de humanidades.

En medio de una Guerra Civil, luchábamos por mantenernos vivos. Estábamos rodeados por catorce ejércitos capitalistas. La Guardia Blanca y revolucionarios y anarquistas tenían sus exigencias por igual. Teníamos dos opciones, *aplastar o ser aplastados*.

Así que dejadme decirlo claramente: *No hubo tal Kronstadt. No había terror en 1921.*

En ese entonces, apelé a los marineros de la guarnición de Kronstadt. Ellos estaban equipados: una fortaleza, un arsenal, la flota báltica. Mientras tanto, en Petrogrado teníamos obreros hambrientos y obreros en huelga. Un descenso hacia el caos.

Una revolución no puede hacerse desde el caos.

SOVIETS SIN BOLCHEVIQUES.

¡Qué demandas! Qué pronto cambiaron los soldados y los marineros del Kronstadt: *la legalización de los partidos políticos; el cese de los racionamientos; libertad para los pequeños empresarios; liberación de todos los presos políticos.*

Demandas imposibles de cumplir y menos en aquel momento. ¿En qué estaban pensando?

No lo dudé. Apelé a ellos y no me escucharon.

Kronstadt me afectó. Indudablemente. Pero desde la perspectiva que dan los años, no cambiaría nada. Volvería a dar la orden de disparar y de atacar, deslizándonos por encima del congelado golfo de Finlandia antes de que se deshiciera el hielo y la flota pudiera recomponerse. Lo volvería a hacer todo. Pues eso nos proporcionó tiempo y tiempo era lo que necesitábamos.

Aquel día de 1921 hubo dos asaltos a la guarnición de Kronstadt. Durante el segundo asalto, no estábamos peleando contra nuestros propios hombres. Peleábamos contra los enemigos de clase que se habían hecho pasar por uno de los nuestros.

En política, aquel que no está con nosotros, está contra nosotros.

Aquel día, *no hubo tal Kronstadt*. Tan solo hubo una batalla por la esperanza contra gente que había perdido la esperanza. Tuvimos que tomar decisiones políticas para nuestra propia supervivencia.

Déjenme decirlo claramente: *Soy aquello que mi enemigo no es.*

4

KOBA APRENDE A MONTAR

IOSSIF VISSARIONOVICH STALIN
Georgia, 1889

Desde aquí arriba, montado sobre los hombros de Sergei, el mundo parece diferente. Corremos y corremos alrededor de la fortaleza bizantina a las afueras de Gori. Lo insto a que corra más rápido. Sus manos aprietan mis tobillos. Es día de mercado y hay muchas lenguas que no entiendo. Sergei y yo corremos a través de discusiones y de negociaciones. Voy montado sobre sus hombros, al nivel de los ojos de los señores vestidos con cotas de malla y cascos. Son los *khevsurs*. Es día de mercado y han bajado de las riberas altas, con los ojos fijos en la Tierra Santa, igual que sus padres antes que ellos.

Georgia es bárbara y milenaria, pero yo soy nuevo y cambiante.

Le digo a Sergei que pare ante un puesto que vende telas. Me bajo de sus hombros, y tomo mi tiempo para palpar las telas, buscando los mejores pedazos para mi padre. Un hombre inmenso de botas largas se acerca al puesto. Se inclina sobre las pilas de material y con un movimiento delicado de su mano, saca una pequeña daga de su cinturón y le corta el cuello al vendedor; un grito corta el cielo. Veo cómo brota la sangre de la vena, roja brillante, sangre nueva. Vemos cómo se aleja rápidamente el hombre de las botas. Sergei y yo nos quedamos mirando el uno al otro durante unos minutos y luego comenzamos a reírnos. Es la primer vez que veo matar a alguien. Un *khevsur* pasa a nuestro lado y se nos queda mirando y luego mira al georgiano cuya garganta cortada sangra encima de la tela. Mira a derecha y a izquierda y levanta una tela de arpillera; esconde el bulto bajo su brazo como si fuera un niño.

Sergei y yo corremos hacia la parte de atrás del puesto y nos llenamos las manos de recortes de lona gris. Otras personas llegan corriendo y se lanzan sobre las pilas de tela: el material vuela como banderas. El día se queda quieto. El vendedor se contorsiona encima de unos pedazos de seda. Tengo el dinero de mi padre en la palma de la mano. Sergei me vuelve a subir sobre sus hombros, me hago un cojín de lona gris alrededor de su cuello. Miro al cielo. El mundo se ve diferente. No oigo a mi madre obligándome a rezar, con su voz húmeda y baja de tanto lavar la ropa. No oigo a mi padre, con su voz afilada como el punzón de un zapatero, haciéndome volver a trazar el patrón de un talón.

Soy *Koba, el indomable*, el legendario forajido de Georgia. Soy tan alto y tan viejo como la montaña Kazbek. Puedo ver las cadenas blancas de Prometeo en la cúspide. Me siento como un hombre con el olor de la tela ensangrentada encima de mí. Levanto los brazos al aire y le grito al fantasma de Prometeo, retando a Zeus: «*Ja Stal*. Yo soy de hierro».

Cabalgo sobre los hombros de Sergei hasta que llegamos a casa de mis padres. De pronto, se agacha, lanzándome por encima de su cabeza y aterrizo encima de mi brazo malo. Lo insulto, riéndome. Tengo once años. Entro corriendo, cogiéndome el codo, allí donde no se dobla bien. Mi madre levanta la vista de su máquina de coser con el sedoso material deslizándosele por entre los dedos. Me sonríe y luego su rostro cambia. *¡Soso, tu brazo!* Para ella mi brazo es valioso. Su triunfo. En una ocasión salvó mi brazo de una infección, cauterizando la herida con la punta recalentada de un punzón de zapatero. Soy el único superviviente de cuatro hijos.

Salí del vientre de mi madre con los pies por delante, con los pequeños dedos de mi pie derecho pegados y el pie saliendo en ángulo como el de un pequeño becerro. Mi madre pensó que había sido bendecido por caer de esta manera, sobre mis pies. Destinado a grandes hazañas. Mi padre blasfemó. ¿Cómo iba a hacer una horma de zapato adecuada para un niño que tenía un pie deforme? Aquellas hormas, curvas y torpes, salían de los pies de mi padre y de mi madre y, más tarde, de los míos. A partir de nuestros pies, moldeaba zapatos de tela, cortaba patrones y, para los que tuviesen dinero en Gori, ponía piel sobre aquellas hormas.

Mi padre no era buen zapatero, se arriesgaba; tenía ambiciones.

Mi padre levanta la vista de lo que cose para mirarme. Me pregunta, cortando el aire:

—*¿Dónde está la tela?* —A su derecha, las tres hormas de madera se levantan como cuernos de alce. A su izquierda descansa un vaso vacío con una botella de vodka abierta al lado.

—*Aquí, papá.* —Empujo hacia él un rollo delgado de lona, ensangrentado en los bordes. Mi padre inspecciona la tela y me pregunta cuánto pagué por ella. Mientras toco con el dedo el rublo que tengo en el bolsillo, le miento—: *Todo el dinero que me diste.*

—*¿Y de dónde salió esto rojo?* —Me mira fijamente.

—*De Sergei, que se cayó de mis hombros. Se hirió en la cabeza.*

—*¿Es eso verdad?* —Mi padre se reclina en la silla.

—*Es la verdad.*

Juego con el rublo de mi bolsillo; no dejo de pensar en el tajo blanco y rojo de la garganta.

—*No sé por qué no te creo.* —Mi padre hace un sonido gutural.

Mi madre levanta la vista de su costura y con su voz feroz, pero baja:

—*Créelo.*

Me paro entre ellos, a la espera. Pero hoy está distraído. Vuelve a su trabajo. Rellena el vaso que tiene al lado. Comienza a trazar un patrón sobre la tela gris. Está agitado. Hoy es el día que el príncipe Amilakviri vendrá para que le remiende las botas. Está seguro de ello. Mi padre quiere que el príncipe piense que es un hombre muy trabajador. Que vea que no es un zapatero cualquiera del *dukhan*, de los que cuentan las botellas que se han bebido antes del amanecer.

Después de trazar los patrones, deja a un lado la tela y viene hacia mí. Me muevo lentamente hacia él, pensando si se le ha olvidado lo de la tela y lo del dinero. Lo observo ahora con el cuerno de cera, pasando el hilo por la olla y luego cosiendo el cuero, mostrándome cómo se derrite la cera al pasar el hilo. Le demuestro que he entendido con un movimiento de cabeza, me muevo por encima del desnivelado suelo hacia la esquina donde se sienta mi madre. La seda de Armenia para la hija del mercader sale ondulante desde la aguja de su máquina. Se ha pasado la mañana lavando las camisas del mercader. Despide un olor tan húmedo y mojado como una lavandería. Ahora, se pasará la tarde cosiendo. Sus manos se mueven rápidamente, ligeramente pecosas como la parte interior de una orquídea, con sus dedos hinchados como los de una mujer más vieja. Su pelo rojo se ve oscuro entre las sombras del cuarto. Me acerco a ella y meto la mano en mi bolsillo.

—*Soso* —me dice, levantando la vista de su labor—, *ven con tu vieja madre, déjame ver tu brazo.*

Levanto el brazo malo, con mi padre a mi espalada y el rublo en mi mano. Mi madre revisa las venas cercanas al codo y mira el rublo, noto su peso en la palma de mi mano. Nos miramos un instante y coloco el rublo en su mano, y pongo mi dedo sobre sus labios en señal de silencio. *El alquiler*, le digo sin hablar. Sus ojos se abren. Se gira hacia mi padre, cerrando su mano sobre el rublo. Cuando finalmente mi padre sale de la casa para encontrarse con sus amigos en el *dukhan*, me llama.

—¿*Cómo?* —me pregunta.

—*Hoy vi cómo mataban a un hombre. Cogí su tela. Esto es para el alquiler del próximo mes. Tómalo, antes de que se lo beba.*

—¿*Le cogiste tela por valor de un rublo a un hombre muerto?*

—*Ya no lo necesitará.*

—¿*Esto es lo que te enseñan en la escuela?* —Mueve su cabeza con tristeza, pero coloca al rublo en la bolsa.

—*Me lo enseñé solo* —le digo. En mi cabeza, pienso en Koba, cabalgando montaña abajo, peleando por su familia y por su libertad—. *Ya soy un hombre, mamá.*

Mi padre vuelve algunas horas más tarde. Ansioso, puesto que está seguro de que el príncipe vendrá, querrá que le remiende sus botas para la caza y nos dejará un saco de rublos, suficientes para un año. Está seguro de que el príncipe desmontará de su caballo negro, lo alabará a él, a Iossif Djugashvili, por su trabajo y lo invitará a palacio para convertirlo en su zapatero personal, y su fama se extenderá a todas partes.

Mi padre arrastra su largo cuerpo entre la puerta y, por un momento, se apoya en ella. Entorna los ojos. «Soso.» Dice mi nombre con voz sorda, como el paso del tren transcaucásico. Me sumerjo en la Biblia para la lección del día siguiente.

Viene hacia mí. Mi madre levanta la vista de la ruidosa máquina, con los brazos llenos de ropa interior de seda Armenia. Se para mirándome desde arriba.

—¿*Qué dirá el príncipe cuando le diga que mi hijo es un mentiroso?*

—¿*Papá?*

—*Hoy hubo líos en el mercado. El vendedor de telas dormía con la mujer de Iremashvili. Le cortaron la garganta al vendedor* como si fuera una sandía. La gente se lanzó sobre su puesto como buitres. ¿Tú pagaste por esta tela?

—Sí, papá.

—¿Dónde está mi dinero?

—Se lo di al vendedor.

—Muchacho, no te creo.

—Créelo —desde las sombras, la voz de mi madre.

Los ojos de mi padre, nublados por el alcohol, ruedan por la habitación. De pronto, recuerda.

—El príncipe —le dice a mi madre—, ¿no me ha buscado el príncipe?

—Nadie te ha buscado, Iossif.

—¿Nadie?

—Nadie.

Se tambalea hacia su silla. Sus ojos están fijos en mí.

—Ven para acá, Soso.

Hay un tono pesado en su voz. Miro a mi madre y luego a mi padre. Ella se gira. Me acerco a él. Me hace señas con la mano izquierda, le falta la punta del índice, se la cortó hace tiempo con el cuchillo para la piel.

Nunca pude entender a mi padre. Sus pensamientos eran tan lentos y oscuros como el río Kura. Cierro los ojos y espero a que coloque sus manos alrededor de mi cuello. En cambio, me agarra bruscamente del hombro y me dice:

—Tú te mueves demasiado despacio. No puedo confiar en un hombre del que no le puedo oír sus pasos. —Me empuja, alejándome de él—. Ve, deja tus libros y mezcla la pasta —me dice.

Mezclo un cuarto de taza de harina, un dedal de sal y una taza de agua encima de la estufa. La receta del zapatero. Mi padre se queda sentado, mirando fijamente por la ventana, con un punzón en forma de diamante en una mano y un vaso en la otra, esperando a que la pasta esté lista. Luego, unirá el cuero con la pasta y utilizará el punzón para perforar figuras de diamante por donde pasará el hilo encerado. Lo he visto innumerables veces. Mi madre termina de coser y se frota los ojos. Se echa hacia atrás, mueve los dedos y, de una olla que está cerca de la máquina, se unta aceite y sal sobre las manos para mantenerlas suaves. Excepto por las burbujas que hierven en la estufa y el sonido como de papel de las manos de mi madre, está todo en silencio. Continúo removiendo la pasta sobre la estufa, contando mentalmente hasta un minuto. Pienso en el vendedor y en el agujero rojo de su garganta. Dejo de contar, recordando la cabalgata sobre los hombros de Sergei, yo tan alto como la montaña Kazbec.

—¡*Soso!* —Mi madre grita y deja de frotarse las manos, la pasta está hirviendo sobre la estufa y una blancura pegajosa se desborda por los bordes de la sartén.

Mi padre se despierta, gritando:

—¿*Y tú te consideras hijo de un zapatero?*

—*Sí, papá.*

—¿*Quieres llegar a zapatero?*

—*Sí, papá* —respiro hondo, la mentira me sale suavemente. Me giro para mirar a mi madre. Ella quiere que sea sacerdote.

Yo quiero ser tan alto como las montañas. Estoy destinado a grandes hazañas.

De pronto se lanza encima de mí, con el punzón de diamante en la mano.

—*Es un tonto. ¡Los curas y esos libros lo han vuelto un tonto!*

Mi madre le grita. Me cubre con su cuerpo y coloca sus manos encima de mi cara. Mi padre se lanza encima de ambos con el punzón, queriendo estamparnos en pedazos con forma de diamante. Mi madre levanta una horma de zapato, moldeada a partir del pie de mi padre y se lo lanza, pegándole en el pecho. Le falta el aire y cae contra la pared.

—*Solamente hay un tonto en la familia* —le espeta mi madre. Me abraza, con sus rugosas-suaves manos me tapa los ojos; mis ojos arden por la sal y están pegajosos por el aceite. Miro a mi padre a través de las pestañas bañadas de aceite.

El príncipe no llegó.

EL DIAGNÓSTICO DEL DOCTOR VISHNEVSKI
Moscú, enero de 1952

El doctor Vishnevski consulta sus anotaciones. Sabe que el diagnóstico no es favorable y se pregunta qué hacer o decir. Está empezando 1952. El *Khozyain*, el jefe, no está bien de salud, pero ¿cómo decirle que la lenta arteriosclerosis le está afectando al cerebro? Vishnevski recuerda su última visita a Iossif Vissarionovich; la silla patas arriba, los insultos, la incredulidad. Después de haber vivido todo lo que había vivido, el *Khozyain* no podía creer que el *tiempo*, el más arcano y temible enemigo de todos, se ponía ahora en su contra. En ese entonces, el mal humor de Stalin se volvía más pronunciado: oscilaba entre la sospecha y el deleite. Ahora, se forman en sus lóbulos frontales pequeños quistes, unos encima de otros, extrañamente brillantes. Vishnevski sabe que con el tiempo reventarán mortalmente y que las cosas jamás volverán a ser iguales. Estos últimos años, ha advertido a su jefe de la hipertensión y de la arteriosclerosis, le ha recomendado que descansara por el bien de su salud. Pero cada vez, Stalin se ha resistido. Ahora, con el último informe de la salud de Stalin delante, Vishnevski se siente incómodo. El informe indica alteraciones en la circulación cerebral y en la masificación de los quistes de los lóbulos frontales, el área del cerebro que gobierna las complejas formas del comportamiento. Es un hecho irrefutable: el camarada Stalin necesita una estricta vigilancia.

Vishnevski sabe ahora que los días de Iossif Vissarionovich están contados; esferas color de ostra se superponen; una oscura masa delante de su cerebro.

Vishnevski se inquieta. Maldice. Luego, decide la mejor táctica, de hecho, lo más seguro es que él dicte las instrucciones a través de un intermediario. Así se librará de las pataletas y caprichos del *Khozyain*. Se queda mirando el teléfono de baquelita que brilla sobre su escritorio y decide llamar al único hombre que puede ayudarle en tan delicada situación: Lavrenti Pavlovich Beria.

Esa noche, en los apartamentos del Kremlin, cuando todo el mundo se ha retirado y Stalin ha vaciado dos botellas de un pálido vino de Georgia, Beria le pregunta por su salud.

—Fuerte como un toro —asevera Stalin.

—Vishnevski no piensa lo mismo.

—Vishnevski es un perro siniestro. No le escuches.

—Dice que estás muy enfermo —presiona Beria—. Dice que es necesario que te apartes de la vida pública y hagas un prolongado período de tratamiento médico. Está muy preocupado por tu salud.

—Es un canalla que intenta deshacerse de mí.

—Quizá —consiente Beria—, quizá lo sea...

Stalin piensa en todos los médicos que había tenido y se habían rendido. Había comenzado hacía muchos años. Recuerda el tema de su mujer, su muerte certificada como consecuencia de una apendicitis. ¿Cuántas muertes se habían certificado de esa manera? No se debía confiar en los hombres de bata blanca.

Stalin apunta un vaso en dirección a Beria, falla, y el vaso se estrella contra la pared.

—Dile a esos de bata blanca que se vayan al infierno. Diles que estoy en mi mejor momento.

—Desde luego —dice Beria, saliendo rápidamente, con los pantalones salpicados de vino.

IOSSIF VISSARIONOVICH STALIN
Dacha en Kuntsevo
Diciembre, 1952

Stalin duerme intranquilo. Está preocupado por la sombra del enemigo. Se pregunta: ¿cómo se sentirá el enemigo? ¿Cuál es la forma y textura del enemigo? ¿Era la pálida y somnolienta forma de su mujer durante todos esos años en la habitación contigua? ¿Era la inclinación de su letra sobre el papel color marfil?

¿Era el hombre que estaba en México, *el judío*, con el cráneo aplastado por un piolet?

Se pregunta: ¿está en el color del agua con yodo que tomo para mi presión arterial? ¿Será el enemigo del color de la ceniza; de las últimas colillas en el cenicero, los últimos cigarrillos que nunca fumaré?

¿Dónde está el enemigo?

De noche, el enemigo lo presiona tanto que por las mañanas se despierta cansado, con la cabeza latiéndole extrañamente. Su visión se nubla, primero en un ojo y luego en el otro.

Se estira para alcanzar las pastillas para la presión arterial que Vishnevski le recetó hace meses. Aún confía en las pastillas, disolviéndose rosadamente sobre su lengua.

Ya no confía en el doctor Vishnevski.

Stalin observa sus dedos manchados de nicotina y recorre con la lengua sus dientes amarillentos. Decide, después de cincuenta años, que dejará de fumar. Su salud durante los pasados años no ha sido buena, aunque le cuesta admitirlo. Terribles dolores de cabeza lo aquejan durante días; lo hacen destrozar las vajillas en la alacena de Kuntsevo, en busca de remedios que pudieran estar escondidos tras los platos con orillas doradas y las soperas acanaladas; rasgado por los dolores en las tempranas horas de la mañana. El dolor comienza cuando ya ha enviado a sus colegas a casa, después de que hayan cenado con él y bebido su vino, después de verlos emborracharse, cuando ya se han ido, dejándolo solo.

Un viejo, solo en su silla, con un dolor terrible que le nubla la visión.

Se consuela a sí mismo con los elogios oídos en su setenta cumpleaños, repitiéndose las frases para sí mismo: «El Gran Filólogo, el Genio de la Economía, el Gran Jardinero, el Transformador de la Naturaleza, el Mejor Amigo de los Gimnastas Soviéticos».

Ese dominio no ha llegado fácilmente. Ha costado trabajo ganárselo. La Naturaleza no lo bañó en riqueza. Ha triunfado por encima de sus defectos.

Nunca ha gozado de las ventajas naturales de sus contemporáneos. Por ejemplo, Trotski y Zinoviev. Ambos altos, apuestos y seguros de sí mismos. Nunca pudo competir con sus palabras cosmopolitas dirigidas hacia él como cuchillos. Pero los ha sobrevivido y ha sido más listo que todos ellos.

Durante toda su vida ha tenido que batallar para salir de la sombra.

Incluso Lenin tenía problemas para verlo con claridad.

Lenin, en los primeros días, apreciaba el dinero que llegaba de los asaltos bancarios en Georgia. Stalin recuerda claramente el asalto de Erevan en 1907. El giro que provocó. Cómo lo planeó y cómo no se llevó a cabo de acuerdo con lo planeado. Murieron transeúntes y hubo gente que salió pisoteada. Pero el Partido obtuvo el dinero y *cada revolución debe tener sus víctimas*, como dijo en alguna ocasión Molotov. Lenin había recomendado que Iossif Stalin, *ese espléndido tipo de Gori*, fuera trasladado a Moscú. Seis meses más tarde, después del audaz asalto a Erevan, después de finalmente haber llegado a Moscú, Lenin lo observa desconcertado, sin poder ubicarlo. No puede recordar su nombre. Aún le duele ante la humillación que eso significó.

Luego, los pronunciamientos de Trotski: *La mayor mediocridad del Partido. El enterrador de la Revolución.* Jamás lo había olvidado, nunca había perdonado al *judío ese*. Se lo había hecho pagar.

Su vida entera ha sido testigo de la transformación de la naturaleza: moldear la vida a su voluntad. No ha sido fácil esta transformación. Y no dejará escapar fácilmente esta vida.

Estudia los informes del profesor ucraniano Bogomolet sobre el rejuvenecimiento. Descubre que a veces le falla la vista del ojo izquierdo. Estos últimos años le ha dado por tomar baños de sosa, recomendados por la doctora Lepeshinskaia. Se pregunta sobre la *sus-*

tancia vital que lo une todo y que si, caso de ingerirla, se podría prolongar la vida. Hay enemigos por todas partes que desean ver que su vida se extinga. Quieren destruir todo lo que él ha construido.

Manda colocar más cerraduras en las puertas, reforzando su vida contra el enemigo. Carga con un inmenso anillo metálico en el cual están las llaves de cada puerta de cada habitación de cada una de las dachas. Durante los últimos cuatro años ha empleado a un técnico en alimentación que le puede dar un desglose científico de cada pedazo de comida que le sirve el cocinero que lo ha acompañado durante los últimos veinte años. Exige que la comida sea probada por el técnico en alimentación y que lo haga en presencia de un médico. Por las noches, rodeado por sus colegas, los insta a que coman primero que él, analizando sus reacciones antes de atreverse a llevar el tenedor a sus labios.

Despide al médico. Despide a cualquier empleado que utilice zapatos de suela ligera. *No puede confiar en un hombre a quien no se le oigan los pasos.* Tiene profunda desconfianza hacia quien mete su mano en el bolsillo del pantalón. No confía en lo que no pueda ver. Intenta ir un paso por delante de los disimuladores y halagadores, los que ya no le dan una imagen precisa de sí mismo.

Se pregunta cómo ha llegado a esto.

Se pregunta por qué se siente tan solo dentro de un palco repleto en el Bolshoi, el día de su setenta aniversario, rodeado por sus admiradores. «Abren la boca y gritan como tontos —le dice luego a su hija—. Los desprecio.» Anhela que un buen hombre llegue y le diga la verdad. No puede hallar un solo buen hombre. Admite el aplauso y la sangre comienza a golpearle la cabeza, se marea y se deja caer sobre su asiento.

Recuerda haber visto cómo caían hacia el suelo los árboles de hoja perenne en la dacha de Kuntsevo. El placer que sentía de hacer que la Naturaleza cayera de rodillas. Sin necesidad de enfrentarse desde la ventana a los secretos de la longevidad y la inevitabilidad de su propia muerte, sino escondido entre las espirales de los troncos y la regeneración de la vida de sus ramas.

La Naturaleza, siempre manteniendo alguna cosa lejos de él. Tenía que hacer algo al respecto.

En 1948 había lanzado el «Plan para la Transformación de la Naturaleza». Los ríos serían dirigidos. Los bosques serían domesticados. La marcha hacia el futuro implicaba el triunfo sobre las fuerzas naturales. Cuando el hombre lograse poner a la Naturaleza bajo su control no habría límite a sus logros.

Tantas transformaciones.

Se había transformado a sí mismo. El terreno y la topografía de su cuerpo eran las cicatrices sobre la tierra de su nacimiento. Y había conseguido superar esos defectos. Conquistándolo todo menos el acento, había cargado Georgia sobre su espalda y se la había ofrecido a la Madre Rusia, la más exigente de todas las madres, y ella la había aceptado.

Su propia madre había muerto en 1936 a la edad de ochenta años. Era una vieja bruja devota, pensó, que nunca lo comprendió. Al final de su vida seguía lamentándose «Qué lástima que nunca llegaras a ser sacerdote».

Su padre. Pero era mejor no recordar a su padre. Borracho y desangrándose después de una pelea a las afueras del *dukhan*. Su padre no vivió para ver al joven Koba convertirse en Stalin. No vivió para ver sus logros.

Recapitulando, él cree que la Gran Guerra Patriótica fue su mejor logro. Se acaricia el bigote, recordando a Hitler, la confederación y luego la traición de Hitler. Esa traición aún le sacudía.

Últimamente, piensa más y más en Gori, en Georgia, y en la muerte de su segunda esposa. Su traición. A veces, mira el espejo de laca que ella guardaba en su vestidor. Es el único recuerdo que ha conservado de su vida juntos. A ella también le interesaba domesticar la Naturaleza. Su pasión por los plásticos. Ahora la comprende mucho mejor que cuando estaba viva.

En una alacena de Kuntsevo hay un viejo abrigo de Georgia; ardilla por dentro y venado por fuera. A menudo descuelga ese abrigo y su gorro de piel de reno y se sienta en el sofá de Georgia, intentando distraerse del dolor que lleva en su cabeza, se sienta respirando el calor de las pieles y viendo cómo acuden los recuerdos. En particular, le gusta recordar una pequeña película de la época de la Gran Guerra Patriótica. Una película de Arnshtam y Kozintsev. Toda la película consiste en una escena corta que se repite una y otra vez. Napoleón está en la oficina de telégrafos, intentando pasar un mensaje a Hitler. Sigue intentando hacer pasar el mensaje para advertirle a Hitler del peligro de invadir Rusia. «*Yo lo he intentado* —dice Napoleón— *Yo no lo recomiendo*.» Napoleón en una oficina de telégrafos. Stalin se recuesta sobre su viejo abrigo de venado y se ríe al recordar la escena. *Yo no lo recomiendo*. Se lo repite a sí mismo, una y otra vez, con las imágenes de Napoleón y de Hitler borrándose en su mente, riéndose hasta quedarse dormido en su silla, riéndose hacia su sueño georgiano.

EL SEMINARIO
Tiflis, Georgia, 1898

Los muros del seminario son de color gris prisión. Iossif Vissarionovich, también conocido como Soso, se desconcierta con una pregunta: *¿Cuántas lenguas se sabía el asno de Balaam?* Balaam, el ángel con su burro. El asno de Balaam implorando la piedad del profeta ante el ángel del Señor. Soso rebusca en su memoria. La voz de su borrico: *¿Qué te he hecho, que me has pegado ya tres veces? ¿Acaso no soy tu burro, sobre el cual has cabalgado, desde que soy tuyo?*

Un milagro, dice el monje. Un cuento de hadas, piensa Soso. Una cosa es cierta: si el burro hablara georgiano, no sería una pregunta de examen. Sonríe, muerde la punta del lápiz y comienza a escribir.

Justo esa mañana, mientras estaba en el lavabo, los monjes habían pasado por los dormitorios, confiscando materiales de lectura, con los oídos puestos por si escuchaban georgiano, la lengua prohibida. El único georgiano que se oía dentro de esos muros era el recuerdo de la maldición de un nacionalista y de una bala georgiana que mató al prefecto algunos años antes.

De noche, bajo las mantas, el muchacho susurra en la lengua prohibida.

En su casa de Gori, su madre, Ecaterina, cose la ropa de los ricos mercaderes y confecciona crucifijos para los muros de su hogar con los restos de seda. Besa los crucifijos de seda y le pide a Dios que vele por su astuto hijo *Iossif*, su *Soso*, que está en el seminario de Tiflis a cien kilómetros de distancia. Le reza para que algún día sea el mayor sacerdote que haya producido el pueblo de Gori.

¿Por qué todo debe estar en ruso?, piensa Soso Vissarionovich.

Susurros de camino a la capilla. Allí, el agujero en la pared producido por la bala del asesino en 1883; el prefecto asesinado por un estudiante que había sido expulsado por actividades antirusas. Allí, el ladrillo suelto, bajo el cual se colocan las cartas de los alumnos expulsados. Soso compone un verso mentalmente que luego será publicado en un periódico liberal, *Iberya* en Tiflis. Ya es un revolucionario. En sus días de descanso distribuye panfletos del SDLP para los obreros en huelga de las fábricas y del ferrocarril. En la capilla, con la cabeza inclinada, el cabello oscuro cayéndole sobre los ojos, se pone a leer el principio de Darwin, oculto entre las páginas del misal. Soso eleva su voz y mira a su alrededor hacia los muros húmedos y piensa en los animales que sobreviven a todo para propagarse y así volverse tan fuertes como el acero, tan fuertes como el hierro. Los organismos menores se quedan rezagados. A lo largo de su vida no se quedará rezagado. Está decidido a que eso no ocurra. Lee:

> *Así, de la guerra de la naturaleza, del hambre y de la muerte el más exaltado objeto que seamos capaces de concebir, es decir la producción de los animales superiores, proseguirá directamente.*

Escucha las agudas voces de sus compañeros, elevándose a un Dios en el que creen muy pocos. Aun si fueras creyente antes de ingresar aquí, piensa el muchacho, la creencia no podría sobrevivir a las palizas y a las acusaciones, al desagradablemente húmedo olor del miedo que impregna estos muros.

¿Qué temen?

Hermogenes, el gran monje ruso, prefecto del seminario, teme por su vida. Teme que algún alumno irritado intente asesinarlo, de la misma manera que cayó su predecesor.

El inspector de policía Abashidze teme que un complot antizarista se extienda entre los brillantes jóvenes del seminario y de allí hacia los recién formados círculos obreros. Los talleres ferroviarios están en el centro de la agitación. Los nuevos obreros industriales han sido atraídos por Tiflis. Los rusos habían construido las vías férreas, habían visto Georgia como un bastión contra el imperio otomano. Tiflis era el punto de unión de la línea transcaucásica. Pero ahora las cosas estaban cambiando. Nuevas ideas cuestionaban el orden existente. Se extendían peligrosas ideas de independencia entre los obreros ferroviarios. El inspector en jefe teme por la supresión de todos los privilegios que él, como hijo de un campesino georgiano, había tan difícilmente adquirido. ¿Por qué los georgianos no habían aprendido a aceptar su parte e incluso a sacarle provecho?

El hermano Pavel teme a los muchachos y, sobre todo a sí mismo, al deseo contra natura que los muchachos despiertan en él.

Muchos de los jóvenes temen que las cosas no estén cambiando a la debida velocidad. Son nacionalistas. Temen represalias por su resistencia.

Dentro de estos muros, hay suficiente temor para todos.

El monje Pavel es a quien más teme y odia Soso. El hermano Pavel es tan delgado como un lobo y tiene el instinto de lobo para la matanza. El hermano Pavel se puede esconder detrás de puertas y ventanas. Su olfato puede percibir una vela bajo las mantas en la noche. Los dominios de Pavel son los fétidos dormitorios e informa directamente a Hermogenes y al inspector en jefe Abashidze. Confisca ejemplares de Darwin, de Mill, de Chernyshevski y denuncia a los alumnos lectores ante el inspector en jefe. Circulan chistes, en voz baja, por los dormitorios, pero le parecen poco divertidos a Soso Vissarionovich.

> *¿Por qué el hermano tiene orejas?*
> *Para escuchar mejor a la policía secreta.*
> *¿Por qué el hermano Pavel tiene manos?*
> *Porque a Dios se le agotaron los látigos.*

En una ocasión, el hermano Pavel sorprendió a Soso Vissarionovich leyendo *El noventa y tres*, la famosa novela de Victor Hugo sobre la Revolución francesa. Encontró al muchacho leyendo debajo de una escalera. Tenía que estar limpiándola. Se apretó contra la escalera, para evitar el palo que volaba sobre su cabeza, y se estrelló contra la pared; como el burro de Balaam, lejos de la espada del ángel.

El hermano Pavel confiscó inmediatamente el ejemplar. Le lanzó una cubeta de agua a los pies y le pegó en la cabeza. Hizo como si levantara la túnica del muchacho, para meterle por la fuerza el palo. Este era el castigo favorito del hermano Pavel. Los muchachos temían más a este castigo que al sentir la barba del hermano Pavel sobre su piel. Solo en ese mes, dos de los amigos de Soso no habían podido cortar la hemorragia, después de que el hermano Pavel los descubriera con libros prohibidos, y utilizara su crucifijo especial para empalarlos; sangre por toda la sábana, sangre en la parte trasera de las túnicas marrón al sentarse.

Pero el hijo del zapatero era demasiado rápido. Se replegó hacia la pared en el momento exacto en que el prefecto Hermogenes aparecía por una esquina, pudo ver al muchacho empapado y temblando dentro de su túnica y al monje que gozaba de su triunfo con la novela apretujada en su mano.

Bien hecho, hermano.

El hermano Pavel asintió y se inclinó. Dejó el palo. Los dos hombres se llevaron al joven hacia las celdas que se hallaban en el extremo del seminario, donde lo confinaron tres días. Finalmente, Soso confesó estar suscrito a la biblioteca de préstamo que había en el pueblo.

—*¿Qué otros libros has leído? ¿Qué otra sedición has traído hasta aquí?*

Soso recordó a los organismos según Darwin, cómo competían, morían y nacían.

—Ninguno —dijo—. Solamente leo los libros del Señor.

—*¿Solamente? ¿Y los otros muchachos?*

De pronto, se abrió otro camino ante Soso Djugashvili, el hijo del zapatero. Pensó en los otros muchachos del seminario. Los muchachos de las familias pudientes. Hijos de los viticultores y de los mercaderes de trigo. Muchachos con la piel tersa y las manos suaves. Muchachos que habían juzgado su piel cacariza y su codo débil como marcas de inferioridad.

> *Todos los seres orgánicos están expuestos a tener competencia... la lucha casi inevitablemente será de lo más severa ente los individuos de una misma especie, pues frecuentan los mismos distritos, requieren los mismos alimentos y están expuestos a los mismos peligros... Deudor de esta lucha por la vida, cualquier variación, por ligera que sea... de llegar a ser en alguna medida provechosa para el individuo de una especie... tenderá a servir a la preservación de ese individuo...*

Repentinamente, supo lo que tenía que hacer. Esa noche estaba programado un círculo de estudio en los talleres ferroviarios. En su bolsa traía una arrugada página de *Das Kapital*, copiada a mano de la única traducción rusa que había en Tiflis. Quería discutir esas ideas. Esa noche necesitaba distraer la atención.

—Esta noche —dijo sin dudar, mirando directamente a los ojos pálidos del hermano Pavel—, encontrará a Leonizde y a Sylvester en la biblioteca de préstamos del pueblo.

El hermano Pavel dejó de lado el puntiagudo crucifijo, tallado para castigos especiales, tocó con los dedos la sucia túnica del muchacho, la soltó, y pensando en las suaves y blancas nalgas de Leonizde y de Sylvester, dejó escapar una sonrisa amarilla.

DOCTOR VISHNEVSKI
Moscú, 6 de noviembre de 1952

Durante veinte años, Vishnevski ha sido el médico personal de Stalin, el cirujano más eminente de Moscú dirigiéndose en privado a Stalin como *Khozyain* empleando el tono deferente de todos los empleados del Kremlin. Vishnevski rara vez veía a Stalin. El doctor sabía que su paciente más ilustre tenía una desconfianza campesina hacia la profesión médica; los ojos de Stalin se entrecerraban cada vez que pasaba por el quirófano, «Ustedes han matado más gente que todos los generales juntos». Hace años, Stalin le había lanzado esto durante su primera entrevista. Vishnevski, joven, nuevo en la profesión, había sonreído nerviosamente, «Solo cuando somos requeridos». Iossif Vissarionovich lo miró con aprobación.

Vishnevski no sabía qué conclusión sacar de su primer encuentro, pero lo vio más claro algunos meses más tarde, cuando recibió la primera llamada del Kremlin a una hora intempestiva. Un Iossif Vissarionovich taciturno le había dejado entrar a la habitación de Nadezhda Alliluyeva, su segunda esposa, y le había ordenado, «Limpie todo esto». Las manchas de sangre sobre la alfombra y luego el certificado de defunción, firmado por Vishnevski con mano insegura. La causa de la muerte registrada por el joven médico en el hospital del Kremlin: *Apendicitis. Aguda.*

Durante veinte años había vivido sabiendo que una firma cambió su vida. Había vivido bien desde la muerte de Nadezhda Alliluyeva. Había habido rápidas promociones. Los privilegios del oficio: el apartamento de cuatro habitaciones, el coche con chófer, el prestigio acumulado desde que un garabato al final de una página había confirmado una más que improbable causa de muerte, la suave presión de la mano de Stalin sobre su hombro mientras firmaba, esa voz en su oído: *Usted es un buen y leal camarada*.

Su familia había vivido bien desde esa firma.

No era ningún crimen.

Vishnevski disfrutaba cruzando las calles de Moscú; los emocionantes murmullos al ser reconocido. Sentía que le vibraba en la punta de los dedos, ese reconocimiento, esa emoción. Disfrutaba con los veranos que pasaba en la dacha de madera que se le proporcionaba en el mejor sitio, al lado de la línea férrea de Kazan.

Ahora se sienta en el apartamento del Kremlin, haciendo girar una pequeña pipa de madera entre los dedos, la pipa que lleva grabado su nombre, un regalo de cumpleaños del camarada Stalin de hace diez años. Hoy cumple cincuenta años. Ha estado sentado todo el día cerca del fuego, dándole vueltas a la pipa en sus manos. Espera telegramas de felicitación. Espera que el teléfono suene en cualquier momento y que sea citado a una cena en su honor.

Se acerca la medianoche.

El médico más eminente de Moscú se sienta solo la noche de su cincuenta cumpleaños. Alguien llama a la puerta, la sirviente acude y Vishnevski se mueve ansiosamente hacia el sonido de las voces; el telegrama queda aprisionado en su mano, presionado por la ansiedad de su cincuenta cumpleaños. Se queda mirando el escueto grupo de letras que hay en el papel.

CAMARADA DOCTOR.

SALUDOS.

CAMARADA STALIN.

El doctor va hacia un cajón en el que guarda su correspondencia privada. Compara la brevedad del telegrama de su cincuenta cumpleaños con los de los pasados veinte años. Los ojos de Vishnevski recorren los años: las palabras «estimado», «respetado», «valorado», «inestimable», se repiten. Ahora que llega a los cincuenta, parece haber cesado el flujo de las palabras. Las pantuflas de Vishnevski agitan el tapete. Durante semanas ha tenido un dolor en su hombro derecho; la presión de veinte años causándole dolor por las noches.

Ahora sabe lo que tiene que hacer.

Vishnevski va a la alacena y saca un pequeño maletín de cuero con pesadas correas negras. Es el maletín que ha utilizado durante veinticuatro años para hacer sus visitas a los apartamentos del Kremlin. Quita los vendajes de crepe, las jeringas, los remedios para dolores de cabeza y los sedantes. Apila las herramientas de su vida sobre el piso y vuelve a llenar el maletín con dos pares de ropa interior, un chaleco y dos pares de calcetines. Quita la fotografía de su difunta esposa de un simple marco de madera que hay al lado de su cama. La fotografía, tomada en los primeros años de su matrimonio, muestra los ojos francos y seductores de su mujer. Se queda mirando aquellos ojos de un tiempo lejano y ahora solo puede observar los arabescos de su propia firma; la vida que les proporcionó, lo que no se habló entre ellos, la mano de ella encima de la de él; su secreto. Voltea la fotografía, para no tener que ver más aquellos ojos, cierra el maletín, lo empuja debajo de la cama, y espera.

Vishnevski se había hecho ilusiones sobre su cincuenta cumpleaños durante los meses precedentes. Despierto, tenía sueños en los que los relámpagos de mercurio de 1949, el año del setenta cumpleaños de Stalin, le venían a la cabeza. La imagen de Iossif Vissarionovich proyectada desde un aeroplano encima del Kremlin, iluminando Moscú, la imagen volando sobre la ciudad, capturada por los proyectores de luz. El camarada Stalin como una esfera que bajaba hacia la gente. Los edificios gubernamentales de la ciudad iluminados por dentro y por fuera; funcionarios sentados en sus escritorios, sin poder dormir, esperando la llamada del hombre cuya imagen sobrevolaba afuera de sus ventanas. La mayoría de los *apparatchiks* dormitaban en sus escritorios, con gastadas almohadillas donde sus cabezas reposaban noche tras noche anticipándose, esperando alguna instrucción del hombre que nunca dormía. La noche del setenta cumpleaños de Stalin fue la noche en que nadie durmió en Moscú.

Vishnevski fantaseaba a menudo sobre la proyección, en zepelín, de su propia imagen: el curador de Moscú, irradiando sobre la ciudad.

Durante meses el médico había ensayado sus reacciones ante tal homenaje, que estaba seguro de que llegaría; su imagen proyectada a través del cielo de Moscú. Ensayó el movimiento de incredulidad con la cabeza; la palma extendida diciendo que no, que bajo ninguna circunstancia podía aceptar tal honor. Luego, su parte favorita: el movimiento de resignación con hombros, los ojos hacia abajo, la boca temblando de gratitud al acceder al deseo del Politburó de que todo Moscú celebrase su cumpleaños. Era inevitable. Vishnevski, ensayando todo el repertorio de respuestas frente al espejo, había elegido. la fotografía perfecta de él mismo a los cincuenta años; cabeza y hombros, mirada fija, pelo abundante. Discretamente apuesto. Su cuello cubierto por las medallas de la Orden de Lenin. Así es como le habría gustado que lo recordaran. Imaginó su imagen proyectada sobre Moscú. ¿Qué importaba si en realidad perdía pelo y le salían canas? ¿Qué importaba si había enviado su fotografía para que fuera retocada por un profesional? En 1949, la imagen de Stalin que surcaba el cielo de Moscú no tenía ningún parecido con la del hombre avejentado de pelo blanco, frente baja, piel cacariza, el hombre a quien Vishnevski había atendido durante tanto tiempo. Desde luego que no. En ese entonces, Iossif Vissarionovich no aparecía tan frecuentemente en público. La gente no podía verlo encorvarse, su piel palideciendo gradualmente, la tirante gravedad de sus facciones. No.

La gente quería la virilidad de las facciones fuertes, el resistente bigote negro que había poblado sus décadas. Un rostro que habían llegado a reconocer como suyo.

La posteridad era un juez severo. Uno quería quedar de la mejor manera. Vishnevski aprobó su imagen retocada a los cincuenta años: lleno de pelo, erudito.

Así deseaba ser recordado.

Ahora contempla el horror de ser recordado de una manera diferente. O de ser olvidado. O peor aún, de ser recordado por una acción que lo había atormentado veinte años antes, pero con la cual había pactado una tregua de memoria. ¿Qué opciones le quedaban en este momento? ¿Qué salida tenía? ¿Revelar que la esposa del camarada Stalin se había matado con sus propias manos; o quién sabe si a manos de otro? Vishnevski nunca tuvo la certeza. Jamás se tomaron huellas digitales del arma. Tales revelaciones habrían debilitado los logros de la Revolución. *No hubo otra alternativa*. Había jugado un noble papel, no solo protegiendo al camarada Stalin, sino a toda la población soviética.

Por eso lo habían premiado.

Ahora se sienta con su maletín ya preparado. No hay ninguna imagen suya, del curador de Moscú flotando por encima de la ciudad. Los funcionarios del gobierno encorvados encima de sus escritorios, las oficinas iluminadas profusamente como de costumbre, sin nada que pueda molestarlos. Vishnevski se guarda la fotografía de sí mismo, la que lo muestra como le gustaría quedar en el recuerdo. El día se ha ido. La fotografía no ha sido publicada en el *Pravda*. Su nombre no ha sido mencionado en *Radio Moskva*. Algo ha salido terriblemente mal. Se consuela con la idea de que, por lo menos, él no es judío. Pero teme que quizá se ha sobreestimado, queriendo quedar atrapado en el luminoso dirigible de la posteridad. Siente que quizá está siendo castigado por sus fantasías.

El médico más leal del camarada Stalin se sienta sobre la cama, esperando.

Era simplemente cuestión de esperar a que alguien le informara de qué había salido mal y qué se podría hacer al respecto.

El 9 de noviembre, el doctor Vishnevski es acompañado a las dos de la madrugada, con su pequeño maletín de cuero ligero de equipaje, a una habitación sin ventanas de Lubianka. Se le acusa de haber recetado tratamientos equivocados a los miembros del Partido Soviético y a los funcionarios del gobierno y de haber actuado como espía de la Gran Bretaña. Se le acusa de haber tenido en el pasado supuestas simpatías trotskistas.

Se inclina hacia delante, mirando a su acusador; su vida entera se dobla hacia delante. Por primera vez en su vida, no hay gestos estudiados, nada planeado. Recuerda los erguidos cipreses que rodeaban la dacha de Stalin, en ocasión del setenta aniversario del gran líder. La nota triunfal en la voz de Stalin cuando describió los truenos de las ramas. No le importaban los árboles perennes, dijo. Esas constantes imitaciones de su propia mortalidad.

Vishnevski se siente a sí mismo; el derrumbamiento interior. Al quedar esposado a la silla, se arquea como una rama de ciprés apoyada sobre una persiana de madera; el olor del cítrico fermentado filtrándose entre sus sentidos.

ANNA SOLOMONOVNA MARKISH
Moscú, 4 de marzo de 1953

El teléfono suena a las cuatro de la mañana en el Ministerio de Seguridad Interna. La llamada sorprende al oficial. Aún más sorprendido por las órdenes. Sus ojos grises parpadean rápidamente. La situación parece inestable. Impensable. El camarada Stalin.

Lo impensable.

Llama a un chófer y diez minutos más tarde está frente a la puerta del último médico especialista que queda fuera de Lubianka: Anna Solomonovna Markish.

Aporrea la puerta. La patea con la bota.

Anna escucha los golpes en la puerta, el martilleo decidido de cuatro golpes. A través de los finos tabiques que hay entre los apartamentos, Anna puede escuchar cómo se cierran las otras puertas como si fueran tapas de cajas; la gente se encierra al oír los golpes sobre su puerta, porque ese sonido solamente puede significar una cosa.

Abre en camisón, el hombre con el cuello azul reglamentario se la queda mirando. La dureza de su expresión lo desconcierta.

—Es urgente. —La empuja rudamente hacia la habitación—. Vístase.

Anna se pone algo de ropa encima del camisón y coge el maletín medio vacío que tiene cerca de la cama.

—Déjelo —dice el hombre—. A donde usted va, no lo necesita.

Anna empuja el maletín debajo de la cama.

Este es el momento, le ha caído encima. Con la ausencia de sus colegas en el Kremlin, primero Vishnevski y luego los otros, parecía inevitable que le llegara el turno. Empieza a sentir cómo se le desliza su pasado. Lo peor es la espera. Eso es lo que dice la gente. Intenta prepararse. Ha oído hablar de los oscuros sótanos de Lubianka. Las celdas de ejecución; las paredes pintadas de negro y picadas con cal viva; la cal viva que oculta el desorden de órganos internos que regularmente se desparraman por la celda.

Ella sabe que para ir a esas celdas nadie necesita un maletín aunque esté medio vacío.

El coche pasa lentamente por delante de edificios desgastados y fachadas familiares con el amanecer oscilando. El coche acelera al pasar por el hotel Metropole. Uno de sus edificios favoritos de todo Moscú. Desde el asiento trasero, Anna mira la fachada y querría tocarla por última vez; los mosaicos de Vrubel curvando las tejas. El pináculo del Art Nouveau ruso. Ella amaba la arquitectura de esa época. La disolución de las fronteras entre lo bello, lo útil y lo decorativo. Su vida entera atraída por la disolución de las fronteras. En la vida. En el arte. Cuánto había soñado con un futuro así.

Mientras el hotel Metropole queda atrás, ella absorbe su belleza. La perfección de la forma y de la función, la unidad imposible, como un secreto, pesado como un niño en su falda.

Pasan frente al Ministerio del Exterior y el teatro Maly. Con asombro se da cuenta que ya han pasado frente a los ocho pisos del Lubianka.

No lo comprende. ¿Se trata de un retraso? ¿Es un juego? Los fragmentos de su cráneo. Se imagina una cubeta de cal viva señalando el lugar. Esa imagen se queda con ella, mientras sigue sentada en el asiento trasero. Sus acompañantes permanecen callados; el vehículo se acerca a la ondulante vereda que conduce hacia una dacha en las afueras de Moscú. Bajo la luz temprana alcanza a ver las ramas de los árboles perennes, recién podados, amontonadas a los lados de la vereda; pilas en forma de elipse que esperan ser quemadas.

Dentro de la dacha hay temor. El temor que empapa las paredes y acelera la respiración. Temor que emana del viejo que está sobre la cama. Temor de las personas en bata blanca. Todos a su alrededor, temen.

Reconoce al hombre que está sobre la cama como alguien que ha conocido toda su vida. Parece tan familiar y sin embargo tan diferente. Más pequeño, débil, más canoso de lo que hacía suponer la imagen. Se le indica que se acerque a la cama. Observa que el rostro se está apagando, la respiración fatigada. Con estupor se queda mirando la cara del camarada Stalin, está muriéndose.

A su alrededor hay una sensación de actividad, pero nadie se mueve. Ve a los jóvenes internos que reconoce del hospital. Las caras tan blancas como sus batas. Ve cómo se quedan mirando aparatos de respiración artificial que jamás han utilizado. Esperando una orden. Todos miran hacia ella. Comprende que ella es el médico con más experiencia en ese lugar, la única doctora prestigiosa que sigue ejerciendo fuera de Lubianka.

Mira las caras que rodean la cama. Beria, Jrushchev, Molotov. Hombres famosos. Qué pequeños se ven. Qué vulnerables al encarar el poder que se derrama por las sábanas que tienen enfrente.

La respiración de Stalin llena la habitación, un ritmo irregular como el del habla.

—Usted es médico. Haga su trabajo —Beria se dirige a ella.

—Pero yo soy ginecóloga —protesta Anna—. No soy especialista en estas cosas.

—No hay tiempo para especialistas.

Anna sabe que todos los especialistas están en la cárcel. La mayoría de ellos judíos, *asesinos de bata blanca*, acusados de intentar envenenar a los principales miembros del ejército y del Politburó.

Anna se inclina sobre el hombre que está en la cama.

—Se está muriendo —dice.

—Haga algo —dice Beria.

Anna descuelga el aparato de respiración artificial, brillando de nuevo desde el rincón. Lo cuelga al lado de la cama de Stalin y le cubre la cara con la mascarilla. Todos la miran en silencio.

—No hay nada que hacer —dice mirando a los hombres que la rodean—. Ha ido demasiado lejos.

Nadie puede creer que ha ido demasiado lejos.

Que todo acabara en esto.

IOSSIF VISSARIONOVICH STALIN
Dacha en Kuntsevo, marzo de 1953

Se tropieza sobre el suelo irregular al ir hacia el baño. Ha domesticado, extendido y construido encima de esta tierra durante años y todavía quedan raíces tan gruesas con las que tropezar. Acaba de pasar la medianoche. Mira hacia las tierras que rodean la dacha con el ojo de un *mujik*, midiéndola, pensando en todas las cosas que podría hacer con ella. Aún tiene muchos planes para la dacha.

Quiere oír sisear los hirvientes carbones al caerles el agua encima. Recostarse sobre los tablones y sentir el bombeo por todo su cuerpo al ensanchársele los pulmones. Por un momento, se pregunta qué diría un médico de que un hombre con una presión arterial alta tome un baño de vapor. Se toma dos de las pildoras que lleva en el bolsillo como precaución antes de entrar al cuarto de baño. Hace ya tanto tiempo que no habla con un médico. Pero están todos conchabados. Ahora lo sabe. Una conspiración judeo-norteamericana. Si logra eliminar a los médicos, entonces podrá llegar al origen.

Pues debe haber un origen.

Se recuesta entre el vapor y recuerda con satisfacción las miradas asombradas del Presidium cuando hizo circular los cargos en contra de los médicos del Kremlin. Beria parecía malhumorado. Los otros, sometidos. Casi podía escucharlos pensar. Eran tan débiles que él tenía que pensar por ellos.

Los había regañado. Los había abroncado.

«Son tan ciegos como gatitos. El país perecerá si no identifican ustedes al enemigo.»

—Como gatitos —contestaron como un eco.

Se giró hacia ellos. Tenía la atención de todos. Les sonrió:

—No se preocupen camaradas, cortaremos de raíz la conspiración judeo-norteamericana.

Piensa en esto al tiempo que el vapor se eleva a su alrededor. El enemigo siempre debe ser cortado de raíz. Piensa en los enemigos a los que se ha enfrentado en su vida. Trotski. La Oposición. Hitler. Piensa también en los triunfos. Después de una hora, se tambalea hacia el frío de la noche. Se siente débil y mareado. Llega hasta su cuarto y cae al suelo. Tiene sed. Siente la lengua más grande que la boca. Intenta hablar pero no le salen las palabras. Intenta moverse para hacer sonar una campanilla, para llamar a alguien, pero su lado izquierdo no quiere cooperar. Hay un sonido muy fuerte dentro de su cabeza, como si un millón de voltios de electricidad estuviesen haciendo corto. Su cuerpo golpea el suelo, como un pez acostumbrado al inmenso océano que de pronto ha caído en una red. Intenta una vez más gritarle a alguien. Pero no hay nadie que lo pueda oír. *Alguien me ha atrapado en la red*, piensa al tiempo que el líquido le inunda su cerebro y pierde el conocimiento.

Después del primer infarto los jóvenes internos aplican sanguijuelas en la parte posterior del cuello de Stalin. Otros hacen radiografías de sus pulmones. Una enfermera de azul le pone inyecciones. La dacha de Kuntsevo queda transformada. Está rodeado de estudiantes de medicina, con sus prístinas batas blancas entre las sombras de la habitación. Esperan una señal para actuar. Stalin jadea intentado coger aire, sus labios están negros. Manda llamar a su hija y al Comité Central al lado de su cama. Se ríe débilmente. En la pared opuesta cuelga una escena pastoral de Georgia, una joven campesina que alimenta a un cordero con una cuchara. ¡Cómo amaba Stalin ese retrato! Pues así es como todo ha sido siempre. El cordero es su Patria. Él sostiene la cuchara. Ahora todo se ha revuelto. Intenta bromear con Kruschev, decirle lo del cordero, pero no le llegan las palabras. Ahora solo queda la presión que siente en la cabeza y se pregunta por la identidad del cordero. Se pregunta quién sostiene la cuchara.

Ahora, algunos días después, cuando entra la doctora en la habitación, no hay movimiento, solo la laboriosa respiración. Stalin reconoce que es suya. Abre un ojo; el otro parece no funcionar. Busca alrededor a Beria, este ha salido de la habitación para deslizarse sobre el pulido suelo de la nueva dacha. Beria toca todo lo que le queda al alcance, como un animal marcando su territorio. Lo siente suyo. Está delirando de placer. Los quevedos le brillan. Cuando regresa recupera la expresión de pesar y expectación. Se queda mirando fijamente el rostro de su entrañable líder, moviendo la cabeza y murmurando súplicas. Cada vez que Stalin recupera la conciencia ve que los borrosos quevedos están esperándolo. Mira agitadamente alrededor de la habitación. Nadie puede ver la mirada de Beria, excepto él. Es una mirada que conoce muy bien; una mirada que funciona como un espejo.

—La sangre se ha extendido al resto del cerebro.

—Está oprimiéndole el pecho. Se está ahogando.

—Se está ahogando. —La doctora escucha su propia voz por encima de las de los demás mientras el camarada Stalin continúa arañando la cama, intentando decir algo.

Las cosas llegan flotando... Me sonrío y alzo la copa... Mueven los labios y les contesto moviendo los labios... intento hablarles, pero no me llegan las palabras...

Es Moscú, 1939. El brazo del gramófono es pequeño y duro, formando un ángulo con mi mano. Lo giro lentamente, cogiéndome el brazo malo por la parte del codo que no se dobla bien. A mi alrededor, hombres uniformados bailan valses. Alexei, mi guardaespaldas, se desliza a mi lado y sus labios son carnosos, rojos y partidos. Sus botas brillan. La medida de un hombre está en sus botas, en cómo le quedan, cómo están cortadas. Alexei se divierte pegándole el hombro a Molotov, que parece molesto. Me complace ver a Molotov tan molesto. Los generales pasan de largo, de dos en dos, y yo giro la manivela, controlando el compás. Tengo la responsabilidad de un Noé, tal como aprendí en mis años de escuela. Yo decido quién debe bailar y quién debe cantar. Quién debe ponerse de pie y a quién hay que empujar. Qué animal con qué otro.

Alexei. Alto y rubio. Se me acercará al final de la noche, con cierta mirada sobre su cara y le diré que sí, que la chaqueta, y se me acercará al tiempo que la chaqueta se deslizará por mis hombros. Sí, le diré, las botas. Pegará su cara contra la lustrada piel de becerro: Mire, puedo ver mi reflejo. Y le permitiré que se quede allí mirándose un momento más de lo necesario. Y luego, su rostro que mira hacia arriba. Tiene la perturbadora belleza de una mujer. ¡Y qué don para el humor! Ese Alexei es especial; se desliza por el Kremlin de noche con sus zapatillas. A veces, pienso que se ha deslizado hasta mi habitación, que intenta quitarme los calcetines, alargando sus manos hasta donde terminan mis botas.

Algún día lo despediré por ese comportamiento. Un hombre que usa zapatillas, que se desliza por las noches felino, por los corredores no puede ser de confianza. ¿Cómo puedo saber si, cuando gira la manecilla de la puerta, no se trata de un silencioso asesino?

No puedo confiar en un hombre si no oigo sus pisadas.

Eso me lo enseñó mi padre.

Después de los valses, del entretenimiento, Alexei se desliza entre las voces y los personajes. Ahora, está de rodillas, con las manos juntas como en oración.

Adivine. Me reta. ¡Adivine quién soy!

Se arrastra por el suelo, chillando como un bebé, con una servilleta sobre la cabeza, como un casquete.

Sí, era especial.

Alexei se arrastra hacia mí, de rodillas y con un chillido agudo pretende implorar piedad. Por favor, Dios, chilla, líbrame. Por favor, no dispares, no dispares.

Para, para, le digo, limpiándome las lágrimas de los ojos. Miro a mi alrededor, partiéndome de risa: debió haber sido actor.

¿Quién soy? Insiste él.

Se postra a mis pies. Recorre con sus manos mis botas y su lengua deja una huella húmeda. ¿Quién soy? Mirándome desde abajo, con la servilleta sobre su cráneo, la huella de su saliva, las manos subiendo por mis muslos. Miro su boca abierta y me siento confuso.

Kamenev, le digo, riéndome, intentando respirar pausadamente mientras su mano reposa sobre mi muslo.

No. De nuevo.

Muevo la cabeza. Miro alrededor de la habitación. ¡Bujarin! Grita alguien, ebriamente, excitadamente, por encima de mi hombro.

Alexei mueve la cabeza y luego hace círculos sobre sus rodillas y la misma voz grita: Ese Trotski, el cerdo, ¡él me obligó a hacerlo!

Me río, reconociendo la frase tomada de la transcripción del juicio. Desde luego, ¡Zinoviev! Grito, aplaudiendo. ¡Qué actuación! Aplausos, vítores. Todos aplaudiendo y vitoreando.

Vuelvo a girar el gramófono. Los hombres están cansados

pero los formo en parejas y los obligo a que sigan. Filas y filas de
botas brillan al paso mostrándome las suelas. El cuero apretado
contra los muslos. Hubo un tiempo en que esas botas solo perte
cían a los príncipes. Apuro a mis hombres, más rápido, más duro.
Ahora el mundo es muy diferente. Pienso en mi padre, esperando
a un príncipe que nunca llegó. Pienso en mi madre, su mano apri
sionando un rublo. Pienso en el niño que se soñó a sí mismo como
Koba, que en su juventud llegó a tentar a Zeus. El recorrido de
allá hasta acá. Me viene todo a la mente e intento decírselo.

Me sonrío y alzo la copa.

Ja Stal, me digo a mí mismo: Soy de acero.

Hay un brusco movimiento debajo de la ropa de cama y Iossif
Vissarionovich Stalin se incorpora y mira a su alrededor con ojos
aterrorizados y terribles, mira a todos y a nadie en particular. Intenta hablar. Intenta hacerse a entender. Hablarles de su vida. La
larga lucha contra las sombras. Recordarles que se mantengan
alerta hasta el final. Se queja y extiende su brazo izquierdo, gesticulando al vacío y se deja caer hacia atrás. Se escucha el negro
crujido de las sanguijuelas sobre las sábanas.

Anna Solomonovna, con la cara húmeda, coge con los dedos
temblorosos dos rublos de su bolsillo para cerrar los terribles
ojos de Iossif Vissarionovich Stalin, secretario general del Partido Comunista.

FRIDA KAHLO
Coyoacán, 6 de marzo de 1953

El 6 de marzo de 1953, al otro lado del mundo, en una casa azul de Ciudad de México, la artista Frida Kahlo se despierta de un sueño intranquilo, intenta alcanzar los sedantes que están al lado de su cama. Le duele la pierna amputada. Todo le duele, pues Él se ha ido. Coge su libreta de cuero rojo y una pluma de la mesa camilla. Escribe:

EL MUNDO, MÉXICO,
EL UNIVERSO ENTERO
HA PERDIDO SU EQUILIBRIO
CON LA PÉRDIDA, LA MUERTE
DE STALIN.

YA NO QUEDA NADA.

TODO SE REVUELVE.

EL DIARIO DE LEÓN TROTSKI
EN EL EXILIO
Coyoacán, agosto de 1940

LA AVENIDA VIENA
Coyoacán, agosto de 1940

Esta mañana abrí de par en par las persianas de nuestra habitación. La luz del día me hizo jadear. Natalia permanecía quieta. Encima de nuestra cama, el yeso agujereado. Estos días espera a que me levante yo *para comprobar que sigues vivo*, dice. Su día solamente puede comenzar cuando ve que ya estoy al lado de la ventana.

Para Natalia las cosas son peores. Peores porque el ritmo de sus días está determinado por el mío. No sabe cuándo tendrá que volver a empujarme y cubrirme con su cuerpo. No sabe cuándo volverán a atacar las ráfagas de ametralladora, las granadas de mano y los asesinos. Solo sabe lo que debe saber. La guerra se abalanza sobre nosotros, consumiendo Europa. La biografía de Stalin avanza lentamente, pero avanza. Tengo confianza en que otra guerra provocará levantamientos por toda Europa. Para cada día que queda, las horas ya están repletas. El futuro anuncia una nueva promesa.

Para Natalia, el tiempo pasa lentamente y de manera diferente. Se ocupa del hogar. Lee. Guarda sus labores en una caja redonda grabada con los girasoles de Van Gogh. Mantiene la correspondencia con nuestros amigos. Corrige las pruebas de mis textos. Siente la amenaza del tiempo; el espacio de una hora.

Yo encuentro las horas demasiado llenas.

Desde el ataque en mayo, ahora tengo otra opinión sobre Natalia. Me fijo en todo. Las cien pequeñas maneras en que me transmite su amor. Y parece como si durante la mayor parte de nuestra vida juntos, no lo hubiera notado. A través de estos largos años nunca hubo ninguna razón para dudar de que estaría en la siguiente etapa, la siguiente casa, colocando rosas en un jarrón, inventándose una alacena en un rincón, cosiendo una cortina para el riel del guardarropa.

Siempre ha estado ahí, a un latido de distancia, facilitándome avanzar.

Pero ahora, tras el último ataque, ambos sabemos que el siguiente lugar al que iré, iré yo solo. Natalia ahora contempla la posibilidad de su soledad. Siempre la estuve protegiendo de ello. Así era nuestra relación. A cambio de su calor y devoción, yo la protegía de ese hecho. Daba la cara por ella. Mi vida marcaba el ritmo de la suya y ahora veo el pacto que hicimos hace tantísimos años, como lo hacen todas las parejas enamoradas, pensando que ese amor, y la Revolución nos sostendrían.

Tiene que aprender a vivir sin mí. Hacer su propio camino. No le gusta hablar de ello. A pesar de que Natalia es materialista, sé bien que tiene una fuerte tendencia a la superstición. A ella no le gusta hablar de estas cosas.

Sin embargo, hemos hablado de tomar nuestras propias vidas. En la certeza de que yo me iré primero, ella me asistirá. Si quedo mermado por un atentado o sufro una crisis de hipertensión. Si no puedo ya escribir o hablar. Ella hará lo que debe.

La historia le ha puesto precio a mi cabeza. Ese es el hecho. Natalia lo entiende y yo le agradezco que lo comprenda. Su amor por mí es feroz y definido y yo la amo profundamente, de hecho la aprecio mucho más que cuando éramos jóvenes.

Desde el ataque, durante estas últimas semanas, nos hemos sentado en la cama por las mañanas, después de que yo abra la ventana, cogiéndonos de la mano, abrazándonos fuerte. Ya no somos jóvenes. Pero el amor está allí, lo tenemos entre nuestros brazos, con todos sus componentes acumulados a lo largo de los años. Nos abrazamos. Cada día, un poco más fuerte que el día anterior. Ella no quiere perderme y yo le digo que nunca me perderá. Sé bien que tiene sus propios palacios de la memoria; que puede guardarme allí con seguridad, a la espera de un ligero rayo de luz. A veces, estas pasadas semanas, no me quiere soltar y no quiere perderme de vista.

Cuando estoy triste, voy hacia ella y le susurro que lo lamento, que lamento haber destruido su vida y su felicidad, sus hijos, todos lo que le era cercano, incluso sacándola de su patria.

Volvería a hacerlo todo, me dice. De pronto, bajo cierto tipo de luz, vuelvo a verla, la joven mujer casada de París, con el cabello hermoso y su nariz *respingona*, dispuesta a abandonar a su marido, por mí y por la Revolución.

Para Natalia, éramos inseparables.

Al final de mi vida, hay dos cosas dignas de ser calificadas como amor. Natalia y la Revolución. A veces le susurro:

—¿*Cómo podría recompensarte?*

Y sonríe con esa sonrisa tranquila, desde un lugar lejano, y contesta:

—*Una vida juntos no necesita recompensa. Has saciado mi necesidad de amar como lo hace un niño y el amor es esa disposición a saciar. Tú has sido mi todo. ¿Cuánta gente podría decir eso después de una vida juntos? ¿Cuántas personas?*

Un amor así es insondable y, a pesar de que la he amado y la sigo amando profundamente, cada día más, yo no podría decirle *Tú eres mi todo.*

¿Debo sentirme culpable? En verdad, la Revolución fue mi padre, mi hijo, mi amante. El movimiento revolucionario me dio y me sigue dando unidad. Natalia es parte de ese todo.

El amor es diferente para cada persona. El servicio a la Revolución fue y sigue siendo mi todo.

Durante el desayuno se sienta cerca de mí. Estas últimas semanas, desde el ataque, casi me ha ahogado con su presencia. Su brazo reposa sobre el mío en todo momento. A veces, me siento incómodo, la empujo, la alejo, la mando lejos de mí y le pregunto ¿*Qué es lo que miras?* Cuando la descubro por casualidad en el umbral de la puerta, observándome, le digo bruscamente, *Tengo guardaespaldas, Natalia.* Y ella se aleja, de la puerta, de la ventana e inmediatamente me arrepiento, pues ¿cómo podré pagar un amor así? Entonces la llamo y le pido perdón. Pues el amor es un estira y afloja. Esa es la dialéctica del amor.

A menudo, cuando el amor de Natalia amenaza con inmovilizarme como una manta, me sorprendo pensando en otro tipo de amor, en cómo mi vida habría sido diferente con cualquier otra, alguien que no fuera mi esposa, una mujer más egocéntrica y caprichosa.

Por ejemplo, Frida.

Durante el tiempo que estuvimos juntos, Frida nunca apareció en mi puerta, solícita, para abrir una cortina y mi habitación tuviese más luz o para abrir una ventana y así entrara más aire. Ella no se anticiparía a mis necesidades ni las planificaría. Estaba más allá de mí, su vida estaba totalmente fuera de mi órbita. Estaba su pintura, estaba Diego, estaban también sus amigos, sus amantes, su legión de admiradores.

Yo no era el único sol en su universo. Eso llegué a comprenderlo.

En cierto sentido, Frida vive para Diego. En otro, vive más plenamente para sí misma que cualquier otra mujer que haya conocido. Los hombres y las mujeres se atraen por esa misma razón. Ella es la mujer más realizada de su tiempo. En ese sentido es como un hombre.

Incluso, sexualmente Frida parecía estar mucho más allá que yo.

Con Natalia, se quién soy en todos los aspectos. Cada mañana, Natalia refleja una imagen constante de mi persona. Seguimos intimando y dentro de esa intimidad hay ciertas expectativas. No hay dudas. Yo satisfago a Natalia. La manera en que hacemos el amor podría ser, puede ser, feroz o tierna. Con Natalia no tengo dudas. Soy, lo sé, más viril que muchos de los hombres de mi edad.

Con Frida, sin embargo. Aún hoy, creo que no me rechazó porque no la satisficiera. Pero, como digo, ella sembró dudas. No era dueño de mí mismo cuando estaba con ella. Ella me atrajo hacia ella y luego me alejó. Ya lo he dicho, como si fuera un hombre.

Es extraño que estos pensamientos vengan ahora, dos años después de aquel momento. Mi esposa se agarra a mí y estamos más juntos que nunca. Pero aún sueño despierto con un tipo de amor diferente, el amor imprudente de Frida, un tipo de amor apasionadamente inestable, sin límites ni fronteras. Y, sin embargo, no habría podido sobrevivir a tal cosa. Ahora lo sé.

Soy el único sol dentro del universo de Natalia. Tengo la obligación de proporcionarle luz y calor. Pero también seguridad. Nuestros papeles están claros entre nosotros.

El lío con Frida.

¿Qué es un lío más allá de una corta excursión fuera de la propia vida?

¿Se puede amar a dos mujeres al mismo tiempo?

¿Cómo se decide cuál de ellas?

Durante seis semanas de 1937 me hacía estas preguntas. Un tornado cruzaba mi mente.

¿Puede una sola persona entregártelo todo? ¿No se trata tan solo de una noción burguesa?

Natalia siempre me abre el mundo de una manera diferente. A menudo, me dice: *Mira esas nubes, la manera en que se mueven.* Me llama la atención hacia las pequeñas maravillas: la mirada de un niño, los pómulos de algún transeúnte, la manera en que se aprieta un cuerpo joven con otro en un abrazo apasionado. Ella trajo, ella trae consigo, esa atención hacia los detalles de la vida que yo rara vez noto. Las pequeñas cosas.

Natalia da un sentido artístico a la vida, por la forma de disponer las frutas en una fuente, de arreglar las flores sobre la mesa.

Recuerdo un reciente viaje al desierto; uno de esos pocos viajes en los que permanecíamos pegados en el suelo del Chevrolet, cubiertos por una manta rugosa. A las afueras de Ciudad de México ya era más seguro sentarnos en el asiento trasero y Natalia me señalaba cosas como si yo no pudiera verlas o como si quisiera que yo viera las cosas de manera diferente. El coche aminoró la velocidad a las afueras de un pueblo. Había una pequeña iglesia blanca, con las montañas de fondo, y una hilera de cráneos y huesos de vaca que conducían hacia la entrada. Un callejón se estiraba al lado de la iglesia. Nuestro coche redujo la velocidad. En la entrada del callejón, una mujer estaba sentada con el bulto de un niño envuelto en un manto gris y un sombrero de rayas rojas. Detrás de ella, tres hombres estaban parados en la entrada de la iglesia, que estaba parcialmente abierta bajo el sol de la mañana. Uno de los hombres se paró con las manos en las caderas, arqueándose, mientras otro se recostaba sobre el dintel, fumando con una rodilla flexionada. El tercer hombre se quedó quieto, mirando a la mujer con el niño. Todos alzaron la vista al ver pasar nuestro coche y luego volvieron a sus posturas. «Es como si hubiésemos irrumpido en algo un momento demasiado tarde», dijo Natalia y pensó en voz alta cuál sería la relación de la mujer con esos tres hombres. ¿Quién sería el padre del niño? ¿Qué hacían allí y en ese momento? Me quedé escuchando sus conjeturas y el coche nos deslizó hacia la carretera de Taxco, mientras ella seguía deshilvanándome historias, sobre la mujer y los tres hombres; cómo me gustaba escuchar su voz, el hondo timbre que tenía su garganta. Me enamoré de su voz la primera vez que la vi. Su voz viene de la distancia, de un lugar en donde se combate uno a sí mismo y el triunfo sobre la naturaleza no es gregario, sino pensado, perspicaz, lleno de sentimiento. A veces, algunas personas confunden esto con cierta reserva. Pero si le escuchan suficientemente la voz, la calidad que tiene, la textura de tierra roja y fértil, y de su risa, poco frecuente, baja y llena de sentimiento, si la llegan a escuchar el tiempo suficiente, la llegan a conocer tal como la he conocido yo.

Con esa voz, pudo haber sido actriz, solían decir nuestros amigos. Resonante y magnífica. Una actriz. Y Natalia se sonreía; aceptando el cumplido, pues sabía que era cierto. En su caso, su maravillosa voz era el camino hacia su alma.

Estos días, Natalia rara vez ríe. Pocas personas llegan a ver a la Natalia que conocí y que amé. Tiene pocas razones para, siquiera, sonreír. Noto que, después de la muerte de nuestros hijos, su cara tiene una expresión de ansiedad, de perpetua cautela. La luz que llevaba dentro se ha retirado hacia algún otro lugar.

Últimamente se me ha ocurrido pensar que yo cogí la vida de Natalia y la exprimí, la comprimí, la adapté en torno a la mía. Pero luego me digo que es una vida que ella ha elegido libremente y que jamás me lo ha reprochado, nunca ha querido regresar o alejarse, volver a otro tiempo, antes de que me conociera, antes del exilio; antes del dolor y del sufrimiento.

Durante casi cuarenta años, y especialmente en este último período de nuestro exilio, Natalia no ha tenido un hogar en el que haya podido mostrar su sentido artístico cotidiano. Solo ha habido movimientos y huidas. En Noruega, hizo las maletas, lavó y cocinó, organizó mis manuscritos y cartas y guardó las fotografías de nuestros hijos muertos en una caja de cuero y en menos de cuarenta y ocho horas ya estábamos fuera de esa casa de seguridad.

Todos nuestros hijos muertos.

Cuando Natalia quiere algo, no hay nada que no pueda alcanzar. Los logros de la organización.

Al final de mis días siento que le debo un testamento de nuestra vida juntos, mi amor por ella, mi gratitud, quiero capturar mi amor por ella con palabras, como la esencia de una flor en un vidrio del color del arco iris.

Natalia me llama desde el jardín. *Mira al cielo de hoy* —me dice—, *un cielo azul de huevo de pato.* Por primera vez, noto que está cambiando el timbre de su voz. Aún es grave, aún resonante, pero ligeramente gastado, más delgado. Es la voz de alguien que ya no es joven, una voz triste. Me afecta de tal manera que siento ganas de llorar.

La voz de una mujer vieja. El timbre que tiene.

La pérdida ha hecho más profunda su voz y la ha extendido más allá de las palabras.

—*El cielo de aquí se me ha vuelto más familiar que el cielo de Moscú o de Leningrado. Y el verano de aquí es como los veranos en Crimea.*

—*Sí* —le digo—, *sigue hablando. Te estoy escuchando.*

En los peores momentos, siempre he tenido mi trabajo. Natalia solo se tiene a sí misma. Podría ver a Natalia meterse en sí misma, bajar el cubo hacia el pozo de su interior, ver que es capaz de absorber sus propias reservas, subir el cubo y descubrir que viene lleno.

Así se mide el carácter en los tiempos oscuros, en poder extraer de su propio pozo, en no encontrarlo vacío. Pero estos días, puedo ver que sus reservas han disminuido.

Aun así, se mete en sí misma, como debe, intentando meterse dentro de su ser parcheado.

Tengo terribles dolores de cabeza. Me zumban los oídos. Me siento enervado y débil. Por las tardes, durante la siesta, Natalia viene a sentarse cerca de mí, o a acostarse a mi lado, y me coloca una compresa de agua helada encima de las cejas calientes y se acuesta a mi lado con un libro en la mano, hasta que el libro se cae y ambos nos sumimos en un sueño inestable.

Natalia siempre se duerme con un libro en la mano. Siempre se lo quito con cuidado. Son detalles de un matrimonio, de una vida. Por la noche, Natalia siempre se queda dormida con la luz encendida y un libro abierto. La acumulación de detalles en torno a una persona. Cómo se puede llegar a conocer a alguien mejor que a uno mismo.

Si no fuera por Natalia, ¿podría haber tenido una vida personal? Ella mantuvo la correspondencia con nuestros hijos. Especialmente, con el más pequeño, Seryozha, de quien ella se sentía especialmente cerca, a pesar de que era completamente diferente a mí, y al resto de nosotros. Era un niño soñador y caprichoso que se convirtió en un académico soñador, devoto de su trabajo y completamente apolítico. Lo dejamos en Moscú cuando salimos de allá porque él no quería abandonar sus estudios en la Academia ni a sus amigos. Su vida estaba tan apartada de la nuestra. Confieso que nunca lo comprendí y que, durante seis años, nunca le escribí. Confieso que no sabía de qué escribirle, pues ¿qué otra cosa había en la vida que política? No quería llamar la atención sobre él, implicarlo en mi vida. Pensábamos que estaba a salvo. Durante seis años Natalia le escribió cartas divertidas, llenas de calor y de preocupación, de detalles cotidianos. Ella acostumbraba a leerme esas cartas, antes de enviarlas:

Tu padre ha construido nuevas jaulas para los conejos, ama tanto a sus conejos, que no deja que nadie los toque o los alimente. Él mismo los despelleja y me los trae, los deja a mis pies como un botín de caza y me observa mientras los pongo a hervir para hacerle su platillo favorito...

Te envío esta bufanda, la hice yo misma, para el invierno. Pensaré en ti usándola, con tu abrigo gris y con la nieve sobre tus botas. Mantente caliente, cuídate y estudia mucho...

Pero él no se mantuvo caliente ni se cuidó.

A todos nos ha tocado. Incluso en 1926 ya se podía adivinar esto. Aquella junta del Politburó en la que me encaré a Stalin *enterrador de la Revolución*, y lo ataqué. Recuerdo que hubo risas apagadas. Recuerdo que Stalin salió de la habitación sin decir ni una palabra. Más tarde, en nuestros aposentos del Kremlin, nuestro amigo Pyatakov se giró hacia mí, por encima del embutido que hacía las veces de carne en aquellos tiempos, y por encima del rojo caviar de Ket, me miró y dijo: «Jamás te perdonará por esto, nunca. Ni a ti, ni a tus hijos, ni a los hijos de tus hijos».

En ese momento no hice caso de sus palabras. La amenaza parecía tan remota. Exterminio, exilio, la lucha por mantener mi reputación, todo eso vino después. En ese momento no pensé que la venganza de Stalin sería de proporciones bíblicas.

Aún vivían todos mis hijos. Ahora han muerto todos. ¿Qué significa que los hijos mueran por sus padres?

De nuevo cierro las persianas y vuelvo a mí mismo. Cojo la pluma y comienzo a escribir. El curso de mi vida estuvo determinado por el curso de la Revolución. ¿Quién puede determinar por adelantado ese curso, esa vida?

Mi familia, desde la tumba, debe perdonarme por ello y comprenderlo.

Sin sus hijos, Natalia siente que tiene un vacío en el vientre; lo sé, a pesar de que jamás me ha reprochado. Pero se ocupa de todas las cosas vivas con una ferocidad que me rompe el corazón. En las calles, se fija en los niños y en los jóvenes. «Ese niño se mueve como Seryozha cuando tenía su edad, cayéndose por las calles como un payaso de circo. ¿Te acuerdas, Lev Davidovich, cuánto le gustaba caerse a nuestro hijo pequeño? ¡Las cicatrices que tenía!» o «Aquel joven, esa sonrisa, esa anchura de hombros, el caminar, me recuerdan a Lyova».

Para mí mismo, cada noche cierro las persianas que dan hacia nuestros hijos muertos. Sigo adelante. No hay otra opción.

Ninguno de los dos hablamos de Zinaida, mi hija mayor de mi primer matrimonio. A pesar de que hablamos del exilio y de la muerte de mi primera mujer. El pesar de todo ello.

Nunca le escribí a Zinaida, mi Zina, jamás. Sin embargo me amaba, me idolatraba, ambas, las dos hijas de mi primera esposa, pero Zina era inestable. Toda su vida inestable, especialmente después de la muerte de su hermana, se deprimió, quería más de lo que podía darle, de verdad, más de lo que estaba preparado para darle. Las veces que vino de visita a Prinkipo fueron difíciles. Ella estaba resentida con Natalia y ese sentimiento era recíproco. Ella quería que le dedicase toda la atención que no había tenido de niña. Pero yo no podía. Como he dicho, era emocionalmente inestable. Cualquiera podía ver eso.

La enviamos a Berlín para un tratamiento. Ahora cuidamos a su hijo, nuestro nieto, el único hijo que queda de nuestra vida. Ese nieto cuya madre fue encontrada en un gélido apartamento de Berlín tirada al lado de la estufa de gas, mientras fuera en la calle, tronaban las botas nazis.

Su hijo, nuestro nieto, tiene más resistencia que la madre. Mi pobre Zina no fue lo suficientemente fuerte para los tiempos que le tocaron vivir. Esos tiempos a los que hemos sobrevivido, al final, la reclamaron.

Tantos muertos.

Tus hijos y los hijos de tus hijos.

Hay una lucha a muerte y hay una lucha por la vida. Mi vida entera está contenida entre estos opuestos. He vivido con esta dualidad. Me he afirmado a mí mismo en contra de Tánatos una y otra vez.

Y hubo ese espacio de tiempo en mi vida en que *Eros* triunfó brevemente sobre *Tánatos*.

Esa es la única manera de explicarlo.

Para explicarla a ella; que me encaprichara de ella.

Frida. La armonía de la oposición entre *Eros* y *Tánatos*.

En México forman un solo principio. La semilla de uno contenida en el cuerpo del otro. Una relación con la muerte tan intensa como la relación con los vivos.

Fri-da.

Digo su nombre lentamente. En esas dos sílabas, la unidad de los opuestos.

¿Cómo empiezo algo? Los inicios de una atracción que durante un tiempo puede dirigir tu vida. Casi arruinarla.

Durante un tiempo, me despertaba en mitad de la noche, me metía en el baño y volvía a ser adolescente de nuevo, me tocaba pensando en las imágenes que tenía en la cabeza. Me preocupaba que Natalia pudiera despertarse y venir a buscarme o que los guardaespaldas pudieran ver la luz por debajo de la cortina y vinieran.

Durante un tiempo, no me importaba. Eyaculaba en las manos, mis manos llenas de mí mismo. Mi cabeza llena de ella.

Amor y dolor, me dice Frida cuando todo ha terminado. Después de semanas de notas furtivas en libros y de furtivas visitas a casa de su hermana, Frida llega a mi retiro de la montaña con un manto verde al hombro y un puro panatella entre sus labios. Se ha cansado de mí, me dice. «Tu vida es como un metrónomo, pero no puedes controlar tu corazón.» Su marido no sabe y quiere que siga así. Amenazó con matar a su último amante con un cuchillo. Está en lo cierto. Ahora ha empatado el marcador con Diego, quien la había atormentado cuando se acostó con su hermana. *Esto es por todos los meses en los que me hiciste sufrir y no pude coger un pincel.*

Ahora se ha terminado.

La veo endurecida. Se aleja de mí. Se siente nuevamente fuerte, me dice, vuelve a desear la flácida calidez de Diego.

Recuerdo haber regresado de las montañas a la Casa Azul, sintiendo el peso de esa pérdida. Levantando libros y artículos para volver a dejarlos en su lugar minutos después. Natalia entra a verme, contenta porque he vuelto con ella.

—Te veo enfermo —me dice preocupada—. Necesitas descansar.

Miro a mi esposa. Su pálida imagen desdibujada.

—Se trata del manuscrito —le miento—. Hay tanto todavía por hacer... es mi presión arterial...

Natalia se acerca, me acaricia la nuca. Me besa la parte de arriba de la cabeza, como lo ha hecho durante casi cuarenta años.

—Si me necesitas —me dice suavemente—, solo tienes que pedir. —Sus zapatillas se arrastran sobre las desnudas tablas de madera. Se gira para mirarme, y sé qué está pensando: quizá se ha terminado ya este tiempo de dolor entre nosotros.

Me tomo a mal el rechazo de Frida. De la noche a la mañana siento que se me escapa la energía. Me despierto sintiéndome viejo y sin apetito. Recorro sin rumbo el jardín por la mañana y me ocupo de los conejos como si fuera un hombre herido. Natalia me suplica que coma.

Cómo deseo poder ver las huellas desiguales de las botas de Frida sobre el sendero de grava, apareciendo graciosamente delante de mí y oler el bizcocho de su cabello.

Amor y dolor. Frida podía atrapar la vida en unas cuantas palabras, como lo hacía en sus cuadros. Tenía talento para ello. Recuerdo su ligera y delicada elegancia. Una extraña belleza, aun con una pierna más delgada que la otra, el vello sobre su labio, las pobladas cejas, qué atractiva la hacían estas irregularidades. Así como la grieta en una urna griega atrae la atención sobre su belleza. Así como el defecto del cristal atrae la atención sobre su claridad.

Si comparase a estas dos importantes mujeres de mi vida, diría que ambas, Frida la artista y Natalia que expresaba su sentido artístico diariamente, formaban una unidad.

La dialéctica del amor.

En presencia de Frida, Natalia parecía darse de menos, parecía empequeñecer, sentirse avergonzada por las flores que había dispuesto sobre la mesa o por la pirámide de fruta que había puesto en el estante. Pero Frida, de hecho, aplaudía el diario sentido del arte. Vivía para ello. Se rodeaba de ello. Lo reconocía, creo yo, en Natalia. Pero había demasiado entre las dos, entre nosotros. Y Natalia se sentía pequeña al reconocer la habilidad de Frida de transmutar lo cotidiano en sus cuadros.

Recuerdo haber hablado una vez sobre esta cuestión con la señora Rosita, la fabricante de Judas. ¡Cómo me ponía a prueba, esa fabricante de Judas! ¡Cómo me malinterpretaba! Todos tenemos el impulso de crear, de transformar; aún sueño con un futuro en que todos puedan hacerlo.

¿Quizá Natalia, con la voz de una actriz clásica, y Frida, la pintora, tenían más en común de lo que jamás imaginé? ¿Quizá me enamoré del grano de Natalia que reconocí en Frida? La idea me consuela. La idea me indulta.

Quizá así fue como comenzó. Amando el grano de la similitud y gozando en la diferencia de la otra.

5

VIAJE AL MICTLÁN

PRAVDA
24 de agosto de 1940

León Trotski ha muerto a causa de una fractura de cráneo, produci-
da por un atentado sobre su vida por parte de algún miembro de su
círculo íntimo.

SEÑORA ROSITA MORENO
Coyoacán, 1954

Pinté muchas máscaras a lo largo de mi vida. Para cada Judas, cada *calavera* usaba la máscara de alguien. La señorita Frida también pintaba máscaras: cada retrato era la máscara de su propio rostro.

Para el viaje final, el viaje al Mictlán, la Tierra de los Muertos, usamos máscaras, como creían nuestros antepasados, la máscara de nuestro rostro ideal.

No nací bella en esta vida y mi vida no ha sido fácil. Espero entrar algún día al Mictlán, llevando la máscara de mi cara ideal, una cara que no lleva las cicatrices del sufrimiento ni del pesar. En el viejo México, las máscaras eran de jade y de obsidiana. Yo hago mis propias máscaras con pasta de harina y agua. Moldeo las figuras de hombres y de animales. La gente cuelga estas máscaras en sus paredes. La gente las usa durante el carnaval. A veces estas máscaras son los rostros de figuras de esqueletos que explotan por las calles durante la *Semana Santa*.

Hubo una mascarilla mortuoria del señor Trotski. Hecha en bronce. Yo supervisé su hechura. También hice el molde de sus manos. Lo que revelaban. Las historias que guardaban.

Hubo una mascarilla mortuoria de la señorita Frida. Un rebozo color rosa envuelto alrededor de su mascarilla.

Después de la muerte, hay muchos lugares; muchos caminos para recorrer. El destino no está determinado por la manera en que uno vivió, sino por la manera en que uno murió. Si se es afortunado, lo escogen a uno para el Paraíso. Para las mujeres que mueren de parto y los hombres que mueren en la batalla, su destino es el Paraíso del Sur, la Casa del Sol. Para aquellos que mueren ahogados, atravesados por un rayo o se suicidan, su destino es el Paraíso del Este, gobernado por Tláloc, dios de la lluvia. Para aquellos que mueren de viejos, o por otras causas, su destino es el Mictlán, la Tierra de los Muertos, un lugar que une el cielo con el infierno. En el Mictlán, la oposición entre la vida y la muerte desaparece. Como en la vida, el viaje es largo, difícil y lleno de pruebas. Para ese viaje usamos la máscara, nuestro rostro ideal. Unos perros rojos nos llevan por caudalosos ríos. Escalamos montañas que nos rompen las manos; soportamos vientos helados que nos cortan como cuchillos, sobrevivimos a las flechas y a las bestias salvajes, hasta que llegamos al noveno infierno, el infierno más hondo y encontramos reposo. En ese lugar no hay ventilación, ni huecos. De allí ya no volvemos.

Los frailes españoles tomaron nuestro Mictlán, utilizándolo como un arma, como un infierno cristiano para castigar a nuestros antepasados en tiempos de la Conquista. Pero el Mictlán no es un infierno cristiano. No se trata de un castigo. Es una liberación, el fin de nuestras andanzas, el juicio. Para el viaje al Mictlán usamos máscaras; la máscara de nuestro rostro ideal. Mis antepasados creían que en la muerte se nos ofrece esta oportunidad, para entrar a una nueva vida con un nuevo rostro, un rostro para toda la eternidad.

Miro dentro de mi espejo de obsidiana. Sobre su superficie de arco iris, dirigiéndolo hacia la luz, veo muchas cosas. Veo cómo llevan a los muertos sobre el lomo del perro Xólotl, guardián del Infierno. Cada noche lleva a los muertos sobre sus espaldas como el Sol, brillando a través del Ninefold River y abajo hacia el Mictlán, el lugar del calor y de la humedad.

La *señorita* viajó hacia Tláloc, el Paraíso del Este, gobernado por el dios de la lluvia.

El señor Trotski murió como un guerrero. Él viajó a un Paraíso especial, *Tonatiuhlan* para convertirse en un *compañero del Sol*. Mis antepasados creían que el Sol pedía el sacrificio de sangre. Creían que la muerte en la batalla purifica al alma. Tal destino hacía que la persona fuera deseada por los dioses.

Y los elegidos llevan sus propios rostros hacia la eternidad; usan la máscara de ellos mismos.

NATALIA IVANOVNA SEDOVA
Coyoacán, septiembre de 1940

Me siento ahora aquí, cuando todo ha terminado y miro hacia el cielo, hacia las nubes del cielo mejicano. Y recuerdo otro cielo y otras nubes, las nubes de nieve de Alma-Ata, en nuestro primer exilio. Las nubes amasándose sobre la choza.

Nubes de nieve. Membranosos pedazos grises flotando perdidos, suaves y pesados, atravesados por el oro y el silencio de aquellos tiempos, un cielo inmenso colgando así, suave, pesado y callado como un pecho.

Una fila de pequeños pajarillos se han reunido sobre las líneas del telégrafo. Pequeños y oscuros ante el silencio, con los picos apuntando hacia las nubes. Lev Davidovich en su escritorio. Yo, parada en la puerta, muy quieta. Recuerdo haberlo llamado a la ventana para que viera estas nubes, llamando su atención hacia ellas, cómo presagiaban algo, el momento pesado y nosotros dos en nuestro aislamiento. Se paró cansadamente y se quitó las gafas. Se frotó los ojos, estiró los brazos y luego miró hacia el cielo. Se quedó parado allí un buen rato, en la ventana con la pluma en la mano, sin querer volver a su escritorio y perderse el cielo. Luego extendió los brazos hacia mí y dijo: *Gracias, gracias por estas nubes, no las habría visto sin ti.*

El día de su muerte me desperté temprano, acostada allí en el calor del verano mejicano, esperando a que L. D. se moviera, a que abriera las persianas. Al hacerlo, y al entrar la luz en la habitación, vio que las nubes se amontonaban por encima del Popocatépetl, *parece que lloverá*, dijo, y yo murmuré algo somnolienta, sintiendo ya el calor del día en la humedad de la almohada.

Ahora, al pensar en ese día y en la atención que prestó a las nubes, me vuelven todos los otros días de nuestra vida en que las nubes se amontonaban y no lo veíamos. Y me llega ahora, ahora que él se ha ido, cómo el sol proyecta una sombra, cómo cada día es diferente, la tristeza que marca el día como un hilo de color rosa en una nube de nieve. Cómo nunca notamos estas cosas hasta que ya es demasiado tarde. Las sombras y las nubes durante el día. Y quizá cómo, si nos fijáramos, el día parecería precioso, especial, porque las nubes no amenazan lluvia. Estas cosas llegan después. Cuando todos los días parecen nublados y el sol no llega.

Durante nuestra vida en común, mi esposo pensó a gran escala. Sus pensamientos vagaban por épocas, continentes y revoluciones. Sin él, siento la contracción de mis horizontes, ahora que los brochazos amplios sobre la tela se han ido, solo me queda limpiar los pinceles para distraerme. Ahora que no puedo invocar el futuro llamarlo solo con la voluntad y la oratoria habilidosa, ¿qué puedo esperar de este futuro? ¿Cuál es su medida? ¿Cómo sabré cuándo llega el futuro, si ya no está incluido él?

Entre sus papeles me encuentro con cosas que desearía no haber perturbado, pues el poder de leer esos papeles es inquietante. Toda nuestra vida juntos, cuyos pedazos son ahora como una vajilla rota sobre un suelo de madera. Y aquí están, todos estos años, la nota suicida de Joffe, palabras guardadas, y me pregunto, ¿por qué conservaba esas cosas L. D.? ¿Como un registro de los tiempos? ¿Como un testamento de nuestro primer exilio, el heraldo del terror?

El funeral de Joffe. Un día gris. Miles de simpatizantes de la Oposición bordeando las calles, cantando en su trayecto hacia el cementerio Novodevichi. Allí estaba la esposa de Stalin, pálida y descompuesta. Las milicias en las puertas del cementerio intentando impedir que entrase la multitud. L. D. en el funeral, dirigiendo una oración en memoria de Joffe. Jurando en su memoria proseguir con la Revolución hasta donde fuera necesario. Y ahora, la nota final de Joffe dirigida a Lev Davidovich, ahora se arruga a través del tiempo y de los continentes sobre mi mano:

Si pudiera comparar los grandes acontecimientos con los pequeños, diría que la inmensa importancia histórica de tu expulsión y la de Zinoviev y el hecho de que, después de

veintisiete años de labor revolucionaria en puestos de res-
ponsabilidad del partido, me he visto forzado a una situa-
ción en la que no tengo más alternativa que volarme los se-
sos, estos dos acontecimientos, uno grande y uno pequeño,
diría ahora que son característicos del funcionamiento del
Partido...

Dos acontecimientos. Uno grande y uno pequeño. Qué típi-
co de Joffe, poner su suicidio por debajo de la expulsión de su
gran amigo, la expulsión de la Idea.

Joffe se veía a sí mismo como insignificante al lado de la vida
del Partido, la lucha por el futuro. Todos nos veíamos así. En
1930, Lev Davidovich escribió:

> **Escucho que dicen ¿y qué de mi destino personal? Yo no
> mido el proceso histórico con la vara del destino personal... No
> reconozco la tragedia personal. Solo reconozco el cambio de
> un líder de la Revolución por otro.**

Más tarde, desde luego, cuando la tragedia personal nos consumió, cuando los perdimos a todos, Lev Davidovich, en privado, dejaría sus lentes sobre la mesa de al lado y hundiría el rostro
en sus manos. Guardaría a los muertos dentro de sí mismo. Tanto espacio allí dentro para los muertos. A menudo hablábamos de
nuestros palacios de la memoria. En esas habitaciones, aún juga-
ban nuestros hijos. Los amigos aún abrazados; brindábamos en
habitaciones repletas de luz. Pero algunos cuartos estaban cerrados. Era nuestro juego de la memoria, algunos cuartos, después
de haber pasado por tantas cosas, no podían abrirse.

Hace seis semanas, cuando ya casi estaban terminadas las fortificaciones de nuestra casa, escuché a L. D., después de su siesta,
avanzada la tarde, andando por la habitación; treinta pasos en una
dirección, treinta pasos en la otra, tocando las paredes, como había hecho en su primera celda de Odessa, y lo oí hablar con alguien, lo descubrí gesticulando, dirigiéndose a Joffe: «¿Si no
te hubieras ido las cosas habrían sido diferentes? Te fuiste sin
haberme dado la espalda y debo agradecértelo, mi amigo, el
único...».

Podía verlo girar, darse la vuelta y susurrar, volviendo al pasado. No interrumpí sus conversaciones con antiguos camaradas.
Para él era importante mantener esas conversaciones, encarar los

enigmas históricos que esas muertes y esos giros habían dejado tras de sí.

Un viejo hablando solo en el jardín.

Verá, ya no quedaba gente viva que fuera su igual. Debe comprender eso. La gente que había vivido su misma época, compartido sus experiencias, ya se había ido, se la habían quitado o se había distanciado voluntariamente de él. Estas conversaciones con los muertos eran una manera de pedirle cuentas a la historia.

En nuestra vida en común, hace tantísimos años en París, cuando dejé a mi primer marido por Lev Davidovich, ¿llegué a imaginar que habría tanta sangre y pesar, y que el final llegaría y yo seguiría todavía aquí?

Si lo hubiese sabido, ¿me habría embarcado en este viaje?

Lev Davidovich ya no puede mirarme a los ojos. Él ha vuelto a ser joven, lleno de pasión. Oye una discusión en la cocina de la Casa Azul, yo con la sirvienta. Se nos acerca, yo estoy gritando en ruso, cogiendo a la cocinera por la muñeca, furiosa por su lentitud y su negación a obedecer órdenes. Confieso que no soy yo misma. El temor de perderlo me ha convertido en otra. La joven criada está llorando, frotándose la marca que empieza a salirle en la muñeca. Yo miro al suelo. Miro el líquido derramado del cocido que se filtra entre las tablas del piso amarillo. El cocido es su plato preferido y quiero que quede perfecto. La joven cocinera es descuidada, tira la sartén, no es limpia. Veo a mi marido en el umbral de la puerta. Estoy furiosa, lo sé; mi cara ajada y sin color. Estoy avergozada de mi aspecto. Él está molesto por el ruido y se acerca a mirar las marcas en el brazo de la cocinera. Me dirige su fría mirada:

—*Debemos separarnos* —dice.

¿Y quién soy yo para discutirlo?

Se retira a la montaña para trabajar. Frida lo sigue unos días más tarde. Llega a la Casa Azul, la casa en la que ella nació, para coger algunas cosas para el viaje. Veo a Frida moverse con ligereza y destreza a pesar de su pie malo. La veo con un cigarro en una mano y con un *rebozo* verde deslizándose por su hombro al inclinarse a sacar unos tapetes y unos viejos cuadernos de dibujo de un baúl de madera que hay en el pasillo. Frida es vaga respecto a sus planes de viaje. Al meterse en el automóvil, antes de cerrar la puerta, escupe sobre el piso de barro, como un *kulak*, pienso disgustada. Luego, Frida se gira rápidamente para sonreír, quitándose algo de la lengua y, señalando hacia el cigarro, mueve los labios: «t-a-b-a-c-o». Se despide de mí con la mano, una vieja enmarcada en una ventana color rojo, cuidando un huerto. La miro fijamente mientras el coche se vuelve más pequeño y el polvo se eleva hasta la ventana, y me digo, *una roca es tan árida como yo*, y entonces me doy vuelta, sorprendida, después de todos estos años, encuentro un verso de Maiakovski dentro de mi cabeza.

Me siento aquí y recuerdo la soledad de su sesenta cumpleaños en Coyoacán. Las discusiones que tuvimos. Él dijo:

—Natalia, las cosas me llegaron con facilidad en la vida, me llegaron pronto. Quizá demasiado fácilmente y demasiado pronto. A la edad de veintiocho, ¡dirigiendo el soviet de Petrogrado! A veces, pienso, las cosas que ocurren así deberían hacernos sospechosos. Quizá después en la vida, cuando las cosas son más difíciles de conseguir, menos te pueden quitar. —Estaba en tal desesperación. No podía contestarle—. Quizá mi muerte pudo haber salvado a nuestros hijos, a nuestras hijas...

—No hables así —le suplico— no podías hacer nada más...

Estos ánimos le llegaban como vientos sobre el desierto. Cada vez se recuperaba. Cada vez yo esperaba esa recuperación.

Tal era su poder de recuperación.

Pero con la guerra a nuestras espaldas y con los asesinos a la puerta, su sesenta cumpleanos puso a prueba su poder de recuperación.

Hace ya un mes desde su muerte y deambulo por su estudio, esperando a que aparezca. Me siento en su escritorio. Me recuesto hacia atrás y miro al techo. Desde el escritorio me inclino hacia la biblioteca y recorro con mis dedos las *Obras completas* de Lenin, encuadernadas en tela roja y azul. La luz entra en la habitación por las ventanas emplomadas de la puerta que conduce al patio. El mapa de México y todos los viajes que hicimos, me empujan desde el muro que está a mis espaldas. A veces, se paraba y estiraba y abría la doble puerta hacia el jardín y cuidaba su colección de cactus. Le gustaba con su dureza, la resistencia salvaje del cactus. Le daban fuerza.

En estos últimos años, valoraba los sentidos mucho más que antes. Cada día era nuevo. Cada nuevo día era un regalo. Era optimista por naturaleza.

Yo tenía suficientes presentimientos y pesimismo para los dos. Ahora que se ha ido, siento no tener un salvavidas que me salve de mí misma, nadie a quien dirigirle la atención hacia la lluvia o el mágico paso de los días. Nadie con quien compartir el olor de los eucaliptos en el jardín, soltando su fragancia en la humedad del verano.

Lo veo inclinarse ligeramente hacia delante para escuchar a una visita que ha llegado a su escritorio. Su concentración en la persona, en el tema, en alguna idea, su concentración tan intensa como una lámpara de calor.

¿Cambió a lo largo de los años? ¿Cómo altera el exilio a una persona? Escribo estas preguntas para mí misma. En lo esencial, jamás cambió, pero en la forma se ablandó, el trazo que lo delineaba se volvió menos agudo con el paso del tiempo. Sí, en algunos sentidos, se ablandó con la gente.

Porque el hombre que en 1918 cerraba las puertas a quienes llegaran tarde se convirtió en el hombre a quien se le cerraron las puertas. El ruido reverberaba por toda Europa. La única puerta abierta estaba en una Casa Azul, en un pequeño poblado a las afueras de Ciudad de México.

Soy el judío errante. Me lo dijo en 1937, cuando un ejemplar del *Pravda* de hacía tres semanas llegó a su escritorio. *Jamás dejan que lo olvide*. Señaló una caricatura suya en el periódico, en la que aparecía como asesino y verdugo, oprimiendo el cuerpo de la Unión Soviética. Trotski con la cara de Judas.

Y luego el corazón trabado por las muertes de todos los que le eran cercanos.

Frente a una puerta cerrada, uno está obligado a abrir su corazón y llega a saber mucho de las recámaras que hay en él.

Por encima de todo lo demás, su inmenso amor por el Partido. Nunca perdió su amor y su fe en la idea del partido. En el decimotercer congreso del Partido bolchevique, había dicho:

> Nadie quiere tener la razón en contra del Partido. Solo podemos tener la razón con el Partido porque la historia no nos ofrece ninguna alternativa. Los ingleses dicen: «*My country... right or wrong!*», pero nosotros decimos: ¡Mi Partido... bien o mal!

Cuando el Partido lo rechazó, no le quedó más alternativa que crear algo nuevo. Un nuevo partido internacional: La Cuarta Internacional. Para retar a Stalin desde fuera. Y la gente a menudo preguntaba ¿por qué había gastado su energía en una agrupación pequeña, inefectiva, asediada por divisiones desde el principio? Y mi única respuesta, la respuesta que siempre doy: «*Era un Revolucionario. No sabía ningún otro camino*».

JORDI MARR
Coyoacán, julio de 1954

Solía ver cómo lo miraba Natalia. Cómo se quedaba quieta, como un halcón. Cómo llegaba volando bajo, anticipándose a sus necesidades. Cómo él estaba más relajado cuando la tenía cerca porque Natalia atendía la porquería de la vida, mientras lo suyo era pensar, polemizar para que el futuro llegara a ser.

Fue durante un día de agosto, hace catorce años. Ya es pasado.

Me siento aquí, con el periódico abierto frente a mí, con la fotografía del ataúd de Frida. Me siento aquí trazando el arco de mi vida, de participante a testigo.

Esa mañana en que los conejos andaban agitados. Lev Davidovich no podía mantenerlos quietos; corrían unos encima de los otros; no querían comer. Se había levantado a las seis, moliendo él mismo los granos. El calor de agosto era agobiante, a pesar de que aún era muy temprano. Quizá lloverá. Miró al cielo, quieto en su pijama azul y blanco, intentando comprender la agitación de sus animales.

Las visitas siempre se maravillaban ante la pasión de Lev Davidovich por sus conejos; el cuidado que les prestaba, el hecho de que no dejaba que nadie más los alimentara o tocara. Se quedaban igualmente maravillados ante la facilidad con la que el Viejo podía partirle el cuello a su conejo favorito y comérselo guisado por la noche. Con un movimiento de su mano, el Viejo rechazaba las objeciones: *Se puede devorar fácilmente lo que se ama*. Había risas nerviosas en torno a la mesa y los invitados mejicanos siempre inclinaban la cabeza educadamente o señalaban a la luna. *La*

Luna conejo, decían. Los aztecas creían que un conejo había sido lanzado a la cara de la Luna en el momento de la Creación para apagar su brillo y distinguirla del Sol. Ellos entendían el sacrificio del conejo, a partir de historias que se habían heredado a través de generaciones. El año que Cortés invadió fue un año 2 Conejo, de acuerdo con el calendario azteca. Signos y presagios.

El conejo no debía ser consumido con ligereza.

Todos los días, el Viejo camina alrededor del jardín de Coyoacán, después de haber alimentado a conejos, tocando las paredes del jardín con su bastón. Cuando se le preguntaba por qué hacía esto, se ríe y sorprendido por la pregunta, contestaba: *Es una vieja costumbre de los días de prisión*.

Habíamos estado trabajando duro, semanas sin dormir, tras el asalto en mayo a la vivienda. Las fortificaciones estaban acabadas. Estábamos cansados. Tino, uno de los chóferes mejicanos, decribió un sueño que vagamente recordaba de la noche anterior. Estaba alarmado. En su sueño, los muros de la Casa Azul ya no eran azules, sino rojos, de un rojo goteante, como la paleta de un pintor que ha caído al suelo.

—Era como sangre —insistía Tino—. No me gusta.

—No nos importa. —Ese día estaba irritado, por el calor y por la lluvia que no llegaba. Estaba molesto con el Viejo por su ruptura con Frida y con Diego y lo que había significado para mí perderla a ella—. La Casa Azul ya no nos afecta.

—Mmmmm... Me acuerdo... —sonreía Tino con malicia—. El lío con la *pinga* del Viejo.

Y nos reímos a expensas de Trotski. La válvula de escape de la risa.

Estaba avanzada la tarde cuando se presentó en la reja. Se escuchó el ruido de un motor que giraba más adelante sobre la calle, pero él llegó a pie. Lo vimos en la reja con el mismo traje de la semana anterior y una gabardina gris sobre el brazo. Estábamos jugando a cartas, se estaba haciendo tarde y estábamos cansados. Ya casi terminaba nuestro turno.

Tino miró al hombre de la reja.

—Es Jacson.

—¿Jacson, el novio de Silvia?

—El mismo.

RAMÓN MERCADER
Ciudad de México, 20 de agosto de 1940

Son las dos de la mañana. Mercader siente que es la hora exacta sin mirar el reloj al lado de la cama. Un grupo de periodistas está cantando delante de su puerta en el hotel La Reina. Están tomando ron y fingiendo una pelea, lánzandose los unos a los otros sobre el suelo de vidrio que filtra la luz del vestíbulo. Mercader se levanta a quejarse. Necesita dormir. Mañana, más que nunca, necesita estar despierto. El *gerente* del hotel se queda un buen rato mirando al hombre que está en el suelo riéndose y lanzando bofetadas de broma, mientras los otros le toman fotografías. «Son americanos —dice el *gerente*—. No se puede hacer nada.» Les guiña un ojo. Le parecen simpáticos estos americanos, realmente simpáticos. Sobre todo por las propinas que le dejan. Mercader mira con el ceño fruncido al hombre que está en el suelo. *Chingada, son of a bitch*, le dice en inglés y en español, y regresa a su habitación. Silvia está dormida, como de costumbre. Se vuelve a meter en la cama. En su mente, ensaya todo lo que tiene que hacer. Se arrulla a sí mismo, repitiéndose la escena una y otra vez: la colocación de la gabardina sobre la silla, el momento en que el Viejo se queda mirando el manuscrito, el momento en que extrae el arma del bolsillo de la gabardina. Una y otra vez, imagina la escena. Se prueba a sí mismo. Está preparado. Pero no puede dormir. Se acerca al escritorio y levanta la tapa. Enciende la lámpara que hay encima. Escribe una nota donde asegura ser un miembro desengañado del círculo íntimo de Trotski. Cómo una vez había admirado a Trotski, pero temía la dirección en la que ahora se movía Trotski. Cómo el Viejo había amenazado la vida del camarada Stalin. Dobla el papel y lo coloca dentro del bolsillo de su gabardina, junto al *pio-*

let. Vuelve a la cama e intenta dormir. Se imagina el *piolet* destrozando un bloque de hielo. El arco de su brazo. El ángulo del movimiento. Las venas latiendo, visibles en los antebrazos y en las manos.

Para arrullarse hacia el sueño se imagina los blancos espacios que ha escalado. Cuando sale a escalar siente la vacía fosforescencia que le infunde; nada se le acerca. Recuerda sus viajes a la montaña, los días en los Pirineos o en los Alpes, él y otro camarada pasando días sin conversar. Días de concentración en una cara de la montaña, en los movimientos de manos y pies. La tiza en la punta de los dedos al alcanzar las grietas, notarlas y seguir el movimiento en otra dirección. Y él había sentido, como todos los escaladores, una tercera presencia, algo que tenía a su espalda que lo protegía. Una noche, soñó que algo andaba mal. Se había despertado temblando sobre una cornisa a novecientos metros de altura, sin estar atado a su arnés. Se volvió a enganchar y agradeció el sueño. Fue durante aquella excursión que descubrió por primera vez su habilidad con el *piolet*. Con qué facilidad manejaba ese hacha para el hielo. Cómo podía partir un bloque de hielo con un solo movimiento. Sabía desde ese momento, que podría romperle el cráneo a un hombre de un solo golpe.

Cómo desea que mañana vuelva a protegerlo esa tercera presencia, como el sueño que llevaba en la espalda aquel día.

Su madre siempre había estado convencida de sus habilidades. Le había imbuido esa creencia. El papel que debería jugar para un futuro mejor. Si falla, su madre sufrirá. El *Khozyain* ordenará que vuelva a Moscú. No fallará, no puede fallar.

Preparación. Piensa en todos los meses de preparación.

Sobre las calles de Ciudad de México hay grandes bloques de hielo que se depositan muy temprano por la mañana y se dejan en las esquinas. Luego, los dueños de los cafés y los vendedores ambulantes rompen el hielo y lo meten en refrigeradores, cubos y cubetas. Durante los meses de preparación, Mercader ha probado su habilidad con estos bloques de hielo que se derriten lentamente sobre las calles. A veces, en las primeras horas del día, cogía su *piolet* y ofrecía sus servicios a los dueños de los establecimientos y a los vendedores ambulantes. Se lo quedaban mirando cuando levantaba el hacha de mango largo por encima de su cabeza y destrozaba el bloque, antes de que pudieran quitarse el sueño de los ojos. Algunos incluso ofrecían pagarle por sus servicios. Pero él siempre se negaba. Le proporcionaba una inmensa satisfacción ver cómo se partían los bloques de hielo en medio del frío del amanecer.

Preparación.

La semana pasada había sido el ensayo. Casi por accidente. Había estado esperando a Silvia fuera de la reja de la avenida Viena, fumando y hablando con los guardias, intercambiando cigarrillos con el jardinero. Natalia lo había visto y lo había invitado a pasar para el té. Había mirado en la pequeña cocina y las pálidas paredes verdes. Vio los estantes cerca del lavabo y las ollas azules y amarillas que se alineaban encima, y los botes metálicos del té que Natalia había ordenado: *Earl Grey, Prince of Wales, Assam*. Miró fijamente el samovar de cobre en medio de la mesa. Vio la colección de cedazos y coladores para el té colgados en ganchos. Tomó también nota de que la mayoría de las ventanas tenían barrotes, pero no todas. Vio los cuartos que conducían de la cocina a la biblioteca y al estudio de Trotski. Desde la mesa de la cocina tenía una vista del escritorio de Trotski, la silla de mimbre echada hacia atrás. Los tinteros a medio llenar. Podía ver un redondo sombrero de paja y el bastón de Trotski sobre la cama. Los detalles le quedaban claros en la mente. En la cocina se sentaron sobre sillas de mimbre en torno a una gran mesa, cubierta con un mantel color oro. El techo era alto. El suelo de color rojo oscuro. La cocina era algo sombría. Se había sentido pesado en esa cocina, como si tuviera un gran peso encima. Había una fotografía reciente de Natalia, de perfil con un sombrero negro cubierto por una red negra. Le preguntó sobre esa foto. Elogiándola. En la fotografía, aparecía sirviendo té de una tetera blanca y la red le hacía sombra en su cara. Ella movió la cabeza hacia la fotografía y sonrió vagamente, «Mi sombrero de viuda —dijo—. Estábamos en el Paseo del Campo». Trotski también sonreía. Mercader notó los tres grandes impactos de bala que había en la pared de la cocina. Había visto varios impactos de bala más grandes sobre los muros del estudio de Trotski al pasar por el doble portón del jardín. Contuvo una sonrisa. Había visto de reojo algunos títulos dentro de la biblioteca acristalada. Las *Obras completas* de Lenin, *Labour in Ireland* de James Connolly, *The Iron Heel* de Jack London, *The Plumed Serpent* de D. H. Lawrence. Le había hablado a Trotski sobre algunas ideas para un artículo y que si, de traerlo pronto, ¿lo podría revisar? Trotski estuvo de acuerdo. Sorprendido y halagado por este recién descubierto interés del belga por la política. Siempre era posible convencer a alguien.

Mercader echó una mirada hacia el estudio e imaginó dónde debería colocar el manuscrito. Dónde se pararía para tener el mejor ángulo de movimiento. Cómo, si eso no funcionaba, terminaría el trabajo con el revólver.

Mientras pensaba en todo esto, Natalia sirvió el té y Trotski le pasó un plato con golosinas. Mercader tomó un bizcocho. Recordó que Natalia se lo quedó mirando cuando mojó una punta del bizcocho en la taza del té hirviendo. Lo había mirado morder el bizcocho, sonriéndole. Recordó haberse sentido de pronto cohibido, sintiendo la necesidad de estar lejos, miraba continuamente el reloj. Esperó a que Silvia terminara de escribir a máquina en el cuarto contiguo, podía verla a través de los emplomados de la puerta que conducían a la biblioteca. Podía verla parada ante el archivo de madera, con un cajón abierto, mientras ella sacaba papeles. Natalia notó que él miraba su reloj. Llamó a Silvia, que llegó con unos papeles en la mano para que los firmara Trotski. Silvia le sonrió tímidamente, sorprendida de verlo allí sentado. Y Natalia se quedó mirando a la joven pareja. Se giró hacia él y le dijo: «Vayan, no dejen que los entretengamos más. Vayan y hagan lo que tengan que hacer».

Preparación.

En la cama flexiona el brazo derecho. Tensa los músculos y luego los relaja. Trabaja todo su cuerpo. Flexionando y tensando. Del otro lado de su puerta escucha la risa de los periodistas que se retiran a sus habitaciones. Intenta dormir.

A esta hora mañana, su madre lo estará esperando con el motor en marcha. Cuando esté hecho, conducirán hasta el aeropuerto. A esta hora, mañana, estarán cruzando el Atlántico, con pasaportes nuevos en sus manos, alejándose de México hacia una nueva vida.

INFORME DEL INTERROGATORIO DE LA POLICÍA
A LA SEÑORA FRIDA KAHLO DE RIVERA
22 de agosto de 1940

Mientras Frida es conducida a la comisaría de policía, se fija en un pequeño crucifijo de madera que hay en la puerta. La figura de Cristo mira hacia sus pies, burdamente tallados, con la cabeza colgándole y la boca abierta como si se sorprendiera de su propio abandono.

Frida conocía cada rincón de Coyoacán. Cada puesto callejero y cada vendedor de las calles. Sabía dónde encontrar los mejores y más brillantes juguetes de madera, los mejores *tamales* y *quesadillas*; los chiles más jugosos. Sin embargo, ese día no se fijó en el mejor puesto para conseguir telas de todo Coyoacán. Satines y algodones rayados ondean con la brisa. Ella no les presta atención. Ese día, todo lo familiar no la conforta, mientras su pelo cuelga por la espalda envuelto en una larga trenza que parece una interrogación.

Ha venido a responder preguntas sobre dos hombres. Uno, un hombre que vio solamente una vez en París. El otro hombre, alejado hacía mucho de ella, le había profesado alguna vez su amor en México. Está confundida e insegura. El hombre que alguna vez la había amado está ya muerto. *El Viejo está muerto*. La policía la informa de que en esta muerte hay una conexión entre los dos hombres.

Todo en la vida es conexión.

Contestará las preguntas. Dará su testimonio acerca de alguien y de algo de hace mucho tiempo. Pero el interrogatorio, razona consigo misma, no tiene nada que ver con el hecho de la muerte del Viejo. En su cabeza, el interrogatorio es sobre la venganza y la traición, sus ciclos, el vértigo que provocaba en la vida de la pareja. Un millón de cosas. Cosas que se pueden sentir. O pintar.

¿Qué significa que tu marido se acueste con tu hermana? ¿Quién es tu mejor amigo?

¿Que tu mejor amigo, tu hermana, se acuesten con tu marido?

Doble traición. Doble venganza.

Una pistola para la venganza, piensa Frida. *Un balazo de mi vulva.*

Y la venganza, ¿acostarse con el marido de otra mujer, solo porque se puede?

Cómo estas decisiones, tomadas hacía años, aparecen en este momento. Cómo la habían conducido hasta aquí, a una comisaría de policía de Coyoacán, esperando ser interrogada.

En casa de mi hermana jugábamos a hacer el amor. En la casa que mi esposo compró para ella jugábamos con el peligro de dejarnos caer. Avanzábamos y retrocedíamos. Y al Viejo le atraía caer. Aún hoy, cuando lo recuerdo, me sigue sorprendiendo, cómo estaba dispuesto a dejarse caer.

Frida observa cómo van cobrando forma estos pensamientos; las sombras en su mente, mientras es conducida a una pequeña habitación y, detrás de ella, la señora Rosita Moreno que es llevada hacia otra. Mientras conducen a Rosita al cuarto adyacente, se gira, encoge los hombros y alza las cejas. Frida intenta contestar con una sonrisa.

Pero se siente abandonada por dentro. Quiere que Diego entre por esa puerta, frente al policía que se está quedando dormido, y la llame por su nombre y la salve. Pero también se ha alejado de Diego. En este momento Diego está en San Francisco en los brazos de una *gringa*; a ella no le cabe la menor duda. Frida se sienta ahí, esperando, sobre un banco de madera. Junto a ella está acostado un hombre que apesta a *pulque*. Un *campesino*. Está profundamente perdido en su sueño de borracho, estirado sobre el banco, con un pedazo de cartón encima del pecho y una pierna debajo de su cuerpo. Ella piensa en la vida. Intenta vivir la historia del pobre *campesino*, todas las historias de dolor y de pérdida, esas cotidianas historias de México que están dentro de ella. Piensa en las horas que él pasa dando paletadas a montañas de grava, ignorando la ley de la gravedad, para poder plantar maíz. Y cómo llegan las lluvias. O no llegan. Cómo se mantiene su suerte. O no. Si la lluvia no llega, sin premiar sus esfuerzos, el *campesino* grita hacia el viento caliente: *Es muy triste la milpa.*

Si la lluvia no llega, siempre queda el *pulque*, el lechoso alboroto de su cabeza, cómo las estaciones sin lluvia lo envían venturosamente hacia la ciudad, con un pedazo de cartón en la mano sobre el cual le paga a alguien para que le deletree: *Se alquila*. Y se para, día tras día, en el *Zócalo* de Ciudad de México, junto con otros hombres con letreros de cartón: *Electricista, Plomero*, se pelean por la sombra mientras el sol cae sobre ellos como una arista y las sombras se hacen más cortas. Frida los ha visto, quemándose, desconsolados en el *Zócalo*, cerca del Palacio Nacional. Porque la Ciudad es otro país, y se despierta un buen día, con un pedazo de cartón sobre su pecho, borracho, acostado en una comisaría de policía con la barba cubierta de vómito.

Frida conoce su historia. Ella sabe lo que ese hombre ha dejado atrás.

Ella sabe lo que es deslizarse pegada contra las leyes de gravedad de la vida, con las manos henchidas de promesas, y resbalarse nuevamente hacia abajo, sin nada. Su espina dorsal rota, su pierna amputada y en su mano un puñado de pinceles.

Toda la vida contenida en ese deslizarse.

El Viejo está muerto. Hace una llamada telefónica desde la comisaría de policía. Llama a Diego, a Estados Unidos. Está llena de tristeza y de coraje. «*El Viejo* está muerto...» No puede terminar la frase. Cuelga el auricular. Diego está lejos de ella. No es capaz de alcanzarlo.

El Viejo. No le gusta pensar que se ha ido.

Su esposa. Natalia. Recuerda a la esposa, aquella vez, desde la ventana. Una figura gris en un marco rojo. Como ella, Frida, se giró y se despidió con la mano, escupió tabaco en el suelo, viendo cómo la observaba Natalia mientras el coche se alejaba de la Casa Azul, llevándola velozmente hacia su último encuentro con Trotski. Recuerda la cara de Natalia en la ventana. La historia que había sobre ese rostro, como el de un *campesino* al que le ha fallado la lluvia y se ha perdido la cosecha.

Es muy triste la milpa.

Frida había sentido su propia juventud y belleza flameando contra la mujer enmarcada por la ventana. Pensar en ello hoy, tres años después, mientras espera en la comisaría de policía, le avergüenza pensar el triunfo que sintió en aquel momento y la fugacidad de ese triunfo. Le hace sentir ganas de volver atrás, volver a vivir aquel momento, caminar hacia la esposa en la ventana y hacer las paces con ella.

Porque ella sabe lo que es sufrir un marido.

El interrogatorio no es sobre Trotski. Es sobre la vida que lleva con Diego. Es sobre Natalia. Es sobre la alianza que alguna vez formó con un hombre que casi destruye a su esposa.

El policía golpea con su lápiz sobre el escritorio para llamar su atención.

—¿Hasta qué punto conocía usted al finado señor Trotski?

Frida alza la mirada hacia el lápiz en la mano de ese hombre.

—Estuvo de huésped en mi casa durante dos años. También su esposa. En ese entonces, los conocimos bien.

Los conocimos bien. Pienso en Natalia y pienso en mí misma, no, no la conocí bien a ella. Con Natalia siempre hubo una barrera, algo invisible y frío entre nosotras, y yo la culpaba a ella de eso. Pero la barrera era Trotski. Junto a él, veía a su mujer como cansada, triste, disminuida en todos los sentidos. Pero tenía talento para el color y las flores, una manera de disponer las cosas. Para mí, era una aventura. Para el Viejo, iba en serio. Un paso más y lo hubiera perdido todo. Yo era joven. Yo podía recuperarme. Mi corazón era más flexible que el de Trotski. ¿Quién lo hubiera pensado? Ese poder sobre él, un poder que ya no podía ejercer sobre mi marido, y veía cómo tenía asida a Natalia y, juntos, ejercíamos ese poder. Ella no podía ganarnos.

¿Por qué competíamos? Un Viejo al que le gustaba mirarme mientras me bañaba. Al que le gustaba mirar cómo me vestía. Al que le gustaba tocarme el cabello. Un Viejo que solo pudo follarme una vez, que se clavó dentro de mí y se seguía clavando, como hacen los hombres, que prueban su virilidad con exhibiciones de ese tipo. Luego, se quedaba acostado, dándome la espalda, con su cabeza entre las manos, llorando.

¿Para qué?

¿Por quién?

¿Por Natalia? ¿Por sí mismo?

No lo decía.

Sin embargo, volvía. Pero físicamente, yo no sentía nada por él. Como todos los hombres que se han salido con la suya toda su vida, él no entendía. No entendía que no quería follar nunca más con él. No me importaba si podía exhibir su polla como un hombre de la mitad de su edad. Me serró para toda la eternidad. Para él, ese tipo de crueldad equivalía a sexo.

El Viejo. El Gran Revolucionario.

El hombre más egoísta que jamás me había follado.

Pero en aquel entonces su intensidad era abrumadora. El deseo.

Tenía un gran cerebro, pero era tan rígido como las vías que habían soportado su famoso tren, durante la Guerra Civil, hacía tantos años.

Basta, dije. Volvamos al principio, acércate a los camaradas.

Pero eso era un insulto a su hombría. ¿Acaso no tenía la virilidad de un hombre treinta años más joven?

Me hacía enojar. Le dije: Si para ti el sexo es resistencia, lo siento por ti.

¿Pero qué más hay?, dijo. Eso es importante.

¿Para quién?

Él no podía entenderlo.

Y, al llegar a ese punto, yo le dije: Se acabó.

Y El Mayor Revolucionario del Mundo, como ya dije, El Follador Más Egoísta del Mundo, cayó a mis pies.

—¿**Hasta qué punto conocía al acusado?** —El policía repite su pregunta—. Frank Jacson, **¿hasta qué punto lo conocía?**

—No lo conocía.

—**Dice haberla conocido en París.**

El policía sostiene una fotografía de un hombre bien afeitado con lentes metálicas. La empuja hacia ella. El hombre tiene unos inmensos ojos claros tras los lentes y el cabello oscuro.

—**Intente recordar.**

—¿París?

Y retrocedo hasta mi primera exposición en París. Un hombre estaba admirando mis pendientes. Los pendientes que me había regalado Picasso, largos dedos de plata que colgaban de cada lóbulo, pequeñas manitas apretujadas en una súplica. Y ese raro joven que se me acerca, entablando conversación sobre cualquier cosa, desde Picasso hasta Trotski. Preguntándome si conocía bien a Trotski, si quizá podría presentárselo, él era un gran admirador suyo... y, en aquel entonces, yo ya había terminado con el Viejo, terminado completamente con él, y no podía creer que Trotski pudiera surgir precisamente en aquel momento, un triunfo artístico para mí, el momento en que la revista Vogue *mostraba los anillos de mis dedos y un comentario sobre «La Mode de Madame Rivera»...*

—Quizá, quizá durante la exposición de mi obra en París —le dice Frida al policía—. Quizá es allí donde el hombre asegura haberme conocido. Pero le aseguro que nunca me lo presentaron formalmente, había tanta gente allí, mi primera exposición en París, debe comprenderlo...

—¿**Cuáles fueron sus relaciones con el señor Trotski en el período previo a su muerte?**

—Habíamos perdido el contacto. El señor Trotski y mi marido estaban en desacuerdo sobre la situación política de México. En realidad, no había visto a Trotski desde hacía dos años. Se mudó de nuestra casa a otra, en la avenida Viena...

Las relaciones entre nosotros eran inexistentes. Durante un tiempo, quiso volver a verme. Pero me negué. Luego vino la ruptura entre Trotski y Diego, mientras yo estaba en París. Admito que sentía algo de afecto hacia el Viejo. Aún lo siento. El tipo de afecto melancólico que siente uno al mirar una vieja fotografía, las personas que están allí retratadas y el recuerdo de esas personas remueve los afectos de ese entonces, pero uno ha perdido contacto con ellas, ahora viven vidas diferentes. Uno ya es diferente. O quizá sólo la huella de un sentimiento, ¿quizá basado en el deseo que él sentía por mí? Una vez, lo vi pasar en un coche. Sentado muy abajo en el asiento. Rodeado por sus guardaespaldas. Era muy temprano por la mañana. Él no me vio y yo sentí lástima de él... prisionero en su automóvil. A menudo me pregunto: ¿Qué habría querido de mí? ¿Qué es lo que no había podido entender? El efecto que tenía sobre la gente. En cierto sentido era muy consciente del efecto que ejercía sobre la gente y creía que nadie era inmune al poder de sus palabras... Pero en otro sentido... su comprensión era opaca, como si observara su efecto sobre los que le eran cercanos al través de un nebuloso vaso de pulque.

—**Pero esta casa no está muy alejada de donde vive usted...**

—No, no está lejos, *señor*. Pero en términos ideológicos y personales, sí, estaba muy alejada...

—¿**Cree usted que su ex marido está implicado en el asesinato del señor Trotski?**

—¡No. Por supuesto que no! Mi ex marido es un artista, *señor*, no un asesino.

Mi ex marido es un mujeriego incurable. Lo contradictorio de esto es que no puede soportar que yo me acueste con otro hombre. Así son los mujeriegos. Ha amenazado varias veces a mis amantes. Pero a las mujeres que he tenido en mi vida... bueno, pues esa es otra historia... Si Diego hubiera podido imaginar la verdad de los sentimientos que tenía el Viejo hacia mí, y creo que llegó a in-

tuirlo, habría habido más de un piolet en ese cráneo, señor, se lo
aseguro.

—Y, sin embargo, ¿Rivera ha desaparecido?

—No sigo todos los movimientos de mi ex marido. Si ha desaparecido puedo suponer que se debe a que cree que recaerán sospechas sobre él dadas sus tirantes relaciones con Trotski.

En verdad, señor, *mi ex marido se está follando a dos mujeres en este momento, una actriz norteamericana y a otra. Está pintando sus retratos. ¡Cómo vuelan hacia mi marido las gringas, para que las pinte y luego se las folle! Si mi marido ha desaparecido, le aconsejo que empiece por ellas, en California, la actriz de cine gringa y la otra.*

En una celda adyacente, la señora Rosita Moreno estudia el enyesado de las paredes. Su mente trabaja en la realización de un esqueleto de alambre. Oye al oficial de policía, pero se aleja flotando de su voz. Está moldeando primero la mandíbula, fijando el alambre, definiendo su línea, asegurándose que permita el movimiento. Luego, comienza con la cabeza, utilizando pequeños resortes para los ojos y pedazos de alambre trenzados con unas pinzas. En los esqueletos pequeños solo se mueven las mandíbulas. Entonces se concentra en la oscura mandíbula del policía que tiene enfrente, la piel debajo de su mandíbula como una pesada sábana que se ha colgado para poder atrapar las facciones cuando se caigan. Se pregunta cómo lograr ese efecto con una de sus figuras de Judas, una mandíbula que desaparece bajo la piel...

La mandíbula que tiene frente a ella se mueve rápidamente y se da cuenta que le está hablando. Preguntas. Una ráfaga de preguntas.

Y ahora parece entenderlo, y comprende por qué está aquí. La relación de la *señorita* con Trotski. Y la política. Las posturas políticas de su esposo, Alberto. Cada minero y cada esposa de minero han sido llamados a algún interrogatorio. Todo comunista es sospechoso.

—Mi Alberto vino y se fue. Se fue a España cuando la guerra y volvió. Fue a las minas y volvió. Eso es lo que entiendo de política, *señor*. Que se los lleva. Luego los devuelve. Y que cuando regresan llegan diferentes, duros, como el yeso que se seca al sol. No sé nada de la política de mi marido, *señor*. ¿Y del señor Trotski? Lo vi una vez, quizá dos. Vino a visitarme hace algunos años con la señorita Frida. Eran amigos entonces. Le leí la palma de la mano al Viejo. Una vez, visitó mi puesto. Pero nunca conocí al que mató a Trotski, lo juro.

Su Alberto odiaba a Trotski. Ella lo sabía. Recordaba lo furioso que se puso cuando se enteró de que Trotski había visitado su casa en su ausencia. Supo, después de los hechos, que su esposo había estado involucrado en el primer intento de asesinato de Trotski, que había llegado a casa animado por las ráfagas de ametralladora que habían penetrado en la recámara. Cómo quemó el uniforme de policía que había llevado durante el ataque y había enterrado los restos en un agujero en el patio. Qué desolado y enojado quedó cuando oyó que Trotski había sobrevivido de manera inexplicable.

Qué contento estaba Alberto ahora.

Pero ella defenderá a su marido ante la policía. Pues un mal esposo es mejor que no tener esposo, y esta vez él es inocente, ella lo sabe.

Piensa en las terribles palmas de la mano del señor Trotski. La vida que había leído en esas manos.

Permanecerá callada. Vuelve a mirar la mandíbula del policía que está delante de ella. Se imagina una figura de Judas moldeada a partir de esa imagen, cargada con explosivos, lista para estallar.

NATALIA IVANOVNA SEDOVA
Coyoacán, septiembre de 1940

El azul era su color favorito, los sombreados que tenía, de niño, me dijo, le atraía ese color, quitándose la pelusa de sus pantalones azules, siempre así, con esa exactitud que fue mi vida durante cuarenta años, una exactitud que recuerdo al cortar la chaqueta de sarga azul sobre su cuerpo y colocar mi mano sobre su corazón.

Me gustaría decir que jamás discutimos, que nuestra vida fue armoniosa, pero eso estaría mal. Aun ahora, días después de que se ha ido, estoy tentada de reconstruir, desmoldearlo todo según mis deseos. Quiero decir que la vida nunca fue gris al lado de él. Pero, aun ahora, cuando pienso en los años de exilio, los viajes repentinos, el subterfugio, necesito decir que no fue fácil.

Pero era mi vida, atada a la suya. Qué extraño escribir estas palabras. Él, que nunca iba sin una pluma en la mano, la pluma como espada, la pluma como un consuelo. Su preocupación por los utensilios de escritura; el azul adecuado para la tinta, el grueso perfecto de la plumilla. Después de las muertes de los niños, del tiempo de mutismo y de las bandejas por debajo de la puerta, encontraba energía para salir de nuestra habitación, ir a su escritorio, coger una pluma y comenzar a escribir.

La pluma como un solaz.

Él era mi vida y mi consuelo. Con todos los demás, idos. Yo también, vuelvo hacia la pluma, siento su espíritu rodearme, instándome a seguir.

Su *espíritu*. Jamás le gustó esa palabra. Un término incompatible con el materialismo.

Está mal decir que la muerte de nuestros hijos: nuestro hijo menor en el exilio; la hija en Berlín, el suicidio; Lyova, el mayor en una clínica GPU en París, está mal decir que ese tiempo de habitaciones cerradas y de conversaciones abiertas es el tiempo que recuerdo, como el único en que él estaba por entero allí, conmigo los dos solos con los sentimientos que iban más allá del dolor o de la lástima, cuando nos sentábamos en silencio durante días enteros. ¿Está mal decir que recuerdo estos días como algunos de los momentos más felices? En su muerte, soy egoísta. Cuando estaba vivo, hubo muy pocas veces en que no se entrometieran otros, del mundo ajeno a nosotros dos, del mundo que Lev Davidovich dejó entrar como si fuera suyo.

Y ahora soy yo misma, algunas semanas más tarde, con la pluma en la mano, la pluma que ella le regaló grabada con un facsímil de la firma de él. La pluma como consuelo, con *ese* retrato que ella le regaló en la pared de su estudio. Qué extraño, después de estos años, todas las relaciones rotas, encontrar aquí la pluma, entre los restos de su escritorio. Y es la pluma que ahora sostengo, el facsímil de su firma curvándose firmemente, su fuerza subiendo hacia mí al intentar recordar el tiempo que estuvimos juntos, inscribírmelo a mí misma, para que nunca se me olvide.

Me obligo a volver a sentarme en esta habitación. Las paredes y el piso recién lavados y las manchas de sangre ya no son visibles. El retrato de Frida Kahlo en una pared. Me siento aquí a escribir sobre todo lo que nos condujo a este lugar.

Nuestro primer día en México. 9 de enero de 1937: caminando sobre la tabla de madera hacia el calor y seguridad de Tampico. Lev Davidovich con pantalones y gorra de tweed, yo vestida con un traje oscuro de lana, zurcido con hilo blanco, medias oscuras y zapatos de tacón pues se trataba de una ocasión especial. Nuestra cálida llegada a México, nuestro nuevo lugar de exilio, después del descanso que nos había negado el mundo. Siempre nos vestíamos para las grandes ocasiones, L. D. y yo, y nos veíamos bien juntos. Mi bolso de mano pesaba contra mi cadera y caminaba con cuidado, de su brazo y él ligeramente delante de mí: parecía que siempre sabía exactamente hacia dónde se dirigía, tenía un paso resuelto. Y bajamos del barco por la pasarela, brazo con brazo, con la madera ligeramente arqueada en la mitad. León Davidovich Bronstein caminó como si aún fuera el líder del Ejército Rojo, vestido en su traje de piel con una estrella roja sobre la gorra. Caminó como si fuera al frente de un ejército de un millón, en vez de nuestro pequeño grupo: yo misma, el guardaespaldas, tres simpatizantes norteamericanos y la artista Frida Kahlo en representación de su esposo.

Durante nuestro primer exilio, en Prinkipo, fue cuando lo del telegrama de Berlín, las semanas previas a que Hitler se convirtiera en Canciller del Reich. Habíamos estado esperando un telegrama que nos informara que el Partido Comunista había fracasado. Que su negación a aliarse con los socialdemócratas, «los social fascistas» como los llamaba Stalin, había ocasionado la completa destrucción de la izquierda alemana. Hablábamos de esto constantemente. Mi esposo aislado, la única voz en el mundo que llamaba a una movilización, una alianza contra Hitler. Occidente estaba demasiado preocupado con el comunismo como para escucharlo. Los estalinistas demasiado preocupados con su feudo para escuchar. Instalado en Prinkipo con una barca de pesca, un rifle de caza y un marinero griego para que nos llevara a remo más allá de la casa, escribió mi esposo sobre el horror que sentía por lo que se estaba construyendo en Europa.

Sobre esta pequeña isla rocosa, el destino de Europa nos sacudía, nos preocupaba. Prinkipo, la isla de los Príncipes. Un lugar adecuado para nuestro primer exilio en el exterior, pues habíamos estado exiliados en Alma-Ata antes que esto. Ahora estábamos siguiendo los pasos de esos exilios anteriores, de los príncipes de Bizancio, enviados a Prinkipo porque habían perdido el favor del emperador. Los príncipes, atados vendados navegando desde Bizancio hasta esta pequeña extensión de piedras, ahora en territorio turco.

Nosotros mismos, atados y silenciados, navegando y alejándonos de nuestra patria y de todo por lo que habíamos luchado. Pero no estábamos vendados. Ese fue el primer error de Stalin.

Recuerdo a Lev Davidovich furioso por la plumilla nueva de una pluma que acababa de llegar por correo desde Estambul, que hacía agujeros en el papel mientras él intentaba escribir con ella y luego el telegrama circulando por la casa, L. D. en la parte de arriba quejándose de la plumilla, yo en la cocina limpiando el pescado para la cena y luego el silencio y su cara al llevarme de la mano hacia nuestra habitación, le dije inmediatamente «Hitler». Y dijo: *No, Hitler no*, y me mostró el telegrama que decía que su hija Zina se había suicidado con el gas en su apartamento de Berlín, ¿y qué iba a hacer con su hijo? La cara de L. D. al quitarse los lentes, yo fui la única que lo vio sin lentes, y la tristeza que había en sus ojos aquel día, mientras cerrábamos la puerta, nos descalzábamos y nos sentamos el uno al lado del otro sobre la cama.

Como dije, no ciegos. Ambos, lo veíamos todo con demasiada claridad.

Se repetiría la misma situación, años después, en Coyoacán, tras la noticia de la muerte de nuestro hijo Lyova. Yo en la cocina, L. D. viniendo hacia mí, llevándome de la mano, sin los lentes y con noticias de algo que jamás podría haber imaginado.

Y yo tenía oscuros pensamientos.

Cuando salimos de eso, él volvió a ser de nuevo el Trotski con una pluma en su mano, mientras, yo era ajena a mí misma. Después de cada golpe, él tenía alguien hacia quien volverse: Trotski, él mismo. Yo solo tenía a la extraña, a la persona que no me era familiar en la que me convertía cada vez, cada vez un poco más gris, un poco más vieja, cada vez más precavida.

Y ahora, me tapo los ojos con las manos e intento imaginar qué debía parecer nuestra fortaleza, y cómo, es realmente ahora, al lado, alzándose por encima de las torres de nuestra casa hay un letrero con letras curvadas en blanco: *Instituto Óptico Científico*. Nunca he entrado en este edificio, pero tengo los restos de sus gafas en mis bolsillos, con una lente rota y pienso que podrían cambiar los cristales en ese edificio. Que él no tiene por qué estar mucho tiempo sin ellas y la idea me tranquiliza hasta que recuerdo que ya no tengo que preocuparme más por esas cosas. Pues jamás volverá a pasar por esa puerta y quitarse los lentes y mirarme con el afecto de nuestros momentos en privado, la mirada que nadie más ha visto en él. Jamás volverá a entrar andando, a colocar sus lentes sobre una mesa y sentarse conmigo sobre una cama extraña en una tierra extraña lamentando la muerte de todos nuestros seres queridos.

De pronto recuerdo que el edificio de al lado ha estado vacío durante años. Que el letrero es viejo.

Los fragmentos de vidrio siguen en mi bolsillo, y mi mano se hunde más y más, cerrándose encima de los lentes que ya no puedo reparar ni devolver, porque a él, ya lo perdí.

LEÓN TROTSKI
Coyoacán, agosto de 1940

Han pasado algunas semanas desde la violencia del día de las elecciones y de los balazos en las calles. Trotski piensa en los artículos que tendrá que escribir sobre estas elecciones. Se encuentra aún molesto porque la revista *Life* quería entrevistarlo, querían que Capa lo fotografiara y aun así se habían negado a publicarle su artículo sobre Stalin algunos meses antes, consideraban que era difamatorio.

Doce meses antes había discutido con Diego Rivera sobre los candidatos a las elecciones. Se había distanciado de Rivera por su apoyo a Almazán, el candidato burgués que tenía el apoyo de los intereses petrolíferos norteamericanos.

Esa separación se debía a una acumulación de diferencias.

Había criado conejos en la Casa Azul. Una vez, al principio, Diego quiso ayudar al Viejo alimentando a sus conejos. Trotski se acercó a la jaula donde estaba Diego y le lanzó que: ¿Qué se traía con los conejos? Nadie los conocía como él. No había nadie mejor cualificado para alimentarlos. ¿Cómo podía saber Diego de sus particularidades, de sus peculiares necesidades? Diego había traspasado la línea de la amistad. Este era exactamente el tipo de comportamiento que había provocado el fracaso de la sección mexicana. «Quédate con tus muros —le dijo Trotski al muralista—. Así es como mejor nos sirves.» El Viejo furioso tiró los guantes al suelo.

En ese momento, Diego estaba desconcertado y herido. Cerró la puerta de malla metálica y encerró cuidadosamente a los conejos con sus cortos dedos regordetes, *como salchichas*, diría Frida. «Al demonio con tus conejos», murmuró, pero con *suficiente volumen* para que pudiera oírlo el Viejo, y luego con su cuerpo de hipopótamo siguió su camino, acariciando ferozmente al perico verdirrojo que llevaba sobre el hombro.

Era el preludio a la ruptura entre ellos.

¡Ah, el incidente de los conejos! Lev Davidovich confirma así su opinión sobre el individualismo endémico de Diego. Diego había insistido en jugar un papel clave dentro de la sección mexicana de la Cuarta Internacional, un papel que le quedaba grande. Diego no tenía la suficiente disciplina para ser un organizador. Él era un artista. Tan sencillo como eso.

Desde luego, también entre ellos había aquello de lo que no se hablaba: Frida. Un recuerdo de aquella época le viene a la mente, del tiempo en que aún no dormía con Diego... *Algunos meses después del lío...* Frida está sentada sobre las piernas de Diego, riéndose y acurrucada como una gatita. Le está soplando a la pluma roja que lleva Diego en el sombrero y luego mira a Lev Davidovich con su mandíbula levantada y sus ojos entrecerrados. Él siente cómo vibra la pluma y aleja el recuerdo de aquella boca roja abierta y aquella pluma roja, cayendo momentáneamente dentro de su propia tristeza.

Se echa hacia atrás. No quiere pensar en las elecciones mexicanas, en su ruptura con Diego o en por qué la revista *Life* se negó a publicarle su artículo.

En cambio, su mente vuelve a la última vez que visitó el mercado con Frida.

Fue el día de los Muertos. Frida iba abriendo camino entre la gente. Se habían acercado al puesto de la señora Rosita. Se elevaban las montañas de calaveras de azúcar. Un niño estaba acostado sobre una manta rugosa, al lado del puesto; ella sostuvo dos pequeñas calaveras de azúcar ante sus ojos, con los codos en ángulo recto, como si fueran prismáticos.

La señora Rosita los recibe cálidamente, lo recuerda de la vez en que le leyó la palma de la mano. Busca entre una bolsa grande de objetos de metal que está en la parte trasera del puesto. Saca un pequeño rectángulo de la bolsa, que él reconoce como un *milagro*, un pequeño cuadro de hojalata, un objeto de devoción. Frida y Diego tienen cientos de esos objetos clavados por las paredes. La señora Rosita le regala un pequeño cuadro de hojalata grabado con la forma de un corazón. *Para que lo proteja.* Frida sonríe. Están flanqueados por dos guardaespaldas. Trotski se ríe y le dice a Rosita: «Gracias, gracias —y luego, señalando a los guardaespaldas—, pero como puede ver, tengo suficiente protección». Pero se queda con el *milagro* en la mano, indeciso. De pronto, recuerda la visita de André Breton, Breton sacando viejos *retablos* y *milagros* de las paredes de las iglesias de pueblos por todo México y guardándoselos. Cómo le había molestado esto a Trotski, la falta de respeto que eso significaba. Al punto de rechazar el regalo de la señora Rosita y, por ende, renunciar a la superstición. Trotski finalmente acepta el regalo, por impulso, movido por la preocupación de Rosita. Acepta su regalo porque confirma algo sobre su estancia en México, la calidez, la hospitalidad; Frida. Es su manera de recompensar en algo, una deuda cultural. Acepta el *milagro* aquel día y la señora Rosita sonríe ampliamente, iluminando su cara, los dientes de oro que Frida le había pagado brillan bajo la luz del sol.

Con el *milagro* en la mano se acuerda de una pesada cruz que alguna vez estuvo tirada en el vestíbulo de su oficina del Kremlin. Fue en 1922. Él presidía la comisión para requisar los bienes de la Iglesia. Finalmente, le habían vendido esa cruz a un banquero alemán. Fue un acto necesario, para obtener dinero para la tesorería; vender, fundir, destruir objetos de la Iglesia para presionar al clero reaccionario.

En ese entonces, y después, había habido excesos. Camaradas demasiado entusiastas. Desde luego. En una revolución, siempre habría excesos.

Dieciséis años después, sostiene un pequeño *milagro* en su mano con la misma firmeza con la que alguna vez lanzó un ornamentado crucifijo sobre una pila en el Kremlin.

Al recordar su visita al mercado con Frida, ensaya, aún, una y otra vez, qué le diría si por azar se volvieran a encontrar. A pesar de que su mundo está cada vez menos y menos gobernado por el azar, cada momento contabilizado, todo organizado y sin encuentros por casualidad.

Le preocupan esos pensamientos sobre el pasado reciente. Sale de la cama, intenta no molestar a Natalia y pasa a su estudio. En estas noches sin dormir, vuelve otra vez sobre la biografía de Stalin. Pero no siente ninguna pasión por escribirla. Su corazón está partido, como un árbol que ha recibido el rayo de una tormenta. En estos últimos días, está preocupado por cuestiones de amor y de amistad, así como la guerra que se avecina. Insiste cada vez más sobre cuestiones de amistad y sobre su significado. Recuerda un comentario al azar durante una reunión del Politburó, cuando aún vivía Lenin, un comentario hecho a alguien en particular. ¿Rakovski? ¿Podría ser? Alguien que había declarado que Engels era superior a Marx.

Trotski, intrigado, había preguntado: «¿Como pensador?».

«No, como ser humano», fue la respuesta.

Aquella respuesta se le quedó grabada. Engels y Marx. Los dos, juntos, más grandes que la suma de las partes, produjeron una de las primeras líneas de mayor resonancia en la historia política:

Un fantasma recorre Europa, el fantasma del comunismo...

Cuánto le emocionaba esa línea. Y esa línea había nacido de la experiencia compartida, de la amistad. Ahora ya no quedaba nadie vivo de los que compartían sus memorias de la Revolución. De la Guerra Civil. Nadie vivo de los tiempos de sus más intensas amistades y colaboraciones. Rakovski, antaño su querido amigo, lo había denunciado. Trotski recordaba una entrañable fotografía de su amigo. Mostraba a Rakovski relajado, mirando fijamente a la cámara, con los brazos cruzados, la cara franca e inteligente. Era una fotografía que había acompañado a Trotski por todos los lugares de su exilio, pero tras la noticia del juicio a Rakovski, la rompió y se la pasó a una de sus secretarias para que la tirase.

Y si, en realidad había sido Christian Rakovski el que había hecho el comentario sobre Engels, Trotski se pregunta ¿quizá era un velado ataque a su persona? ¿Podría estar diciendo Rakovski, que durante todos esos años, Trotski al igual que Marx, había desdeñado a aquellos que le eran más cercanos? Quizá era una comparación válida. ¿Quizá no tenía talento para el amor o la intimidad? Quizá Rakovski le decía esto, ¿para preparar el terreno para su posterior traición? Tales pensamientos le atormentaban a esas tempranas horas. Era absurdo y Trotski lo sabía. Pero el insomnio hacía que sus pensamientos se encaminen inesperadamente, por senderos de temor, confusión y dolor.

Beria, Molotov, Kruschev... A veces pronuncia los nombres de los miembros del Politburó de Stalin, una y otra vez, en un intento de forzarse a dormir. Pero en su cabeza, esta noche, es la voz de *ella* la que dice esos nombres, llamando a sus perros xólotl, siete de ellos con nombres de los miembros del Politburó. Sacude su cabeza al recordar esos perros, la manera en que siempre le gruñeron cuando se acercaba y cómo se giraba hacia Frida desamparado, mientras los perros los rodeaban, *es como si, con esos nombres, supieran...*

«Sí, los perros lo saben todo», dijo Frida,

Últimamente, todos sus pensamientos comienzan y terminan con Frida. Su brújula interna está rota. Ya no puede distinguir entre el verdadero norte y el norte magnético. Natalia y Frida. La roja aguja del deseo apuntando en dirección a ella. Su atracción demasiado fuerte para él.

Alguna vez le dijo a ella, con la cabeza llena de su rival Diego:

—Yo te podría alejar de él.

—*Solo si yo quisiera alejarme.*

Lo había mirado en ese momento con una mezcla de lástima y de desafío en sus ojos, con la cabeza echada hacia atrás. Quizá fue esa afirmación la que la había alejado de él, ¿produciendo el efecto contrario al de su intención?

Las semanas que pasó junto a Frida, el tiempo se volvió lento como se hace lento el viajar muy lejos o el estar sentado en un campo con una fuerte carga de gravedad. La fuerza de gravedad de la joven mujer doblaba al tiempo, lo doblaba fuera de toda forma conocida y ya no había ni días ni semanas, solo el momento entre un beso y el siguiente. Él sabía que en la física de Einstein, el futuro estaba allí, esperando a que se entrara en él. Los círculos de una piedra tirada al agua, el reflejo de uno mismo en el agua ya contenido previamente en el espacio-tiempo. Todos los tiempos coexistían. Su tiempo con Frida seguía estando allá afuera. Y con la memoria lo podía tocar.

Para él era un misterio que Frida prefiriera al sapo mujeriego que tenía por esposo en vez de alguien como él. El misterio de la atracción. El misterio de la amistad. Y, a veces, sentía que lo tocaba la fría sombra del futuro, preparándolo para un tiempo en el que no habría misterios.

De todas las emociones que jamás se había permitido, este anhelo era uno de los más difíciles. Lo confundía. Se despertaba por la noche, pasado el efecto del Nembutal, con su cuerpo envuelto en el de su esposa como el marco de una fotografía. Aun así, era Frida quien le preocupaba, no en un sentido sexual, estaba acostado allí rodeando con sus brazos a Natalia. Se sentía preocupado más allá del sexo, más allá del amor, más allá de la vida que había construido con su esposa a lo largo de medio siglo. Estaba preocupado por una sensación que quizá jamás volvería a sentir. Era una sensación de perderse en los ojos del otro, de verse a sí mismo reflejado más grande de lo que era. Una mirada que contenía toda la ensordecedora aprobación de una multitud. Una mirada que contenía el ruido de acero de un tren sobre los raíles, él mismo sobre un vagón azul en el momento cumbre de la Guerra Civil. Un héroe para sí mismo. Su mujer llevaba dentro medio siglo de reconocimiento y, si la miraba detenidamente, eso quedaba reflejado en sus acciones diarias. Lo expresaba en su preocupación por él, en la manera de servirle el té, extendiendo un brazo para abrir una ventana y en las caricias que le hacía en el cuello. Estaba todo allí en gestos cotidianos. Pero no era nada nuevo para él; no era espontáneo; a veces sentía como si su vida se hubiese limitado a una audiencia de una sola persona, Natalia, y no siempre estaba encantado con la audiencia que daba respuestas predecibles y un aplauso en singular.

En verdad, luchaba por una gran audiencia, el impredecible resultado de un estreno, la emoción ondulante e incierta. En Frida encontraba ese tipo de audiencia, una audiencia que él tenía que trabajar duro para convencer, pero no tan duro como para que el esfuerzo fuera tedioso. Sí, en su vida privada a veces anhelaba una audiencia más allá de Natalia, y en el breve tiempo que estuvo con Frida lo había llegado a conseguir. Se había visto a sí mismo renovado, había sentido como si toda la acumulación de su pasado hubiera disminuido al entrar en el cuerpo de una persona mucho más joven que él, que solo conocía su grandeza y desconocía su debilidad.

Natalia conocía el lustre, también sabía de los esfuerzos por mantenerse así, pulirse. El esfuerzo, a veces necesario, para poder seguir adelante.

La joven mujer no veía nada de eso, y eso lo alentaba. Lo hacía olvidar cuántos esfuerzos había tenido que hacer para levantarse de nuevo por la mañana, prepararse para la batalla, preguntarse si este sería su último día y, si ese era el caso, cómo poder vivirlo mejor.

Se había visto reflejado en los ojos de Frida: apuesto, viril, fuerte. Con una gran capacidad para vivir. *No viejo.*

A veces se veía a sí mismo en los ojos de su mujer. No siempre era halagador. El hombre que se tropezaba en la penumbra sin sus gafas, el hombre que necesitaba frascos enteros de píldoras para poder dormir, el hombre que se irritaba cuando las cosas no salían como él deseaba.

Nunca le había permitido a Frida que lo viera sin sus gafas. Cuando notaba que lo miraba, se regodeaba como una foca bajo la luz del sol, liso y reluciente.

Alguna vez Natalia lo había mirado de esa manera. Y él respondió.

¿Quizá esa era la suma de la vida privada? La reacción ante la mirada de una mujer bella. ¿Acaso era tan diferente de los demás hombres como para poder resistirse a una mirada así?

Sintiéndose culpable, levanta el camisón de su esposa. Se toca mientras funde las imágenes de ambas mujeres, perdiéndose en lo que imagina es su doble mirada de adoración.

Luego, se da la vuelta tristemente, dándose cuenta de que quizá lo mejor de él ya pasó. Ha perdido la facilidad de estar en el presente. Se aferra a la sábana, mientras Natalia se mueve dormida, preocupado de que lo único que le queda es el pasado: una vida, un amor, una Revolución.

Y no es tanto el deseo lo que le molestaba, culpándose a sí mismo. Era más bien la memoria del deseo, la delicia ilícita del deseo, y su pérdida.

El tiempo con Frida había sido la última vez que se sintió vivo hasta las puntas de los dedos. Fuera de las sábanas estiró los dedos, sintiendo cómo se le endurecían, extendiéndolos hasta que sintió lo que significaba hablar del recorrido de toda una vida, girando las palmas a la luz de la madrugada, sintiendo lo que significaba tener la vida en tus manos.

¿Estaba realmente escrito el trayecto de una vida en la palma de la mano? ¿Como lo dijo una vez la señora Rosita? ¿La anchura y el largo de una vida? ¿Las venas entretejiéndose?

Recuerda a la señora Rosita. La pequeña e intensa mujer con los anchos y altos pómulos y la tela verde por turbante, enmarcándole la cara. Recuerda la pasión por su trabajo. Recuerda sus condiciones de vida; el suelo de tierra, las hamacas en el rincón, los iconos de Stalin y de la Virgen enmarcados con hoja de lata. El espejo de obsidiana. Cómo esas condiciones, ese tipo de vida, siempre le afirmaban en la necesidad de la lucha. Cómo no había otro camino.

Recuerda el deseo en la punta de sus dedos. Estaba seguro de que jamás volvería a sentirlo.

Un día, llegarían las balas y su cuerpo quedaría agujereado. Entonces, conocería el significado de la vida y del deseo. Lo que es perdurable. Lo que es pasajero. Para lo que había servido su vida.

Natalia está durmiendo. Escucha su respiración irregular bajo la luz que entra por las cortinas, la palidez de su piel gris. Adivina las líneas que se están formando en la parte de atrás de su cuello. Se ha convertido en una mujer vieja y él no lo había notado antes, no sabía desde cuándo venía sucediendo esto. Y sale lentamente de la cama y se mira al espejo como lo puede mirar un extraño y se ve a sí mismo como por primera vez, un hombre envejeciendo, ligeramente barrigudo, su pelo canoso y ridículo en su pijama. Se inclina sobre el borde de la cama. Vuelve a mirar a Natalia y siente confusión y amor, su pelo gris cruzándole la cabeza como nubes de lluvia que cruzan el cielo.

Se inclina para tocar su cabello, aún suave aunque el color ya se ha escapado. Él amaba al cabello de una mujer por encima de todo. Era la primera cosa en la que se fijaba, su pelo.

El peso y caída que tuviera, la fragancia y textura. El pelo de Frida era pesado y recto y tan fuerte como una cuerda. Había amado su peso brillante, recogido encima de la cabeza o cayendo pesadamente como una cortina por su espalda, suelto o recogido, trenzas que se enroscaban y se volvían a enroscar, como una cuerda amarrada en un muelle. Su pelo era diferente todos los días y él llegó a esperar esa diferencia, a notar las alteraciones de un día para otro. Había creído que ella hacía un esfuerzo especial para él. Pero pronto se dio cuenta de que era para ella misma que Frida realizaba esos esfuerzos: *Todos los días me visto para el Paraíso*, había dicho una vez.

¡Eres una mujer diferente todos los días! Se había maravillado ante su transformismo, el tiempo que se tomaba. ¡Tantas mujeres diferentes! Sentía que necesitaría toda una vida para poder poseer a todas las diferentes mujeres contenidas en ella. El reto que eso significaba.

Pensó en el pelo de su esposa. Los bucles color castaño que lo habían cautivado en París hace tantísimos años. El pelo de su mujer era siempre el mismo. Rizado y ondulante alrededor de la cara, haciendo que sus ojos se vieran grandes y vulnerables. La apariencia de su mujer se alteraba muy poco de un día para otro, de un exilio al siguiente. Lo que más valoraba de su mujer era la previsible quietud, el hecho de que no lo alarmaría con diferencias ni con caprichos, sino que estaría allí para él, allanándole el camino.

¿Por qué entonces, en esta etapa de su vida, había llegado a desear la diferencia, la ornamentación y la novedad?

Mil veces al día enumeraba y analizaba esas diferencias entre su esposa y Frida. Pero las conclusiones desafiaban el pensamiento racional. No había explicación lógica. Se sentía perdido. Pues, enamorado como estaba por la variedad y por la diferencia, no quería regresar al tiempo en el que no podía pensar con claridad y no tenía voluntad para escribir y le atormentaba el deseo de ver si el objeto de su afecto se había trenzado ese día el pelo con cintas o con flores.

Era absurdo.

Ahora, le habían quitado a todos sus hijos. Todos sus amigos. No le quedaba nadie excepto Natalia. Sentía que no era suficiente. Se sentía anestesiado. No quedaba más que la remembranza del deseo.

Se giró hacia Natalia y enrolló uno de sus suaves rizos grises en el dedo índice. Se preguntó si Natalia habría llegado a sentir esa culpa y ese tormento, y sintió que los celos y la vergüenza lo desgarraban con solo pensarlo.

NATALIA IVANOVNA SEDOVA
Coyoacán, septiembre de 1940

Tras su muerte, pienso en todo. Todo entre nosotros. Pienso en el tiempo de nuestra separación, el enfado que se filtraba por las líneas telefónicas cruzando el desierto. Cómo sentía que jamás iba a recuperarme. Cómo, después de una vida dedicada a Lev Davidovich, no conocía ningún otro tipo de vida.

Una vez tuve otra vida. Durante los años de la Revolución trabajé en el Ministerio de Cultura. Trabajé duramente en la conservación del arte del pasado, arte burgués; muchos camaradas se opusieron. En una ocasión rescaté un Rembrandt de la destrucción. Creía que no podríamos progresar como pueblo si ignorábamos el pasado. Esas fueron mis victorias, lejos de Lev Davidovich.

Desde entonces, parece que sus triunfos han sido míos. Sus retrocesos y sus derrotas también. Como si nos hubiésemos vuelto un organismo con un pulmón, un corazón, una gran emoción, absorbiendo el mundo, atacando, defendiendo, retrocediendo y escondiéndonos.

Una vida compartida. Los últimos años, no teníamos necesidad de gente nueva. Ahora esa lucha ha concluido, el cansancio está ahí, como una manta a mi alrededor y podría quedarme dormida durante toda una vida. L. D. siempre tuvo problemas para dormir. De noche, administrándole las píldoras, las suficientes para poder dormir. Esa era mi vida, administrar.

Me acuesto sobre nuestra cama, llorando. Llorando desconsoladamente. Aún está hundida la almohada con la huella de su cabeza. Desperdicio el tiempo. Debería estar enviando declaraciones, esgrimiendo la pluma como si fuera un arma. Pero me acuesto aquí durante horas. Preguntándome para qué ha servido mi vida. Preguntándome si ya concluyó todo.

Siempre supimos que yo lo sobreviviría; asistirlo, de ser necesario, para soportar el dolor. Siempre iba por delante de él, allanándole el camino. Ahora me he quedado atrás la única superviviente del naufragio de nuestra familia. Deseo que hubiera sido de otra manera. Es algo terrible que los hijos y el marido se le adelanten a uno. Y después de una vida calculando y facilitándoles el camino. Ahora anhelo dejar a un lado esta carga de supervivencia, esa terrible carga.

Ahora podría dormir durante toda una vida. Pero eso no es lo que él hubiera deseado.

Anoche, me tomé mucho Nembutal y caí dentro de un sueño donde el pasado era más real que el presente. Soñé en el tiempo que pasé en el Ministerio. El incidente que Lev Davidovich me echó en cara cuando nos separamos.

¿Fue traición? En el sueño, estoy en brazos de un hombre bastante apuesto, diez años más joven que yo. Habíamos sido colegas y se sentía atraído por mí, me deseaba. El joven me cortejaba y me había declarado su amor.

El joven me había halagado con su amor por mí.

Y sí, recuerdo una noche en la que trabajé hasta tarde. Recuerdo haber besado al joven y confesarle que yo también lo encontraba atractivo, pero que mi futuro estaba con Lev Davidovich.

Esos son los hechos. En el sueño de anoche, hay algo más que un beso. De hecho, el joven estaba dentro de mí, estábamos acostados encima de mi escritorio en una oficina oscura, y cuando desperté, dudé si en realidad había sido así, si había sido algo que había deseado en ese entonces, y ¿por qué debería estar soñando con un joven que había estado encaprichado conmigo en el pasado, tan solo unas semanas después de la muerte de mi marido? ¿Por qué me despierto ahora empapada y satisfecha por la atención de un muchacho?

Mi vida se fue gradualmente fundiendo con la de mi marido. Una vida compartida.

Expresar estas cosas no es fácil. Estas cosas que ahora escribo con dificultad. Para mí misma.

Cuando estaba muy nervioso, en años posteriores, Trotski me reprochaba mi *lío* con aquel joven. Discutíamos. Le juraba que *no hubo un lío*.

Desde luego, yo conocía sus aventuras. Él era un hombre atractivo. Se volvía más animado en compañía de mujeres. Yo sabía todo esto; lo aceptaba. Sin embargo, no lo creía capaz de serme infiel.

Pero en México, las cosas cambiaron. La pintora se interpuso entre nosotros. Yo marqué mi territorio. Me senté y lo esperé. Después de todo lo que habíamos pasado juntos, creí que tenía que regresar. Cuando se retiró a las desérticas montañas de Taxco para poner en orden sus ideas, para preguntarse a quién y qué es lo que quería, me sentí tan desolada como el pedregoso paisaje.

Dijo: *Debemos separarnos*. ¿Y quién era yo para discutirlo?

Suena el teléfono. Me reprochó, en esos momentos de dolor y de tormento para mí, él me reprochaba la supuesta infidelidad. Y en vez de negarlo, me dejé llevar por el peso de su acusación convencida de que yo era la culpable, dispuesta a confesar algo que jamás había ocurrido si con eso lograba traerlo de vuelta.

Se había ido a las montañas para estar solo.

Recuerdo que Frida vino a la Casa Azul, para recoger algunas cosas mirándome directamente a la cara. Creí que iba a verlo. Se suavizó la comunicación que él tenía conmigo. Algo se había roto. Nunca se lo pregunté directamente. Pero volvió su deseo por mí. Me escribió cartas apasionadas, como en los primeros días de nuestro noviazgo. Cómo se sentía inflamado nuevamente por mí. E intenté desearlo, pero solo había dolor y temor por lo cerca que había estado de perderlo, y pasaron muchos meses antes de que volviera a sentir de verdad, en lo hondo, una pasión por él como nunca antes.

Pero el sentimiento había vuelto. Lentamente, lentamente. Las cosas ya nunca fueron iguales entre nosotros. Pero encontramos una felicidad mayor, más honda, después de ese tiempo. Para mí, viéndome más vieja, poco deseable, sentía que había ganado en la lucha contra la juventud, la atracción y la belleza. Había ganado. Y mi triunfo me dio fuerzas.

Después del sueño con el joven, ahora comprendo mejor las cosas. Frida, a la misma edad que tenía yo cuando estaba en la cima de mi poder, hace años, había seducido a mi marido simplemente porque había podido.

Era tan simple y tan complicado como eso.

JORDI MARR
Coyoacán, julio de 1954

Está anocheciendo. Todo el día las fotografías del periódico, un Diego apenado tras el féretro de Frida, se han quedado aquí conmigo. Las primeras horas de la noche siempre me recuerdan aquella vida de antes, en la Casa Azul y luego en la avenida Viena, la rutina al entrar la noche, una sensación de que el día llegaba a su fin, como un reloj sobre sus resortes, y todos nosotros aún allí mientras el sol se hundía en el cielo. El cambio de guardia. La merienda. Y luego, quizá, la posibilidad de un permiso, de recorrer los bares de Coyoacán con Frida, escuchando sus historias sobre el Viejo, y con qué sentimiento de culpabilidad absorbía yo esas historias; cuánto odiaba Frida su rutina, su pedantería. *Pero sin esa rutina solo hay caos*, le dije alguna vez, recordando a mi padre, atado por el cuello al infinito, recordando todas las razones por las cuales me había unido a la Oposición.

Abraza al caos. No hay nada más, había dicho Frida.

En ese entonces, no podía hacerlo. Comprendía demasiado por qué todos los días de Trotski eran iguales, y cómo lo inesperado indicaba peligro.

Su rutina: Los conejos. La escritura. Las transcripciones. La siesta a primera hora de la tarde. Natalia sirviendo el té. Aun hoy, puedo recordar esa rutina, ponerla en mi mano y tocarla. Las horas que pasamos mirando a la calle desde la torre, anticipando el ataque. Cómo *ese día*, la rutina no importó: y cómo regreso hacia ese día, ya histórico. El culpable alivio de aquel día.

Recuerdo que me incorporé lentamente para ir hacia la reja. No me caía bien Jacson. Era solo una sensación, pero cuando se lo había mencionado a Trotski, meses antes, dejó a un lado mis

273

objeciones. ¿Dónde está la prueba? Es algo que hay en él, le dije. Admito que fue durante el tiempo en el que había tensión entre nosotros. Podía sentir cómo me distanciaba del Viejo. No estuve todo lo atento que debí estar.

«*Hasta que no tengas algo más concreto que una sensación* —me había dicho Trotski—, *continuaré permitiendo que venga a ver a Silvia.*»

Y ese día, al levantarme para ir hacia la reja, Trotski gritó: «Tino, Jordi, yo iré». Lo vi pulsar el botón y que la pesada reja se abrió; vi a Jacson entrar rápidamente a través del patio, intentando alcanzar a Trotski. Vi a Natalia tras la puerta de la cocina. Vi a Natalia observándolos. Los conejos se amontonaban unos encima de otros dentro de la jaula, agitados, excitados.

Era el final de nuestro turno y estábamos jugando al póquer, dejé las cartas en el momento que Trotski y Jacson cruzaban frente a nuestra caseta de guardia. De nuevo miré a Jacson, sus oscuros ojos muy juntos; estaba pálido por el calor, llevaba su traje y la gabardina sobre el brazo. Escuché a Natalia con la tetera y la olla, llenándola de agua desde la cocina, el agua que suspiraba a través de las viejas tuberías.

Xavier, el jardinero catalán estaba parado mirando las cartas con una pala en la mano. «No tiene buen aspecto hoy», dijo, mirando a Jacson. Xavier se inclinó sobre la pala, moviendo la cabeza. «¿Sabes?, es curioso... Anteayer, Jacson y yo compartimos unos cigarrillos y me lo agradeció en catalán... y era un catalán perfecto... Pero, ¿él es belga, no?...»

Alcé la vista y vi a Xavier apoyado sobre la pala. Cerré los ojos. En ese momento, las palabras de Xavier eran como balas que uno no escucha, porque ya es demasiado tarde, porque ya han perforado la piel y ya han entrado en el cuerpo.

Sus palabras impactaron en mi interior, en la parte de mí que siempre ha sabido; la que había gritado y no había sido escuchada. Las palabras se quedaron allí y luego, ya estaba yo de pie, gritando a los demás, las cartas cayeron de mis dedos como ceniza y nadie jugó su mano porque ese era el momento, y no había temor, solo había que actuar...

Cogí el rifle y atravesé corriendo el patio y el recuerdo de gente y de lugares del pasado hervían en mi cabeza. Caras en fila, caras en mítines, caras implorando, suplicantes y furiosas. Caras del tiempo en Barcelona. Caras que solo había visto brevemente; el destello de un ojo tras un saco de arena, apuntando...

Había tantos refugiados de la Guerra Civil española en México. Tantos estalinistas con pasaportes de brigadistas muertos. Todos lo sabíamos. Pero habíamos elegido no ver algunas cosas. Habíamos previsto un ataque desde el frente de la casa. Ciegos a cualquier otra posibilidad.

Escuchamos un alboroto en la casa principal. Habían pasado exactamente cuatro minutos desde que había entrado Jacson al estudio de Trotski. Solo cuatro minutos y ya era tarde. Corrimos, con nuestros rifles sobre los hombros y vimos a Lev Davidovich en el suelo, con la cabeza sangrando. Y vi al hombre, a Jacson de manera diferente. Lo vi tan claramente como si hubiera pasado a su lado en las calles de Barcelona todos esos años. Lo vi ante mí, como lo pude haber visto hacía meses si me hubiera fijado más, este coronel catalán del GPU, bien afeitado, muy delgado, sosteniendo todavía el *piolet*. Si no me hubiera apartado del Viejo... Y luego, alcé la culata de mi rifle y los ojos de Jacson cambiaron, el blanco de los ojos se volvió lechoso con la presciencia del dolor, con el miedo presente, y yo quería empujar su rostro hacia el olvido... entonces Tino y Xavier también se lanzaron sobre él, había desconcierto y sangre, solo había ese frenesí y esa sangre, y lo golpeamos con nuestros puños y las culatas de nuestros rifles hasta que el suelo quedó rojo. Hacía cuatro minutos nada de esto estaba sucediendo, pero el momento siempre estaba allí, ese momento del futuro, vacío, esperando a que entrásemos en él... y en medio de todo esto, Trotski, su cabeza sangrando sobre la pierna de Natalia, dijo débilmente «No lo maten». Y el hombre del GPU, el coronel catalán con el alias belga y numerosos pasaportes, también exclamó: «No me maten».

Jacson/Mercader estaba gravemente herido, entonces el ruido de la ambulancia, después se llevaron la postrada y sangrante figura de Lev Davidovich. Ninguno de nosotros lo había visto nunca sin sus lentes, parecía indefenso, más pequeño, atado en la parte trasera de la ambulancia; Natalia era otra persona, lloraba más allá de nuestro alcance, ni siquiera intentamos alcanzarla y lo único en lo que podía pensar era en que todo había terminado. El culposo desprendimiento de todo.

Después de todo esto, los recuerdos del pasado que volvían. La ilusión del momento, tres años antes, durante el corto trayecto del mar hacia la tierra; de algo fluido hacia algo más sólido.

Recordé el olor a jazmín y a sexo de Frida encima de mí. Recordé haber rezado al santo negro en un iglesia oscura. Cómo anhelaba que mi corazón estuviera entero. Todas las cosas del Viejo que mantuve en secreto.

Intenté rezar, pero no pude.

Tres días después, el funeral. En el crematorio, la puerta del horno no cierra bien. Se filtra el olor de tela quemada. *Resistencia, aun en la muerte*. Pienso, echado hacia atrás en el banco de madera, mirando la blancura del techo.

Más tarde, la noche de su funeral, me fui a la plaza Garibaldi de Ciudad de México. Esa plaza que cobra vida todas las noches. Las mesas llenas. Me senté en una silla de la plaza con el respaldo apoyado en la pared y un vaso en la mano.

Me senté solo. Recuerdo haber mirado hacia la mesa de una joven familia mejicana que tenía al lado. Había un periódico sobre la mesa y el titular enunciaba el funeral de Trotski. Alcé mi vaso y propuse un brindis: *Por el Viejo*, dije. Los niños de esa mesa se rieron y chocaron conmigo sus vasos de agua, sin saber lo que les decía. Su padre sí comprendió, alzó su copa y dijo con tristeza, *Por el Viejo*. En ese momento pasó una mujer con una larga trenza bajo un amplio sombrero plateado. La seguía un mariachi. Se inclinó hacia mí. Me sonrió y pude ver un único diente verdoso entre sus encías y sentí su apestoso aliento a alcohol. Llevaba una guitarra. «Cantaré más tarde, acuérdese de mí», me dijo.

Asentí con la cabeza y le sonreí. «Desde luego.» Más tarde, cuando la plaza ya se había llenado de parejas jóvenes con sus capirotes, pidiendo serenatas a los mariachis de pantalones entallados, deambulé alrededor de la plaza, me sentía mareado por las impresiones del día y del tequila que empezaban a morderme. Escuché la voz de una mujer que llegaba hasta mí, con una claridad y un timbre que me hicieron dar vuelta y allí estaba: la vieja de un solo diente, con el sombrero plateado colgándole sobre la espalda. Me detuve a observarla, asombrado de que esa voz pudiera salir de tal ruina y azorado por lo que la vida me ponía en el camino. Le di dinero a sus mariachis y tocaron para mí, formando un semicírculo, canté con ellos, como lo hacíamos Frida y yo en los bares, y le dediqué ese momento a ella, recordando el sabor del pastel envinado en las yemas de sus dedos; luego, nos sentamos juntos y me contaron historias hasta las tantas y la mujer de un solo diente y de la hermosa voz cantó en la plaza vacía y me entregué a todo aquello cuando de pronto recordé que el Viejo se había ido. Me sorprendió sentir esa alegría aquí y en ese día. Y recuerdo haber pensado para mis adentros que quizá así era la vida y que así sería: cómo uno cree que es una cosa, pero siempre resulta ser otra.

Entra mi esposa y me ve observando la fotografía del periódico otra vez: el ataúd de Frida cubierto con la bandera comunista. Siente mi dolor. Pone su mano en la mía: palmas cálidas y frescas yemas. A través de su tacto sé cuánto he cambiado y recuerdo al joven que alguna vez fui y cómo coloqué un pequeño corazón de hojalata sobre una tabla de fieltro rojo; cómo recé para que el amor entrase en mi vida. Cómo anhelé un abrazo paterno que jamás llegó. Siempre el anhelo. Y le digo a mi esposa:

—*Incluso cuando estuvimos juntos, Frida hablaba de su muerte y de cómo la recibiría. Su salud, su Diego, su pintura; no fue una vida sencilla...*

—*Ninguna vida es fácil* —me dice sonriendo.

Alzo la vista para mirarla y la estrecho contra mí.

RAMÓN MERCADER
Coyoacán, 22 de agosto de 1940

Me acuesto aquí bajo una áspera sábana en el hospital de una prisión. Me preguntan quién soy, a cada hora me repiten esta pregunta. *Soy Frank Jacson, empresario*, les digo. Ahora sé que seré Frank Jacson durante muchos años. Acostado aquí pienso en mi madre. Todas las ilusiones que tenía puestas en mí. Después de meses de preparación, cuando llegó el momento, primero las cosas fueron lentamente y luego se aceleraron, hasta que el momento me superó. Cómo luchó el Viejo. Nada me había preparado para eso.

Estoy cayéndome de una elevada montaña. No hay ninguna tercera presencia a mi espalda.

Sigo volviendo hacia lo que ocurrió. Vuelvo una y otra vez a escenificarlo aquí dentro. Los detalles del hecho.

Era un hombre de costumbres. Conocía su rutina a través de Silvia. Temprano en la noche, después de las horas que dedicaba a la biografía de Stalin, Lev Davidovich suspiraba y dejaba a un lado la pluma. La pluma con su nombre grabado, un regalo de Frida. Se estiraba. Abría entonces las puertas de los emplomados hacia al jardín de la casa sobre la avenida Viena. Alzaba la mirada hacia la pequeña torre de guardia, complacido con las nuevas torres. Se desplazaba a través del jardín hacia la jaula de los conejos. Los cogía uno a uno para acariciar sus orejas y asegurarse de que no tenían parásitos. Estaría de espaldas a la reja cuando yo llegara. Eso lo sabía.

Ayer fue un día húmedo e inestable y podía sentir el calor del sol en la avanzada tarde sobre mis hombros en el momento de que me detuve frente a la reja. Trotski escuchó una voz, mi voz, llamándolo. Me paré ante la reja, pasando de un pie al otro, con un manuscrito que sudaba en mis manos. «Señor —me dirigí hacia el Viejo—. Le ruego un momento...»

Iba vestido con un traje gris suelto y la gabardina gris sobre mi brazo. «Muy previsor —me dijo Lev Davidovich, señalando la gabardina al abrirme la reja—. Puede llover.» Me conocía como Jacson, el compañero de Silvia, una de las secretarias norteamericanas. Se quitó los guantes y suspiró. Su tarde había quedado interrumpida. Pero también se sentía halagado, lo sé. Disfrutaba cuando la gente joven venía a pedirle consejo, que sin dudarlo esperaban solo de él. *Pensó que me podía convencer.* Me invitó a pasar adentro, llamó a Natalia y a sus guardaespaldas. «Es solo Jacson, el de Silvia.»

Caminó apresuradamente a través del patio y yo intenté no quedarme atrás. «¡Esos conejos! Este clima los tiene intranquilos —Trotski movía la cabeza y gesticulaba en dirección a la jaula. Me sonrió por encima de su hombro—. Debería quedarse para el guisado.» Moví la cabeza y miré hacia las narices rosadas que se apretujaban contra la malla metálica. Desvié la mirada, sintiendo náusea.

Natalia apareció por la puerta metálica, como siempre, para controlar las visitas. Estaba sorprendida de verme allí a esa hora, pero Lev Davidovich la tranquilizó, sonriendo: «¡Estos jóvenes camaradas y sus manuscritos!». Natalia apenas sonrió, movió la cabeza en mi dirección y me ofreció té o café, que no acepté. Volvió a la cocina para preparle té al Viejo.

Pasamos a su estudio. Sobre una de las paredes había un autorretrato de Frida con la inscripción: *Para León Trotski con todo el amor dedico este retrato el 7 de noviembre de 1937.* Había sido un regalo para su cumpleaños, dijo él, el 7 de noviembre, por coincidencia, el vigésimo aniversario de la Revolución rusa. Alcé la vista hacia el cuadro de Frida de colores salmón y gris, un ramo de flores en su mano, mirándonos como una coqueta burguesa. Trotski dijo que se alegraba de haber traído ese cuadro después de mudarse de la Casa Azul. Le agradaba y tranquilizaba mirarlo. «Ah, Frida, es increíble, ¿no?», dijo con tristeza.

Miré hacia el cuadro de Frida y me sentí incómodo. La mujer que había detrás de la coqueta. Me sentí expuesto ante ella, igual a como me había sentido en la exposición, meses antes. Sus ojos lo veían todo, esos ojos acostumbrados a la dualidad. Por un momento, trastabillé y tuve miedo de que lo detectara. *El hombre con el traje demasiado grande. Dentro de la ropa de otro.*

«Sí, increíble», le dije, retirando la mirada del cuadro. Le entregué el manuscrito al Viejo, lo abrió sobre las páginas de la biografía inconclusa de Stalin. Mientras se daba vuelta, coloqué mi gabardina encima de la silla y alcé el *piolet* que estaba oculto en el bolsillo interior. Entonces, el Viejo me sorprendió, girando para verme en el momento exacto en que destrozaba su cráneo y la sangre se derramaba encima de los papeles. Y entonces giró, los ojos azules bañados en sangre, para morderme la mano. Forcejeamos, él llamó a Natalia que oyó la caída de la silla de mimbre y un sonido sordo y pesado. La sangre del color de las cintas de Frida se esparció sobre el manuscrito de Stalin. Los guardaespaldas entraron corriendo en la habitación.

Yo estaba allí parado con el piolet en la mano, respirando agitadamente, incapaz de moverme, sin poder sacar la pistola del otro bolsillo. La sangre del Viejo ya se coagulaba. Sangre en el suelo. En las paredes. Sobre el manuscrito como una mancha de Rohrshach. Y las gafas del Viejo tiradas en medio de un charco de sangre, con un brazo levantado, desafiante.

Nada me había preparado para aquel desafío.

COYOACÁN
21 de agosto de 1940

Mientras la sangre mana de su cabeza herida, Lev Davidovich mira desde el suelo de su estudio y el retrato de Frida es como un caleidoscopio frente a él. *Amor y dolor*, había dicho Frida en 1937, y luego todo se terminó. Amor y dolor.

Después de tres años, mientras se está muriendo, vuelven a aparecer todos los detalles. No los detalles gloriosos del Octubre Rojo. No los detalles del alzamiento en Kronstadt; los cuerpos hinchándose sobre la nieve. No los detalles de todos los años en el exilio, la muerte de todos sus seres queridos.

No. Lo que recuerda son los pequeños detalles, detalles privados del final de su aventura.

Lev Davidovich se retira a las montañas que rodean Taxco para recuperar sus ánimos. Natalia lo mira alejarse. Pensando en cuándo volverá.

Le escribe a Frida una larga y apasionada carta en la que le suplica que lo reconsidere. Ella no le responde.

Amor y dolor. Paulatinamente, las palabras repetidas una y otra vez en su cabeza, adquieren una cualidad rítmica, tranquilizante. Dormido, Lev Davidovich levanta la vista para ver los grandes ojos de Natalia llorando de preocupación.

Hace largas caminatas por las montañas observando los cactus, y se despierta una mañana, dándose cuenta de que ha dejado atrás a la única persona que ha sido testigo de su vida. Se aferra a Natalia.

Recuerda haberle escrito largas cartas. *Te amo tanto, Nata, mi única, mi amor y mi víctima.*

Cautelosamente, ella le contesta. *Me siento tan sola.*

Cuando está sola, ella pone su cara entre las manos y llora

ante el espejo por el paso del tiempo y maldice a Dios en quien ya no cree por no haberla hecho más hermosa. *Hoy me miré al espejo*, escribe, *y me veo mucho más vieja. Mi ser interior me hace verme más vieja.*

Finalmente perdonándolo. Consolándolo. *Somos viejos*, escribe, *solo nos tenemos el uno al otro.*

Lev Davidovich llora. No está del todo seguro de por qué.

Natalia lo observa cuando vuelve. Caminando lentamente por el sendero hacia la Casa Azul con un puñado de orquídeas del desierto en su mano. Esa noche, duermen poco. El lechoso aroma de las orquídeas invade la habitación. Ella levanta su camisón azul pálido y Lev Davidovich recuerda haber amado sus pequeños senos secos hasta el amanecer.

SEÑORA ROSITA MORENO
Coyoacán, 1955

Aquí estoy sentada en mi puesto. Hace mucho que rebasé mi siglo azteca de cincuenta y dos años. Ya soy una mujer vieja. Los he sobrevivido a todos. Ahora me inundan esas vidas, fluyendo como historias de oceános y de ríos. ¿Para qué es una vida, sino para dejar constancia de otras vidas?

También le he sobrevivido a mi Alberto, se fue a las minas, descendió por los murales del *patrón*, y no regresó jamás. Una explosión subterránea, dicen.

Si no una explosión, el pulque *o el mezcal o la política*, digo yo.

Enterré a Alberto hace unos meses, casi doce meses desde la muerte de la *señorita*.

Cómo lo amé, mi debilidad por mi esposo. Pero deseaba que envejeciéramos juntos. Pero ya sabía que eso no iba a poder ser. Pues había tenido la visión en mi espejo, la diosa del *pulque*, Mayuela, saliendo de una planta de maguey con una cuerda y unas copas en la mano. El cordel firmemente atado alrededor del cuello de mi esposo.

En mi espejo de arco iris pude ver cuánto lo quería ella.

Ahora, él viaja al Mictlán, el Lugar de los Muertos. Viajará a través de ocho infiernos hasta que encuentre reposo. Le he puesto agua. Le he puesto su sombrero, una máscara y un crucifijo también porque es un viaje muy largo. Saludará a Mictlantecuhtli, Señor de la Muerte, como un viejo amigo. Mi marido reconocerá la figura de esqueleto con sus ropas de papel y su gorra en forma de cono; su color mate. Porque en muchas ocasiones tomó forma bajo mi mano, y se paró como un centinela delante de nuestra puerta. Alberto lo conoce bien.

Todos estos viajes.

La *señorita*. Amaba la lluvia. Estaba destinada al Paraíso del Sur, gobernado por Tláloc.

Ahogándome dentro de la flor, había dicho ella.

He colocado una rama seca al lado de su urna funeraria. Se pondrá verde en cuanto ella entre en el Tlalocan.

Cuántas muertes recuerdo. Cuántas cosas he visto en mi espejo de obsidiana. Cuántas cosas comprimidas en las líneas de la palma de una mano.

Recuerdo la muerte y cremación del señor Trotski. La esposa, su cara como una piedra. Los ojos apretados. El cuerpo del señor Trotski introducido en el horno. Recuerdo que la puerta del horno no cerraba del todo. Las mangas de la camisa del *Viejo* prendieron fuego. Los asistentes empujaron con su peso la puerta. La mujer se desmayó cuando la tela comenzó a arder.

Miré fascinada porque *el Viejo* se negaba a ser empujado dentro del horno. Podía percibir el olor de sus terribles palmas al quemarse.

Murió como un guerrero. Como un guerrero, estaba destinado al Paraíso del Sur, la Casa del Sol. Ahora es *compañero del Sol*. Juega a las batallas con otros guerreros todos los días. Lo veo levantarse todas las mañanas con una inmensa energía, para saludar al alba, atacando con su espada todos los colores del fuego que chocan contra su escudo. Junto con los otros guerreros, acompañan al sol durante la primera parte de su recorrido.

Las almas de los guerreros regresan en forma de colibríes o de mariposas, como en las pinturas de la *señorita*.

Cómo se vuelve mariposa un guerrero.

Por eso el cielo queda atravesado por destellos rojos.

AGRADECIMIENTOS

No podría haber escrito este libro sin la subvención de la Junta para la Literatura del Australian Council, que me permitió viajar a México y me procuró el tiempo y la libertad que necesitaba; mis sinceras gracias. También estoy muy agradecida por la beca de literatura del Varuna Writers' Centre, en Katoomba, y a Peter Bishop y Tracey Ann Rankin, por hacer tan grata mi estancia.

Me gustaría dar las gracias a mi familia y a mis amigos por el apoyo y los ánimos recibidos mientras escribía esta novela. En concreto, a Gaby Naher, por creer en lo que yo estaba haciendo y por sus comentarios a una primera sección, y a Ivor Indyk, por publicar mi relato «In the Blue House of Coyoacán» en *Heat*, número 9 (1998). También a Peter Bishop, en Varuna, por sus maravillosas ideas y su apoyo incondicional; a Pam Wardell, de la BBC Radio Scotland, por su calor y entusiasmo; a Ramón Arumi, por sus recuerdos de niñez en la Guerra Civil española; a Esteban Volkov, por nuestro encuentro casual en Coyoacán y por compartir conmigo los recuerdos de la historia de su abuelo. Naturalmente, es mía la responsabilidad por la interpretación de los hechos y las personalidades de esta novela.

Quiero agradecer a Rosemary Davidson, mi editora, sus ideas y su apoyo; a Mary Tomlinson, su paciencia y su talento para editar el texto; a Marian McCarthy, su ayuda con las cuestiones delicadas, y a todo la plantilla de la editorial Bloomsbury su esfuerzo y su generosidad.

Por último, quisiera darle las gracias a Francis Cassidy, por todo.

Para escribir esta novela, he acudido a numerosas obras publicadas; en especial, a los biógrafos de León Trotski, Iossif Stalin y Frida Kahlo, así como a varios comentaristas sobre la época de Stalin. Los escritos del propio Trotsky también fueron muy importantes: *My Life: An Attempt at an Autobiography*, Pathfinder Press, Nueva York, 1970 [hay trad. cast.: *Mi vida*, Ediciones Giner, 1978]; *Trotsky's Diary in Exile 1935* (Harvard University Press, Cambridge, Massachusetts, 1976), y su última obra inacabada, *Stalin: An Appraisal of the Man and His Influence* (Harper & Brothers, Nueva York, 1941).

Las siguientes obras fueron de indudable valor: la trilogía de Isaac Deutscher, en particular *The Prophet Outcast: Trotsky 1929-1940* (Oxford University Press, Londres, 1963) y su *Stalin: A Political Biography* (Oxford University Press, Nueva York, 1967), y V. Serge y N. Sedova-Trotsky, *The Life and Death of Leon Trotsky* (Wildwood House, Londres, 1975).

También me fueron de ayuda otras lecturas complementarias: S. Alliluyeva, *Twenty Letters to a Friend*, Hutchinson & Co., Nueva York, 1967 [hay trad. cat.: *Vint cartes a un amic*, Pòrtic, Barcelona, 1967]; T. J. Colton, *Moscow: Governing the Socialist Metropolis*, Harvard University Press, Cambridge, Massachusetts, 1995; Bernardino de Sahagún, *The War of Conquest: How it was Waged Here in México: The Aztecs' Own Story*, traducción inglesa de A. J. Anderson y C. E. Dibden, University of Utah, Utah, 1978 [ed. orig.: *Hablan los aztecas*, Tusquets, Barcelona, 1985 y *Hablan los aztecas. Historia general de las cosas de Nueva España*, Círculo de Lectores, Barcelona, 1992]; I. D. Levine, *The Mind of an Assassin*, Weidenfeld & Nicolson, Nueva York, 1959; H. Herrera, *Frida: A Biography of Frida Kahlo*, Bloomsbury Publishing, Londres, 1998; F. Kahlo, *The Diary of Frida Kahlo*, Bloomsbury Publishing, Londres, 1995 [ed. orig.: *El diario de Frida Kahlo: un íntimo autorretrato*, Círculo de Lectores, Barcelona, 1996], y J. Van Heijenoort, *With Trotsky in Exile*, Harvard University Press, Boston, 1978.

ÍNDICE